UNION GÉNÉRALE D'ÉDITIONS
8, rue Garancière PARIS VIe

Dans la même collection

RESTIF DE LA BRETONNE

Le paysan perverti, T. I

Le paysan perverti, T. II

Ingénue Saxancour

LE MÉNAGE PARISIEN

PAR

RESTIF DE LA BRETONNE

Texte et dossier
établis et présentés
par Daniel BARUCH

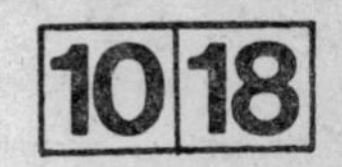

ISBN 2-264-00924-1

Les nécessités matérielles, l'obligation d'équilibrer les ouvrages, ont imposé une certaine répartition des commentaires qui les accompagnent. Le lecteur trouvera dans chaque volume de cette réédition d'œuvres de Restif de la Bretonne une note et un dossier le concernant directement, mais aussi des textes de présentation, de portée plus générale, ainsi distribués :

Le Ménage Parisien
Préface (Restif, sa vie, son œuvre).
Bibliographie 1949-78.

Ingénue Saxancour
Restif et l'inceste.

Le Paysan perverti
Un auteur en quête d'autobiographie.

Cette réédition n'a d'existence que par la volonté de Christian Bourgois, qui en a d'emblée accepté le projet initial comme les inévitables modifications ultérieures. Je dois également remercier M. A. Grandmaison, libraire à Paris, et M. J. P. Quillet, de Montélimar, pour leur aide dans la recherche des textes, ainsi que ceux qui, sur ma demande ou spontanément, m'ont apporté des éléments de ce long travail, en particulier MM. J. Lacarrière, G. Pointereau, R. Peyrefitte, et C. Seignolle.

Enfin, l'établissement des textes n'aurait pu être mené à bonne fin sans le soutien matériel de M P. Ouvrie.

PRÉFACE

Rares sont les autoroutes dont une sortie débouche sur un nouveau continent. Et rares qui s'en doutent les voyageurs de l'A.6, dépassant la fugitive issue de Nitry. Fermée de 21 heures à 5 du matin : il faut laisser reposer les fantômes.
A droite en regardant vers Paris (comment regarder ailleurs, si l'on met ses pas dans ceux de Restif?) à droite Nitry lové paresseusement sur son plateau ouvert à tous les horizons; à gauche, s'étirant, resserré entre les files de collines, le village de Sacy. Restif y comptait cent vingt-cinq maisons de chaque côté de sa grand'rue, dont une extrémité, celle de *la porte Là-bas* s'éloigne en direction de Vermenton, et l'autre, de *la porte Là-haut,* de Joux-la-ville, ici comme là plus à l'aise à travers les champs. L'étrange veut que, dans un village si réduit, il hante, à parts en somme égales, deux de ces maisons, dorées ou grises selon le moment. Les siècles les ont à peine modifiées; l'une derrière un porche voûté, en face et en contrebas de l'église qui s'agrippe aux pentes comme tout son côté de rue : maison natale dont à huit ans il

déménage pour la ferme de *la Bretonne,* la toute dernière en direction de Joux, *hors des murs à plus de trois cents pas* (1). *L'isolement de la Bretonne me rendit sauvage comme les petits chats élevés à l'écart*[a]. L'étrange? Le normal plutôt, puisque chez lui tout est double au minimum. Et ce lecteur de la Bible, cet hagiographe d'Edme Rétif(2), pourrait dire justement : *il y a plusieurs demeures dans la maison du Père.* Les deux maisons de Sacy marquent l'origine de chemins parallèles et fous, qui, au hasard d'une confession, d'un roman, d'une lettre, s'effilochent, s'entrecroisent ou font semblant.

J'étais né presque mourant; on espérait peu de me conserver... « Nous n'aurons pas le bonheur de le conserver »... J'étais presque mort quand je vins au jour... (3)

Ces trois enfants si fragiles (mais qui meurent, l'un à soixante-six ans, l'autre à soixante-douze, le dernier à quatre-vingts) et dont les existences entremêlées relient Louis XIV à Napoléon III, chacune assistant à la fin d'un monde, qu'on fonde leurs voix ensemble, c'est à bien juste titre. Restif répond à Rousseau et Chateaubriand à Restif, mais comme l'écho à nos appels, répercutés dans un langage nouveau. A deux ans, brisant le miroir de sa mère, Restif perce le secret de l'écho, et celui du reflet : *les facettes multipliant les objets, je crus voir un monde derrière le miroir*[a].

Un monde derrière le miroir : tous, ils regardent derrière (mais est-ce le même que Stendhal voulait promener le long d'une route?) ces nouveaux mémorialistes, nés avec Jean-Jacques, et qui ne s'arrêtent pas à Proust. S'il suffit à René de méditer l'histoire pour supposer sa vie différente, Rousseau, moins haut perché, sait mieux encore à quoi tiennent les choses : *Avant de m'abandonner à la fatalité de ma destinée, qu'on me permette de tourner un moment les yeux sur celle qui m'attendait naturellement... Rien n'était plus convenable à mon humeur, ni plus propre à me rendre heureux, que l'état tranquille et obscur d'un bon artisan... Cet état, assez lucratif pour donner une subsistance aisée, et pas assez pour mener à la fortune, eût borné mon ambition pour le reste de mes jours,... il m'eût contenu dans ma sphère, sans m'offrir aucun moyen d'en sortir* (4).

Il s'en fallut d'un cheveu, que passe son temps à couper en quatre Restif, plus bas, plus démuni (et même tenus pour clauses de style ses fréquents regrets de n'être point resté laboureur) : *Mon frère utérin Edmond Boujat, le chirurgien, était mort l'année que j'avais quitté Courgis. S'il eût vécu, il s'ouvrait un autre ordre de choses pour moi*[a].

Au fond, la découverte des anti-matières, et des anti-mondes. Illusion? Mais la réalité tout autant, dès qu'elle n'est plus que chose dite. Des mots identiques expriment le vrai et le faux. Un rêve violent, une péripétie vécue sont de même essence dans le souvenir (5). Mais, pour en arriver à ce point où imaginer devient synonyme de se rappeler, où le futur devient donc le semblable du passé, quelle démarche (6)! Voilà le mérite propre de Restif. *La treizième revient, c'est encore la première... :* on ne s'étonne plus que Nerval, en lui, se soit reconnu. Dans ces lignes sans doute : *Dans ma jeunesse, j'avais le sommeil très profond, et j'étais presque somnambule : surpris dans un songe par la réalité, j'étais longtemps à me désabuser, ou, si je m'éveillais naturellement, le réveil ne détruisait pas tout d'un coup l'illusion*[a]. Nombreux certes les écrivains qui s'étaient un peu avancés dans un domaine dont on aimerait dresser une sorte de carte du Tendre : le dit des claires avenues, le non-dit dans ses marécages, et, après, avant, les forêts du sous-dit. S'y sont risqués Shakespeare, Corneille, *Don Quichotte* surtout. Que seuls les mots créent, Hélène l'apprenait déjà de Ronsard, et Dieu, pour le monde, ne procéda pas autrement. A plus tard le détail de *l'ordre des choses.* Pour présenter Restif, ce n'est pas à des écrivains qu'on est tenté de recourir, mais à deux hommes qui disposèrent d'assez de pouvoirs et d'argent pour fabriquer (et nous laisser à toucher, à visiter) leurs mondes intérieurs. Le pauvre Restif n'avait que le papier et l'encre — encore a-t-on dit de ses derniers livres qu'ils étaient *imprimés sur du papier à chandelle, avec des têtes de clous* (7) — et le burin-kodak de ses illustrateurs. Tel, malgré tout, il a devancé, seul, les châteaux de Louis II de Bavière, et les parcs animés de Walt Disney. L'angoisse et le désespoir des vaines entreprises rapprochent à coup sûr davantage l'œuvre écrite des rêves du roi : wagnériens ou versaillais, à mesure qu'il les construit (et qu'il les fait passer de ce côté-ci du miroir) ils le détruisent, lui pour qui *l'imagination et l'illusion doivent pourvoir à la réalité défaillante,* et qui relit *La vie est un songe*[2]. Mais Louis II bâtissait les rêves des autres et les habitait. Cette lettre à Wagner : *Je me propose de reconstruire le vieux burg en ruine, au-dessus de Hohenschwangau... Vous y trouverez des réminiscences de Tannhaüser (Salle des chanteurs) de Lohengrin (cours du burg, passage découvert et chemins de la chapelle)* (8). Ou bien s'incarnait dans un passé qui n'était pas le sien, qu'il donnât une fête pour la Pompadour, ou soupât aux chandelles avec Marie-Antoinette. Tandis que Restif, constructeur de ses propres rêves, allant jusqu'à tenir la main de ses graveurs, ne se lasse pas d'en parcourir les labyrinthes, s'admirant d'enfoncer des portes dérobées, dérobées par lui, la veille. L'architecture de son œuvre ressemble fort à celles d'un M. Escher, aussi possibles pour les yeux qu'impossibles pour la raison (9). Tout autres étaient ces graveurs de fait-divers, qu'il raille et dont il écrit : *les graveurs de Paris, presque tous sans génie, tirent parti des moindres choses plutôt que d'inventer* [a]. Sa conception de l'art envisageait la réalité d'un troisième œil. *J'ai fait comme les graveurs qui dessinent un édifice non achevé. J'ai mis les choses comme j'aurais désiré qu'elles arrivassent* [b]. En dimensions autres : un continent, Restif. Continent donc incontinent. On lui en fait souvent grief. L'immensité à découvrir décourageait. Les forêts y cacheraient les arbres. Les petits patrons-gardiens des zoos littéraires s'affoleraient : où mettre ce diplodocus auprès duquel le reste de l'arche paraîtrait anémique? Amateurs de miniatures, de maquettes, de chihuahuas en tous genres, s'abstenir : en bonne logique énorme donc réduit à rien. Le guide Joanne de l'Italie (1874) qui s'adresse à des petits-bourgeois, du gabarit Perrichon ou Tartarin, n'estime-t-il pas qu'*une année environ pour visiter l'Italie, c'est l'idéal.* Mais que *trois mois* (c'est lui qui souligne) *sont le temps le moins considérable qu'on puisse consacrer à un voyage dans toute l'Italie,* il est vrai *sans y comprendre la Sicile.*

Exagération : ne lirait-on que *Monsieur Nicolas* (dégraissé de ses appendices) *Le Paysan perverti,* ou *La Paysanne, La Vie de mon père* et un bon choix des *Nuits de Paris,* qu'on aurait déjà sinon son Restif, du moins une approche de bon aloi. Au total un ensemble inférieur à ces romans-fleuve de l'avant-guerre, qui se lisent encore. Et puis une fois jeté un regard dans ce fantastique kaléïdoscope, comme par exemple dans ce passage de *L'Année des Dames nationales,* qui le montre se détriplant : *On voyait tous les soirs au Palais-Royal, couvert d'un habit fourré, un vieillard après lequel couraient quatre filles. Je fus curieux de connaître cet homme. Quelqu'un de ma connaissance, habitué du Palais-Royal, me dit : Je vais vous instruire...*

Oui, Restif est ce vieillard, il est ce quelqu'un qui parle, il est aussi le témoin, *l'indagateur,* qui raconte. Un de ses porte-parole s'appellera, dans *Les Posthumes,* le duc Multipliandre.

Peu d'hommes se sont donné autant d'ombres d'eux-mêmes. Et ces ombres n'agissent pas au hasard en massacrant tant de virginités (la plupart suicidaires). Signe du jamais plus, du choix compris comme un sacrifice, conscience aiguë de l'absurde : quoi qu'il décide et quoi qu'il fasse, l'homme déclenche son propre destin, du moins, murmure

Restif, *pour moi qui ne crois pas à ces fariboles de malheur et de fatalité*[c].

Lecteur, avertissait déjà Restif, *on parle souvent de ceux qu'on aime ; on les présente sous différents points de vue. Un M. Milran* (10), *de Cherbourg, a été étonné de trouver de la variété* (c'est-à-dire des variations) *dans certains récits : il ne connaît pas le cœur humain.*
Ainsi pirouette Restif. Il ne prend même pas cette élémentaire précaution du menteur qui mêle ses affabulations à des événements vérifiables. Non, il garde toutes les cartes en main, et ses biographes à peu près réduits à le paraphraser, ont beau jeu cependant à en relever les erreurs, les omissions, les travestissements, les contradictions. « A beau mentir qui vient de loin. » Restif ne vient pas de très loin et fournit tous les itinéraires. De toutes manières, le critique attentif, l'historien pointilleux ne touchent pas à l'essentiel. Au contraire : on ne vérifie que ce qui peut être vrai. Savoir que Restif ment? Il n'est que de le lire. La cohérence interne du discours engloutit les incohérences de détails. Le faux devient le vrai, puisque donné pour tel. Lui-même délimite assez mal l'un et l'autre : *Je peins les mœurs par les faits; la moindre altération donne un tableau faux, une erreur, une idéalité, dont on ne peut tirer aucune induction réelle,* dit-il dans *L'Année des Dames nationales,* mais ailleurs il avoue déformer les faits *car la vérité n'y est pas vraisemblable*[a].
Ainsi passe-t-il sans gêne à travers les miroirs; et sa vie qui n'est sans doute pas celle qu'il a vécue, mais

celle qu'il s'est donnée, contradictoire et multiforme, n'est là que pour dessiner un homme qui, lui, existe, malgré ses hâbleries ou ses réticences et certainement grâce à elles. Dieu tout-puissant dans un monde éternel qu'il peuple et qu'il habite de son premier souffle au dernier. Qu'il se moque de *ce vieillard imbécile, comme il en est tant (car l'imbécile jeune l'est doublement étant vieux) étonné de ne plus trouver le même charme aux usages dont il est las, de n'avoir plus cette ivresse qui embellit tout* et qui *fronde tout en disant que tout est changé. Hé! c'est toi seul et tes pareils qui êtes changés : le monde est le même!* [c]
Le sien du moins. Et pour toujours. Les « instantanés — instants/années » qui suivent ont valeur de souvenirs de voyage : c'est le petit oiseau de verre de Murano à travers lequel on rêve toute une Italie.
1734. Sacy. *Je vis le jour en 1734, le 22 novembre, dans le village de Sacy* [a]. *Sacy, dans le Tonnerrois, n'est qu'un village à 1 lieue et demie de Vermenton, 3 de Tonnerre, 3 d'Avallon, 3 de Noyers, 4 de Vézelay, 7 d'Auxerre et 21 de Paris* (11). *Sacy (c'est le nom de ce village où les gens sont si grands mangeurs et si laborieux)* (12). *Y puissé-je reposer un jour sous une tombe où seront inscrits les titres de mes ouvrages!* [a]
1738-1745. Pieds et chaussures. *Prenons les passions à leur origine. Tout enfant, et ayant à peine acquis le premier développement, je fus sensible, non à la beauté de la gorge (ce goût me vint plus tard) mais à l'élégance du pied et de la chaussure des femmes. Le pied d'Agathe Tilhien me fit la première impression et j'eus, avant quatre ans, l'envie de le baiser. Etait-ce le ressentiment d'une vie précédente où j'avais eu cette*

passion? Je le présumerais si j'avais là-dessus les moindres données (13). *Lorsque j'entrais dans quelque maison, et que je voyais les chaussures des fêtes rangées en parade, comme c'est l'usage, je palpitais de plaisir : je rougissais, je baissais les yeux comme devant les filles elles-mêmes*[a].

1745. La première femme. *Nannette fut la première femme pour moi. A ce moment terrible! de la première crise de la reproduction,... je m'évanouis... C'est par l'effet que je saurai un jour que j'ai été homme à dix ans et demi. Je me rendis chez nous triste, toujours prêt à m'évanouir*[a].

1746. La petite vérole. *La fin de ma beauté était arrivée. Guéri de ma petite vérole, je fus aussi laid de visage que j'avais été beau. Mes traits étaient grossis et absolument changés; mes cheveux, châtain-doré et bouclés, étaient tombés; ils revinrent noirs et droits. La première fois que je me vis dans un miroir, ce fut avec une sorte d'horreur. De ce moment, je devins plus honteux, plus sauvage; je n'avais plus rien qui me rassurât.*[a].

1748. Jeannette Rousseau. *Le jour de Pâques, le moment de la communion arrivé, je vis avancer les femmes, puis les jeunes filles, et parmi celles-ci, une que je n'avais pas encore vue et qui les effaçait toutes. Elle était modeste, belle, grande; elle avait l'air virginal, le teint peu coloré, pour donner sans doute plus d'éclat au rouge de la pudeur, et marquer davantage son innocence; elle était faite comme les nymphes, mise avec plus de goût que ses compagnes, et surtout elle avait ce charme tout-puissant, auquel je ne pouvais résister, un joli pied. Son maintien, sa beauté, son goût, sa parure, son teint virginal, tout me présenta la réalité de l'adorable chimère de mon imagination* (14) [a].

1751. Apprenti. « *Je te parle en père et en ami, non en maître, attendu que tu te fais grand et que tu raisonnes. Ainsi tu m'entends quand je te dis qu'avant de faire une maîtresse, il faut avoir un état, et qu'avant de songer à en faire sa femme, il faut avoir du pain. Nous ne sommes pas comme les enfants des rois et des seigneurs, qui dès seize ans n'ont souci que de se reproduire, en faisant des enfants qui auront leur pain cuit. Nous autres, il faut le savoir gagner... Ne rougis donc jamais d'être un travailleur mon fils, dans l'état où la Providence t'aura mis; mais rougis, meurs de honte, si jamais tu vivais en intrigant, aux dépens des autres!... Ne songe qu'à te perfectionner dans l'état d'imprimeur dès que tu y seras entré; car c'est un état noble et relevé, si je m'y connais, où l'on peut acquérir bien des connaissances utiles!*

Ma mère m'acheta un habit brun complet fort propre, des bas de filoselle, les plus beaux que j'eusse encore portés, un chapeau et des souliers de ville. Il fut décidé que je partirais le 14 juillet de grand matin, ayant l'âne de ma tante Mairat pour porter mon bagage [a].

1751 : Colette Parangon. *Représentez-vous une grande femme, admirablement proportionnée, sur le visage de laquelle on voyait également fondus la beauté, la noblesse, et ce joli, si piquant, des Françaises, qui tempère la majesté; ayant une blancheur animée plutôt que des couleurs; des cheveux fins, cendrés et soyeux; les sourcils arqués, fournis et paraissant noirs; un bel œil bleu qui, voilé par de longs cils, lui donnait cet air angélique et modeste, le plus grand charme de la beauté; un son de voix timide, doux, sonore, allant à l'âme; la démarche voluptueuse et décente; une belle gorge, dont chaque demi-globe était presque horizontal avec ses épaules; la main douce, sans être potelée; le bras parfait; la jambe aussi bien que la plus belle jambe d'homme, et le pied le plus délicat, le mieux conformé, qui jamais ait porté une jolie femme*[a].

1755. Paris. *Je n'ai jamais entrevu Paris de loin qu'avec le tendre sentiment d'un fils qui revoit sa mère. A la vérité cette mère est un peu capricieuse; elle est quelquefois bien dure! mais aussi la plupart du temps, elle choie ses enfants au point de les gâter* (15).

1756. La première prostituée. *Le 11 janvier 1756, jour funeste à jamais, je vis, pour un écu, la première prostituée. O jour malheureux! je te maudis. J'en fus puni sur le champ par le mépris qu'Argeville* (c'est une femme qui demeure dans la même pension que lui) *me marqua, précisément parce que je l'avais payée; il fallait, en crocq, lui commander, la soumettre à coups de poing, et la payer du pied dans le ventre : alors j'aurais été un luron, un bon garçon, au lieu que je n'étais plus qu'un miché. Les inquiétudes les plus cruelles pour ma santé furent ma seconde punition*[a].

1760. Le mariage. *Le lendemain 22 avril, nous marchâmes à l'autel, Agnès et moi. Qu'on me permette un peu de vanité : j'étais beau ce jour-là, ce jour de ma mort morale. Arrivés à l'église, le fatal serment du mariage fut prononcé. Et moi je pensai tristement : « Infortuné! te voilà donc lié!... » Je revins de l'église avec le sentiment pénible que j'étais perdu!... Et je l'étais...*[a]

1765-1767. Écrivain. *Je termine ici l'époque honteuse de ma vie, celle de ma nullité, de ma misère, de mon avilissement...*[a]. *Dans le temps que je commençais à écrire, je travaillais beaucoup depuis le matin jusqu'à deux heures dans mon lit, en hiver, par deux raisons : pour être plus tranquille et pour ne point faire de feu. Ma misère était profonde, mais j'avais un trésor : c'était une ardeur infatigable pour le travail et le désir du seul nécessaire. L'après-dîner j'allais chez mon imprimeur composer moi-même à la casse les formes de mon ouvrage du matin. Tout mon temps était rempli; j'étais pauvre mais content*[c].

1782. L'Ile Saint-Louis. *Je me crevais de travail, pour me distraire, n'ayant d'autre plaisir, d'autre relâche, qu'une courte promenade journalière autour de l'Ile Saint-Louis, durant laquelle je gravais sur la pierre mes peines et les terreurs que me causaient certains endroits de mes ouvrages*[a].

1795-1806. La vieillesse. *Assis au terme de ma vie, je tâche de ne pas m'abandonner moi-même, et je lutte, par le travail, contre la nécessité. J'ai plusieurs petits-enfants, dont trois sont orphelines. La vieillesse paternelle, qui est la consolation des autres hommes, est devenue pour moi un abîme d'inquiétudes, un insupportable fardeau...*[a]

J'ai soixante-trois ans. Je vis seul, isolé; ma fille Marion, chez laquelle je mange, est veuve, a l'embarras de trois enfants, et point de fortune. Il me faudrait une compagne de quarante à soixante ans, assez aisée pour me nourrir. J'ai encore d'excellents ouvrages à faire, dont les plans sont tracés; je les ferais paisiblement, et produirais au-delà de ma dépense (16).[a]

Cet homme fou de littérature (du moins de la sienne) a laissé une œuvre qu'on définit souvent par quarante titres et deux cents volumes (17) : foisonnante et décousue, pense-t-on; beaucoup moins hétérogène quand on y regarde de près. Qu'il s'agisse de romans, d'essais, d'autobiographies plus ou moins avouées, de théâtre ou de recueils anecdotiques, tous sont unis par des liens aussi constants qu'inattendus, se complètant ouvertement l'un l'autre, offrant quelques
plétant ouvertement l'un l'autre, offrant quelques pièces d'un dossier donné ailleurs, insérant là où elles des jérémiades, des justifications, édifiant, au bout du compte, non seulement une création unique, mais aussi une unique création.

On le verra déjà bien par ces trois œuvres, si différentes pourtant dans le ton et les intentions, que sont *Le Ménage Parisien, Le Paysan perverti, Ingénue Saxancour*. Tout pourrait séparer le petit roman voltairien, au goût du jour, et la grande machine qu'est le *Paysan*. Sans parler d'*Ingénue* dont l'éclat, noir et froid, ne brillera de nouveau qu'un siècle après, dans l'œuvre de Jules Renard (un voisin de Restif, dans tous les sens du terme). Eh bien, pourtant, que de liens entre ces trois livres : les décors sont les mêmes, les têtes de Turcs aussi; les marionnettes de l'un cèdent la place aux êtres tirés de son invention, à moitié, puis à ceux de chair et de sang, ou presque. Ça ressemble aux scènes de Molière que jouent sur deux registres différents les maîtres et leurs valets. On pourra remarquer aussi combien de plus en plus, l'homme et l'écrivain se rejoignent à mesure qu'ils vieillissent. Une dizaine d'années séparent sa femme et *Déliée,* mais quelques mois à peine entre Augé et son *Echiné,* Agnès et cette *Ingénue.* Que ce soit justement dans un âge avancé qu'il raconte ses souvenirs laisse déjà deviner comment pour lui l'écriture, à force de courir après la vie, réussit à la rattraper, et à la supplanter enfin.

J'aimerais terminer cette introduction en faisant écouter un témoin inattendu; il ne parle pas du Restif qui me touche le plus : mais, ce qu'il dit de l'utopiste et du réformateur, il le dit d'une façon si chaleureuse et si lyrique qu'il serait dommage que cette grande voix ne trouve pas ici un écho. La parole est à Jean Jaurès (18) :

Le seul chez qui la loi agraire se manifeste avec quelque force de vie, c'est Rétif de la Bretonne. Elle y est exposée dans La Paysanne pervertie, *par une sorte de Caliban de mauvais lieu, par un souteneur qui, en un rêve bizarre, puéril et fangeux, mêle des idées de débauche et d'ignoble richesse à des projets de réformes souvent baroques, et de philanthropie. Mais du moins, ce n'est pas là une froide abstraction ou une formule d'école : c'est comme un besoin crapuleux de bienfaisance et de gloriole, un étrange pressentiment révolutionnaire dans un bouge d'infamie, un ruisseau ignominieux dont les ordures sont soulevées par une pluie d'orage. On dirait une création d'un Balzac immonde, une sorte de Rastignac de maison de passe ou un Vautrin qui aurait roulé au-dessous de lui-même... (...) Tout ce que je veux dire et tout ce que je retiens, c'est que l'idée d'une loi agraire, d'une vaste distribution des terres aux paysans était, pour ainsi dire, amenée à la Révolution par deux canaux : par les lointains souvenirs antiques et par l'impur ruisseau des inventions romanesques* (19).

Daniel Baruch.

NOTES

(1) Les citations de Restif données ici sont modernisées quant à l'orthographe et la ponctuation, et pour plus de clarté, rien n'en signale les éventuelles coupures; a, b, c, indiquent qu'elles proviennent de *Monsieur Nicolas, Le Memento, Les Contemporaines.*

(2) Sur l'orthographe du nom, voir *Le Paysan Perverti* (préface, note).

(3) Dans l'ordre : Rousseau (*Les Confessions*) Restif (*Monsieur Nicolas*) Chateaubriand (*Mémoires d'Outre-tombe*).

(4) *Les Confessions.*

(5) Ainsi Proust : « Et comme il n'y a pas entre le souvenir d'un rêve et le souvenir d'une réalité de grandes différences... » (*La Fugitive*).

(6) Cf. Chateaubriand, *Mémoires d'Outre-tombe,* Livre IV, ch. 8 (l'histoire de Bassompierre) entre autres.

(7) *Le Correspondant,* 25.4.1894.

(8) *In* Pierre Combescot : *Louis II de Bavière* (Edition Spéciale, 1972). *La vie est un songe :* il s'agit de *Le songe est la vie,* de Grillparzer.

(9) *Le Monde de M. C. Escher.* (Editions du Chêne, 1973).

(10) Ami de Restif (qui le nomme aussi Milpourmil) de son vrai nom Marlin. Restif a souvent fait état de ses lettres. Ils finirent par se brouiller.

(11) *L'Année des Dames nationales.* Restif est né en réalité le 23 octobre. On trouvera, dans *Ingénue Saxancour*, une chronologie résumée.

(12) *Le Nouvel Emile.*

(13) *Les Posthumes.*

(14) *Je n'avais que treize ans... Elle avait environ seize ans. Ma prière la plus fervente fut celle-ci : Unam petii a Domino, et hanc requiram omnibus diebus vitae meae! (Je n'en demande qu'une au Seigneur, et je la rechercherai tous les jours de ma vie).*

(15) *La Vie de mon père.*

(16) Dans cette préface, j'ai laissé la parole à Restif. On en trouvera une interprétation dans celle du *Paysan Perverti.*

(17) Sur cette question, voir Bachelin (*Les Nuits de Paris*, p. 305-6).

(18) J. Jaurès : *Histoire Socialiste de la Révolution Française.* (Editions Sociales, 1970).

(19) Les idées égalitaires et réformatrices de Restif se retrouvent dans *La Découverte australe...* (1781) et surtout *L'Andrographe* (1782). Mais elles affleurent un peu partout dans son œuvre. (Voir, à la fin du *Paysan Perverti*, les « statuts du bourg d'Oudun »).

NOTE SUR LA PRÉSENTE ÉDITION

C'est en juin 1773 que parut la seule édition du *Ménage Parisien* (1), deux volumes in-12 (9,5 × 16 cm) d'environ deux cents pages chacun. Pages de titre, préface (« A mes pairs en sotise ») et tables sont imprimées en rouge. L'ouvrage, tiré à 1 250 exemplaires, selon Rives Childs, figure dans la liste de ceux de Restif en vente en 1776, mais est porté manquant dans celle de 1788 (2).

Il n'a connu depuis qu'une seule réédition, celle de H. Bachelin (tome V des *Œuvres,* voir la bibliographie) dans laquelle, de propos délibéré, le texte en est considérablement réduit, et l'écriture modernisée.

Cependant Restif avait inclus dans *Les Beaux Rêves* (1774) des vers extraits du *Ménage : Conte épigrammatique, Bonheur en songe, Epitalame et La Bégueule*

(1) Une nouvelle des *Contemporaines* (tome XV-XVI) s'intitule *Le Ménage Parisien, ou la Conspiration Dévoilée,* mais est sans rapport avec le roman.

(2) Il figure encore en 1786, dans le catalogue joint au tome IV des *Françaises.*

(qui, du reste, est de Voltaire). Mais ce recueil, dont il ne parle jamais, a-t-il bien été composé par lui? L'extrême rareté du livre, les difficultés que le curieux rencontrerait s'il voulait connaître l'originale m'ont conduit à donner le texte entier et authentique. Ce n'étaient pas les seules raisons : orthographe (« Je n'ai jamais pu me soumettre à l'orthographe ordinaire; je l'ai plus ou moins contrariée toute ma vie ») et typographie du *Ménage Parisien* s'inscrivent dans une longue série de recherches et de tâtonnements que Restif a poursuivis tout au long de sa vie d'écrivain : de *La Famille Vertueuse* sa première œuvre en 1767, jusqu'aux pages de *Monsieur Nicolas* dont, trente ans plus tard, les caractères s'essaient à refléter les sentiments. Ce Restif-là qui précède Mallarmé, Max Jacob ou Queneau, mais aussi Steinberg et les bandes dessinées modernes, il eût été injuste de le négliger. C'est à la fois l'artiste en quête du livre total, et l'ouvrier d'imprimerie (« Je m'occupai de mon travail, bornant toute mon ambition à être bon ouvrier ». En 1760.) dont l'expérience et la réflexion professionnelles prennent ainsi corps. Sa page, en même temps qu'elle raconte, crée une sorte de paysage qui n'appartient qu'à lui, et le rend toujours présent, comme les donateurs dans les tableaux anciens.

Certes un effort est demandé au lecteur, mais auquel, me semble-t-il, on s'habitue vite; et ne trouve-t-on pas une saveur supplémentaire, inacoutumée, dans cette sorte de français sauvage, de langue en liberté? Qu'on la lui reprochât, serait aussi incongru que de faire grief à Monet de sa palette, à César de ses matériaux. D'ailleurs dans une époque qui remue tant de projets de réformes, voici l'occasion de goûter un langage autrement écrit.

Quelques modifications cependant : correction des fautes d'orthographe ou d'impression tout-à-fait manifestes (dans le doute, j'ai préféré laisser une inconséquence plutôt que de trancher); disposition plus claire des dialogues; abandon de la distinction ʃ/s, et M/M (sur ces points, voir pages 32 et 33). Enfin, on a jugé bon d'écrire le titre, en haut de page, de façon modernisée, et de rejeter en fin des *parties* les notes que Restif inscrivait en bas des pages : on ne les confondra pas avec celles qui constituent les chapitres XIV et XXVIII.

LE MÈNAGE PARISIÉN, OU DÉLIÉE ÉT SOTENTOUT

Nosce teipsum.
Γνῶθι σεαυτὸν *Reconais-toi.*

A MES PAIRS en Sotise.

SOTISSIMES & TRÈS — NOMBREUS CONFRÈRES,

Je ne suis pas le premier d'entre Nous qui prend la plume, & qui vérifie le fameus vers du Persifleur BOILEAU,

Un SOT trouve toujours un plus Sot qui l'admire,

Mais je suis peut-être le premier qui me trouvant Sot, en conviène de-bone-foi. A-propos, je me rapèle qu'un de nos Confrères des plus hupés, qui n'aguères eut la très-estimable Sotise de berner, dans un Livre fait exprès, tous ceux qu'il avait trouvés plus ou moins Sots que lui, nous aprend qu'un Sotissime est parvenu à faire mentir le Satirique : C'est le suprême degré de Sotise; il mérite toute notre vénération, Chèrs & nombreus CONFRÈRES; je Vous invite, par cete présente Épître Dédicatoire, à lui faire ériger, à frais*

* La Dunciade.

comuns, une Statue colossale en terre cuite, sur la Bute-Montmartre. Mais c'en est assés là-dessus; passons, Chèrs & Sotissimes CONFRÈRES, *à des choses plus intéressantes pour vous.*

Je vous fais homage de mon Livre par deux raisons; la première, c'est que je vous le dois; & come on ne fait pas toujours ce qu'on doit, vous ne m'en devéz pas moins de reconaissance : La seconde raison, c'est que je suis bien-aise de vous prévenir sur mon Ortografe. J'ai suivi celle de M. DE-VOLTAIRE, *quant au fond; & j'y ajoute du mién, 1. Que le* s *rond ou final est réservé pour tous les endroits où il se prononce come le* z; *& le* ſ *long ou inicial, pour les sillabes où le son est dur. Exemples : dans* desobliger, *le* s *est rond & doux; dans* vraisemblable, le ſ *est long & dur, quoiqu'entre deux voyèles; vous voyéz, Chèrs & nombreus* CONFRÈRES, *que cete distinction est très-utile pour Vous, & pour tout le monde. 2. J'écris,* bién, rién, *avec l'*é *aigü;* sentence, entente, *avec l'*e *muet; par-là je distingue deux prononciacions diférentes, & Vous ne seréz plus exposés à dire,* bian, *come les Paysans, ou* sintince, *come les Étrangers. 3. Je voulais écrire* êt, *& non* est; *parce qu'on ne dit plus,* estre, *mais* être; *par inadvertance, on ne l'a pas fait : J'écris* fesais, *parce qu'on prononce* fesais, *& qu'écrivant déja,* ferai, ferais, *l'analogie veut que l'on écrive* fesais. *4. J'écris par un* ai, *come M.* DE-VOLTAIRE, *non par imitation d'un tel Home, fi-donc! mais parce que la prononciation* oi *a changé pour certains mots, & qu'elle s'est maintenue dans d'autres; parce que les temps des Verbes dans cete Ortografe, se forment plus naturèlement,* J'aimai, j'aimais; j'aimerai, j'aimerais, *&c. 5. J'ai* *retranché le* ph *come inutile, & j'ai par-tout substitué le* f, *qui est moins embarassant. 6. J'unis par un trait -, tous les mots composés, qui n'en font qu'un par le sens, tels que,* Jeune-home, coup-d'œil, tout-à-fait, *&c. 7. J'écris* ieux, *aulieu d'*yeux; *parce que les Anciéns ne l'écrivaient ainsi, qu'à-cause de* jeux, *écrit* ieux *avant l'invention du* j. *8. Vous trouveréz en-outre, Chèrs & Sotissimes* CONFRÈRES, *tout le goût & toute l'intelligence imaginables dans l'arangement des Noms propres; ceux de* DÉLIÉE *& de* PLACIDE-NICAISE SOTENTOUT *mes Héros, sont en petites-capitales, ce qui les fera conaître plus aisément; les noms des autres Personages sont en italique; & les noms cités, en* romain *tout unîment. 9. Come le* M., *pour* Monsieur, *ombrage trop le nom qu'il acompagne, je le remplace par le petit* M. *10 J'ai retranché toutes les lètres doubles qui ne se prononcent pas. 11. Observéz, que j'écris par un* s *final les adjectifs en* eux, *à-cause de leur féminin: exemple,* nombreus, nombreuse. *12. Enfin, autant pour vous recréer la vue, que pour fixer votre atention, lorsque Vous passeréz sur les Quais, j'ai fait imprimer en rouge les Frontispices & cete Dédicace. Je crois devoir Vous faire remarquer le mérite de tout cela, parceque de vous-mêmes vous ne l'auriéz peut-être pas senti: j'espère,* CONFRÈRES *Sotissimes, que ces petits enjolivemens vous donneront autant de plaisir que l'Histoire même. Vous en auréz ensuite un très-vif à voir un certain Esprité, qui est pour nous ce que* Ruminagrobis *était pour les Rats, défendre l'anciène Ortografe du bec & de la grife. Mais je déclare d'avance que je me moque de tout ce qu'il dira, come du vent qui souflait il y a mille ans.*

Je ne vous préviéndrai pas sur l'Ouvrage, ni sur le Chapitre de NOTES *qui termine chaque* PARTIE; *Vous en connaîtréz l'importance en les lisant, surtout le dernier, où se trouvera le dénombrement des Membres de l'*ACADÉMIE SOTENTOUTE.

Je suis avec une stupide admiration,
Chèrs Sotissimes & CONFRÈRES,
Votre &c. Morille DINDONET.

P.S. *Je vais à-présent mètre sous vos ieux un passage de l'historién* TACITE, *qui sera come l'Épigrafe général de cet Ouvrage.*

« CHÉS les anciéns Germains, la vertu des Femmes se trouvait à l'abri même de l'ocasion; loin de ces Spectacles qui rendent le vice aimable; loin de ces Festins qui réveillent les passions. Ni les Homes, ni les Femmes ne savent employer l'art de l'écriture à mener sourdement une intrigue. Dans une Nation si nombreuse, rién de plus rare que l'adultère; on le punit sur-le-champ, & c'est le Mari qui se fait justice : En-présence des Parens, il coupe les cheveux à la Criminelle, la chasse de chés lui presque nue, & la poursuit dans tout le vilage, en la frapant de verges. Quand une Fille se deshonore, qu'elle n'espère pas qu'on l'oublie : ni jeunesse, ni beauté, ni fortune ne lui feraient trouver un Épous : car on ne traite pas le vice de bagatelle chés les Germains; corompre & sucomber sont des crimes qu'on n'excuse pas, en disant : Tel est le siècle! Quelques Cités, plus *pudentes* encore, ne permètent pas aux Femmes de se remarier; une Fille prend un Mari sans espérance d'en changer, non plus que d'âme ou de corps; elle doit concentrer en lui son afection, ses projets, ses desirs, come s'il était seul dans l'Univers. Là, c'est une abomination de ne vouloir qu'un certain nombre d'enfans, & d'en laisser périr quelqu'un. Ainsi les bones-mœurs ont plus de pouvoir sur ces Barbares, que les meilleures Loix sur les Peuples policés ».

Tel est le tableau qu'on fesait il y a deux mile ans, pour l'oposer aux mœurs Romaines de ce temps-là : je crois que le contraste n'est pas moins frapant aujourd'hui.

TABLES

Première Partie.

J.er CHAPITRE	*Préparation.*	page 1	41
ij.	*DÉLIÉE.*	6	44
iij.	*SOTENTOUT.*	15	50
iv.	*Entrevue.*	29	58
v.	*Déclaration.*	40	65
vj.	*Demande.*	48	71
vij.	*Rivaux.*	66	82
viij.	*Fréquentation.*	81	92
ix.	*Belle-passion.*	104	107
x.	*Galanterie.*	125	122
xj.	*Acords.*	137	130
xij.	*Fiançailles.*	149	138
xiij.	*Mariage.*	165	148
xiv.	*Notes.*	j, ou 187	167

Seconde Partie.

xv. CHAPITRE	*Lendemain.*	1	197
xvj.	*Visites.*	14	205

		(édition originale)	(présente édition)
xvij.	*Trantran.*	28	214
xviij.	*Amies.*	38	220
xix.	*Coadjuteurs.*	51	228
xx,	*Envies.*	65	237
xxj.	*Tribulations.*	82	247
xxij.	*Euvres.*	92	253
xxiij.	*Tours.*	114	260
xxiv.	*Éclat.*	145	278
xxv.	*Orage.*	154	284
xxvj.	*Éfronterie.*	169	292
xxvij	*Revers.*		303
	Conclusion.	190	311
xxviij.	*Suplémens.*	xxxiij.	319

LE MÈNAGE PARISIÉN,

HISTOIRE NAÏVE.

Première Partie.

LE MÈNAGE PARISIÉN, *HISTOIRE NAÏVE.*

I.ER CHAPITRE.

PRÉPARATION.

AVANT QUE DE parler de mes Héros, il serait bon de dire un mot de moi-même : Dans notre siècle, les Auteurs s'oublient trop; & cet excès de modestie, malheureusement-à-la-mode (1), est cause que nous savons très-bién ce que pouvaient être tel ou tel Personage imaginaire, & que nous ignorons ce que fut le Modérateur du fil qui les a fait mouvoir. Corigeons-nous, mes chèrs Confrères, illustrons-nous : Éh! qu'aurions-nous à craindre, en nous montrant au grand-jour? Si nous avons pratiqué les Homes, nous devons savoir que la plupart sont des *têtes-à-pèruques,* incapables de nous juger; & que le petit nombre qui peut-être a du goût, ne le suit guères, décide d'après ses passions & et ses préjugés. Écrivons donc impudament; & plus sages que cet Aveugle qui chantait aux portes Achile, Ulisse, les Grecs & le sac de Troie, transmétons du-moins à la postérité, notre nom (comme je viéns de le faire au bas de ma Dédicace), celui de notre Patrie, & les mœurs de ses Habitans. C'est par où je vais comencer.

Je suis de BEAUNE (je crois qu'on le verra par mon

Livre) : en Bourgogne, une *beaunoise,* est le sinonime de *bêtise.* Mais je soutiéns que ma Patrie n'est point deshonorée par-là; nous conaissons des Villes dans l'Antiquité, qui n'en sont pas moins célèbres, pour avoir eu de sots Habitans; telles sont la fameuse Abdère (2), Arbelles en Sicile, Thèbes en Béotie, & beaucoup d'autres dont les noms m'échapent. De nos jours, la Champagne rougit-elle de ce que chacun de ses Enfans peut complèter un troupeau, & faire avec *99* Moutons le nombre arondi de *100* bêtes? Notre ville de Bourges en est-elle moins fameuse par son Université, quoiqu'on lui done un Baudet pour armes parlantes?... *Éh! que veut dire ce préambule,* s'écrieront les Parisiéns? Ce qu'il veut dire, messieurs? Qu'il ne faut pas vous fâcher lorsqu'on vous apelera *Badauds;* Que vous ne devéz pas être blessés des visions *cornues* d'un Beaunois, qui n'a pas su voir la *raison sufisante* de vos mœurs aisées; d'un *Sot,* qui semblable à ces Bilieus pour quî tout se peint en *jaune,* ne trouve chés vous le ridicule, que parce qu'il en est rempli.

Si j'étais plus savant & moins bête, je dirais ici les plus belles choses, & je chargerais cet Avantpropos de citations aussi curieuses que celles du *Chéf-d'œuvre-d'un-Inconu;* ou je l'assaisonerais de la fine ironie qui règne dans la véritable Histoire de *Martinus Scriblerus;* mais je n'ai pas la science de *Sainthiacinte,* ni l'atticisme des *Pope, Abruthnot & Swift;* la bone-foi de *La-Serre,* voila tout mon mérite. Aussi, je finirais en cet endroit mon *Chapitre Préparatoire,* si je n'avais un mot à dire du fond de l'Ouvrage.

Je done ma parole de Beaunois, que l'Histoire que je vais raconter est bien véritablement arivée dans la ville de Paris, & qu'elle y arive tous les jours : c'est un point dont on peut s'assurer. Quant à mes Héros, ils sont conus sous des noms & des qualités qu'il serait trop long de détailler. Je me permétrai seulement de publier, Que Mr PLACIDE-NICAISE-DÉGOURDI SOTENTOUT, fils de Ma[me] *Agnès-Pudentine Sotiveau-Dégourdi,* descendant en ligne directe des Sots les plus célèbres de l'Antiquité, fut un home pas mal célèbre, qui mit du sién dans les Ouvrages des plus fameus Auteurs, & qui composait annuèlement le plus grand nombre de nos Brochures. On pourait me dire, *Que c'est la chose impossible, puisqu'il était sot.* Point-du-tout! si l'on fait atention, *que, come* dans le siècle dernier, c'étaient les Homes d'esprit, les Homes savans, les génies qui *seuls* se mêlaient d'écrire; dans le nôtre, *par antitèse,* ce sont, pour la plupart, les Sots, les Ignorans, les Balourds, les âmes engourdies, sans invention, sans chaleur, des Beaunois, en-un-mot; & cela doit être :

Chacun à son tour, liron-lirète;
Chacun à son tour.

Je préviéns donc que l'on verra dans cete Histoire, la marche des Galanteries de *Madame,* les Sotises de *Monsieur,* & ses Ouvrages de Littérature : Puissent mes Confrères éviter les premières, profiter des secondes, & sur-tout des troisièmes!

II.D CHAPITRE.

DÉLIÉE.

C'EST le nom que porte l'Héroïne de cete Histoire. La belle DÉLIÉE est de Paris : la rue *Tireboudin* l'a vue naître. (J'ai ouï-dire que le nom de cete rue était beaucoup plus mal-séant, lorsque la Reine *Isabelle de Bavière,* épouse du jeune Monarque *Charles VI,* fit son entrée, & que pour la lui nomer, on fut obligé de le changer come on le prononce aujourd'hui). Le Père de DÉLIÉE, marchand-de-drap, ocupait la boutique qui fait l'angle des rues *T**** & Montorgueil.* Il se nomait COCUS : que ce nom trivial ne préviène pas contre son extraction; bien des Honêtes-gens le portent, & n'en sont pas de moins bone race. Monsieur *Cocus,* à l'âge de trente ans, épousa SOFIE-TRIOMFANTE-PRÉMATURÉE DE-GALANVILE, qui n'en avait que seize; mais qui, pour l'expérience, valait bien une femme *faite.* Le bon Marchand, en fesant appendre son *enseigne,* le lendemain de son mariage, s'aperçut que le nom de COCUS excitait le rire des Passans; il eut la faiblesse (bien pardonable pour un Nouveau-marié) de rougir d'un nom qui signifiait tant! il le fit éfacer; aulieu de JEAN-JOSEF COCUS, on lut le surlendemain, JEAN DE-GALANVILE. Les Voisins dirent, que ce changement était de mauvais augure; qu'il présageait que Mr *Cocus* resterait au fond toujours *Cocus*; que sa Femme n'en serait que plus *Galanvile;* & que Celle qui fesait porter son nom à son Mari, porterait elle-même la culote : Ce qui se vérifia bientôt, dit-on.

Au bout de dix-huit mois de mariage, Ma[me] *Cocus-de-Galanvile* acoucha d'une Fille toute belle, que sa Mère aurait passablement aimée, si la Petite eût été raisonable en naissant : mais elle criait, n'entendait rién, & fesait d'autres choses fort desagréables; on se hâta la batiser, & de s'en débarasser, entre les mains d'une Nourice qui demeurait aux *Porcherons*. La petite fisionomie de Mlle COCUS DE-GALANVILE marquait tant de finesse, que sa Mère voulut qu'on la nomât VICTOIRE-DÉLIÉE : Pour l'usage, elle suprima le premier nom; & come à Paris, l'autorité maternelle égale aumoins celle qu'avaient les Pères chés les *Romains* (3), elle reprit aigrement son Mari, qui, par distraction nomait leur Fille VICTOIRE, & lui signifia, qu'il n'eût à se servir que du nom expressif de DÉLIÉE :

— *Sinon,* ajouta-t-elle, *je vous boude.*

C'est un terrible mot à Paris, que le mot *bouder!* il veut dire mille choses, depuis les petites façons d'une jolie Boudeuse, jusqu'au cocuage inclusivement; aussi rién de plus puissant que cete menace sur un Mari Parisién.

Je ne priverai pas le Lecteur de ce que DÉLIÉE fit en Nourice; parceque dèslors toutes ses actions présageaient combién elle aurait d'étourderie, de caprices, de grâces & d'esprit. Elle ne se plaisait qu'avec les Homes; elle devenait maussade, & ne voulait pas dormir, quand c'était la Nièce, & non le petit Neveu de la Nourice qui la berçait. Et cete Nourice! c'était une bone Réjouie, dont le Mari, Tambour dans les *Gardes,* était pour-lors absent. Mais ses Camarades avaient soin de desennuyer la jeune Veuve; presque tous les jours on venait la prendre, tantôt l'un, tantôt l'autre, pour la mener au Grand-salon, très-célèbre Guinguète du quartier. Madame *Latulipe* portait avec elle la petite DÉLIÉE, en beau linge, en fines dentelles; *Laramée, Joli-cœur,* ou *Larose,* la soulageaient tour-à-tour du joli fardeau; DÉLIÉE leur souriait, sans être intimidée par les terribles moustaches & le redoutable bonet de Grenadier : enchantés de ses petites caresses, les Farauds militaires aprochaient leur face cuivrée des lis de la petite COCUS, & prenaient maints baisers sur sa bouche riante & mignone. La Nourice aimait la danse; tandis qu'elle s'en donait, le luron *Sansfaçons* ou le brâve *Sanspeur* fesaient avaler quelques verres du jus de Baccus à la Petite, qui devenait ensuite d'une gaîté charmante, puis s'endormait à la fumée d'une pipe. Ce régime lui fit une santé parfaite : ajoutéz, que la Nourice, toujours dans la joie, lui donait un lait dont les soucis & les chagrins n'altéraient jamais la bonté : à trois ans, DÉLIÉE était forte come une Enfant de quatre à cinq. Ses Parens, éfrayés par leur Médecin, ne manquèrent pas de la retirer bién vite, parcequ'elle serait devenue trop robuste, & que c'est à Paris un grand défaut dans une Jolie-femme. En ceci, messieurs du Parisis sont plus sensés qu'à Beaune; la santé trop ferme banit la délicatesse, empêche la provocante *blêmeur* d'un teint rose-pâle; elle matérialise; elle épaissit l'intelligence, *enmaillote* l'imagination. Et voila pourquoi l'on est sot à Beaune, en Champagne, en Flandre; on dit que les bons vins des premiers les rendent cruches; & que c'est la bière nourissante des Flamans qui retarde leur conception. Ainsi tout est compensé dans la nature... Mais revenons à nos moutons.

Lorsque DÉLIÉE fut à Paris (c'est-à-dire rue *Tire-boudin*) sa Maman eut soin de règler sa nouriture : & pour que la Petite ne fût pas tentée de manger trop, on l'enferma dans un corps fortement baleiné qui comprimait l'estomac : mais la bone constitution l'emporta sur l'usage abusif, & la poitrine, malgré la gêne, fut encore passable pour une Jolie-femme. A *cinq* ans, DÉLIÉE sait lire, écrire, l'Aritmétique, la Géografie, la Musique, le Dessin, & son Catéchisme; elle sait danser, pincer de la harpe, broder, faire du marli, du filet, &c, &c, &c; enfin c'est un prodige de mérite. A *huit* ans, elle parle l'Italien & l'Anglais (4), ces deux langues étant nécessaires pour complèter l'éducation d'une Jeune-persone au-dessus du comun; mais ce qui va surprendre, elle y joint l'Allemand; Ma^me^ *Cocus,* qui le sait, veut que sa Fille trouve dans les Ouvrages en cete langue, la naïve & belle nature, inconue depuis les Grecs. (Car notre Dame *Cocus* est plus instruite qu'une Femme ordinaire; c'est une Filosofe aimable, qui tourne joliment des vers, & sur-tout une Epître galante; talent qui fit très-souvent pester son Mari, à-cause des conséquences). A *neuf* ans, DÉLIÉE se done un maintién; à *dix,* elle sourit obligeament; à *onze,* elle prétend aux conquêtes; à *douze,* elle en fait, & les Vieillards la cajolent; à *treize,* elle met du chois & deviént dificile, il lui faut des Homes faits; à *quatorze,* elle veut des Jeunes-gens aimables & sensés; à *quinze,* elle ne goûte que les Petits-maîtres, tant elle est précoce en tout!

A quinze ans donc Mlle DÉLIÉE est un vrai bijou : taille de poupée, que l'on enserrerait entre les dix doigts; gorge d'albâtre & bien placée; jambe fine; petit piéd : Belle chevelure cendrée; sourcil noir; teint de lis; œil vif; air lutin; néz voluptueus; bouche mignone; lèvres de corail; belles dents; tour-de-visage enchanteur : De l'esprit come un Diable; de la malice come quatre; un son de voix mélodieus, qui n'est gâté que par un grasséyement, qu'à Beaune on trouverait trop marqué; dans le débit une aisance, une volubilité propre à démonter vingt Homes : Un tempérament de feu; plus de coquèterie que de sensibilité : goût exquis dans la parure; c'est ici qu'elle est toute atention, & que son étourderie la quitte; DÉLIÉE dissertant avec sa Couturière, sa Feseuse-de-modes, sa Coîfeuse, & jusqu'à son Cordonier, paraît un des Sept-Sages de la Grèce; on croit entendre *Périandre* encourageant l'industrie par son célèbres, Μελέτη τὸ πᾶν, c'est-à-dire : *Tout est possible avec du goût;* elle anime de son esprit ceux qui travaillent pour elle, & veut tout voir se créer sous ses ieux, pour réformer à temps le plus léger défaut : aussi, lorsqu'elle passe, tout le monde admire sur elle le chois des étofes & les grâces de la façon; les moindres détails sont achevés; l'ensemble est éblouissant. Il lui manquait encore deux choses : de connaître le prix de la beauté ; d'être adroite, dissimulée, égoïste ; on la mit au Couvent pour deux ans ; elle en sortit formée de toutes manières, & sur-tout avec ces trois dernières qualités, qui font qu'une Fille n'est plus Agnès.

Voila come était à dix-sept ans la belle DÉLIÉE, objet séduisant de la convoitise des Petits-maîtres de son quartier, l'admiration du premier des SIX-CORPS, & le *brûlot* de tous les cœurs. Quel sera l'heureus mortel dont tant d'apas doivent être le partage ; & coment DÉLIÉE, dont le goût est si sûr, à quî tant de *foi-s* (5) sont offertes, coment DÉLIÉE saura-t-elle choisir ?

IIIme CHAPITRE.

Sotentout.

Il y avait à Paris, coin de la rue *des-Singes,* au Marais, un richissime Magasinier, Associé tacite de Mr *Cocus-de-Galanvile,* & marié non-moins heureusement, quoiqu'avec des circonstances diférentes : il se nomait Placide Sotentout. Sa digne Épouse, *Agnès-Pudentine Sotiveau-du-Dégourdi,* blonde-ardente, fille-cadète (6) de Mr *Sotiveau,* marchand-de-drap, n'avait pas de beauté; en revanche, la Nature l'avait douée d'un cœur si bon, qu'elle n'avait pu tenir (successivement) rigueur à cinq Garsons-de-boutique de feu son chèr Père : mais (& voyez l'ingratitude!) aucun ne voulut réparer la brèche faite à son honeur. Enfin, un petit Garson-Tailleur, Tourangeot, bonace, & d'une figure revenante, vint acheter à la maison, plut à la Belle, & fut assés heureus pour devenir son Mari, Marchand-de-drap, & riche, par la générosité du Beaupère. Trois mois environ, après le jour du mariage, Ma^me *Sotentout* acoucha d'un Fils beau come elle, qui fut nomé Placide-Nicaise-Giles-Claude-Benigne-Jean-Boniface (7).

Le petit Sotentout est un Enfant précieus; le chois d'une Nourice, & de la Province dont il doit respirer l'air ocupe son chèr Père, sa chère Mère & toute la Famille : il y eut une Consultation de Médecins : Le Docteur *Niouininon* opina pour la Normandie; le D.r *Têtechaudinot,* pour la Picardie; le D.r *Bourru* pour la Bretagne; le D.r *Moutonot* pour la Champagne; le D.r *Baudétinat* pour le Berri; le D.r *Brutentout* noma la Provence; le D.r *Lourdet* la Flandres; le D.r *Noircerat* la Franche-comté; le D.r *Crassenpoche* la Loraine; le D.r *Toutenvent,* la Gascogne; le D.r *Soupipète* le Limosin; le D.r *Castagne-y-la-rabioule,* la Marche; le D.r *Soupletin,* l'Auvergne; le D.r *Presomptionet,* la Guiène & terres adjacentes; le D.r *Bavardinot,* l'Anjou; le D.r *Bonhomet,* la Touraine; le D.r *Colicantin,* le Poitou; le D.r *Trognerouge,* la Bourgogne; le D.r *Boileau,* l'Ile-de-France. L'on s'en tint à l'avis du D.r *Trognerouge,* qui cria le plus fort, & qui reprochait, au Normand, son panchant & son cidre; au Picard, sa pétulance; au Breton, son humeur colérique; au Champenois, au Berruchon, au Tourangeot, leur bêtise; au Lorain la vilainie; au Poitevin, la colique à laquelle on est sujet dans sa Province, &c. De-plus, les *Sotiveaux* étant originaires de Beaune, l'Acouchée préférait la Bourgogne.

Pour se rendre à sa destination, la Nourice du petit Placide-Nicaise prit le célèbre Coche-d'Auxerre : l'incomodité de cete voiture, l'air mal-sain qu'on y respire, l'odeur du goudron, le serin, la fraîcheur de l'eau mirent le Nouveau-né sur le bord de sa tombe; mais il en fut quite pour une colique, si violente, que les membres de l'Enfant se tordirent, & qu'il en demeurera bancal le reste de ses jours. Arivée dans sa patrie, la Nourice fit sucer du vin de Bourgogne au petit Eclopé; ce qui, joint à l'air vif & pur du canton, le remit un-peu. Le défaut des Habitans du bourg où résidait la Nourice (Vermanton), est un sot orgueil, une insuportable & ridicule vanité, la présomption la plus outrée; on prétend que l'Enfançon en aspira sa dose complète. Après deux ans de séjour, l'intérêt du Nouricier, Tonelier de profession, exigea que le petit Ménage quitât la Basse-Bourgogne pour la Haute, & se transportât à Beaune. Jusqu'à ce moment, la santé de l'enfant SOTENTOUT n'avait batu que d'une aile; mais dès qu'il eut senti l'influence analogue & benigne du climat qu'habitent les Beaunois, il sembla que c'était pour lui le sol natal; le raport entre sa constitution & l'air de Beaune se trouva si parfait, qu'il en résulta le rétablissement de ses forces matérielles : depuis ce moment, le corps profita merveilleusement, aux jambes près, qui conserveront leur cambrure. Ce ne fut pas du mauvais vin de Guinguète, qui restaura l'enfant SOTENTOUT; son Père-nouricier était à-portée de se procurer, sans frais, *du vin de la bouche;* il en aportait souvent pour régaler la Nourice & le Nouriçon. Aussi PLACIDE-NICAISE devint-il come un pâté : ses joues ressemblaient à celles de ces petits Vents, dont les Peintres meublent leurs tableaux de tempêtes; ses membres étaient rebondis come ceux des Cupidons; à-peine pouvait-il se remuer; mais s'il ne marchait pas, il roulait tout-seul. On le ramena pour-lors à Paris : la Nourice fut louée, fêtée, choyée, quand on vit son

Élève, jusqu'au moment où parut le D.r *Boileau,* qu'on avait envoyé chèrcher, parce qu'il était à-la-mode.
— Ah! bon-dieu, s'écrie l'Esculape blême; ce n'est pas-là votre Fils, Madame; c'est une masse remplie d'humeurs! son ventre est... duriuscule; sa peau... tendue, son pouls... trop robuste : il faut mètre cet Enfant au régime, & lui faire prendre des bols tous les matins pour évacuer : il alait devenir come *Tonn-Bridge* (8), s'il fût demeuré plus longtemps entre les mains de cete Femme grossière; alors, toutes les parties prenant autant de largeur que de longueur, il s'éfectuait un Monstre au-lieu d'un Home.
Éfrayée, Ma^me^ *Sotentout* suivit à la lètre les Ordonances du D.r : en peu de jours, PLACIDE-NICAISE maigrit, & bientôt il devint étique; il se noua, ses jambes se cerclèrent davantage; & si la Mère, instruite aux dépens du petit Infortuné, n'avait discontinué le régime, aujourd'hui mes Lecteurs n'auraient pas l'intéressante histoire de l'illustre Rejeton des SOTENTOUT.

Dès que le petit Bancal fut un peu remis, on lui fit aprendre à lire; il réussit d'abord, & jusqu'à l'âge de dix ans il fut assés résolu : mais à douze ou treize, il devint si sot, si niais, si badaud, que du faubourg *Sainthonoré* jusqu'au *Trône,* de la *porte Saintjacques* à la *porte Saintmartin,* de la *Barière Moufetard,* à la *Grange-Batelière,* il n'était Nigaud plus achevé. Cependant on l'a mis au Colége. A dix-sept ans il en sort, sans avoir rien apris, pas même à jouer à la bale & au volant, quoiqu'il s'y fût sérieusement apliqué. Revenu dans la maison paternelle, on sonda ses dispositions; il n'avait pas de goût pour le

Comerce, ni pour le Bareau, ni pour les Armes, ni pour l'Église (parce qu'il voulait avoir une Femme, disait l'Imbécile). Son chèr Père s'avisa de parler de son ancién métier de Tailleur : Au nom de cete utile profession, la nature parle; SOTENTOUT reconaît sa destination; il demande *à-cor-&-à-cri,* qu'on le fasse Tailleur : on s'y prêta par complaisance. Il prit tant de goût au grand art de coudre, il fut si convaincu de sa dignité, sur-tout après avoir lû l'*Épitre à mon Habit,* qu'il ne quitait son *établie,* même le Dimanche, que pour aler avec sa chère Mére à la Grand'-messe, à Vêpres, au Sermon, & au Salut; quelquefois, lorsqu'il fesait bién beau, la Maman le conduisait, soit au boulevard prochain, soit au jardin de l'Hôtel-Soubise, où il portait l'Épagneul & le Barbet, pour leur faire prendre l'air; enfin, si le temps n'était pas sûr; PLACIDE fesait avec Ma[me] SOTENTOUT une partie au *Jeu-de-l'oie renouvelé des Grecs;* s'il survenait compagnie, l'on jouait *à-la-Bête,* &c. On sent combien tout cela forme l'esprit d'un Jeune-home! Durant le jour, s'il est seul, il a peur de son ombre; la nuit, il craint les esprits : mais ce qui l'éfraie sur-tout, c'est la mort; sans être fort tendre envers les autres, qu'il voit soufrir assés indiféramment, il frissone au moindre geste menaçant qui ne le regarde pas; une épée nue le fait évanouir; & lorsqu'on lui dit qu'un Home a fait mètre cete arme à la main pour se batre, il croit fermement qu'il faut que ce soit un Diable incarné : (c'est la même chose en Guinée, à Benin, dans le pays d'Ardra, & par-tout où les Homes sont sots & lâches). S'il voit de jeunes Soldats de recrue se réjouir & chanter, il s'arête, les regarde la bouche béante, & ne peut concevoir coment on peut ne pas mourir de peur, en entrant dans une profession où l'on tue, & où l'on court risque d'être tué, &c. Enfin, à voir son train-de-vie, son air, ses progrès, l'on aurait dit qu'il était encore à Beaune.

Avant que d'aler plus loin, je dois faire part au Lecteur d'une grâve discussion entre le D.r *Boileau,* M.r *Férulant,* dernier Régent de PLACIDE-NICAISE, le *Portier* & le *Fouèteur* du Colège, sur l'origine de la bêtise de PLACIDE-NICAISE SOTENTOUT. Le *Portier,* cousin paternel du petit Badaud, ému de compassion (9), reprenait le Régent, & l'acusait d'abrutir l'Écolier, par les fustigations trop fréquentes, & par les férules lourdement apliquées sur les ongles. *Férulant,* tout honteux de sa brutalité, se rejeta sur le *Correcteur,* dont les exécutions étaient trop sévères : Or ce *Correcteur* était un Sourd (choisi tel, pour qu'il fût moins sensible aux cris) Beaunois de *nativité :* cependant come le Régent parlait très-haut, il entendit l'accusation, & s'en disculpa, de-manière que *Férulant* demeurait chargé de tout. Celui-ci ne sachant coment se retourner, se rapela que Ma^me^ *Sotentout,* en lui recomandant de ménager son Fils, avait doné pour cause de la délicatesse de son tempérament, le fatal régime prescrit par le D.r *Boileau;* il tomba sur ce dernier, sans ménagement, & lui prouva qu'il était le seul coupable.

— Ni vous, ni moi, ni le Sourd, répondit le D.r; la vraie cause de l'*obtusion* & de la *contundité* de l'esprit de l'enfant SOTENTOUT, c'est la *succulence,* la *crassitude* des alimens que lui dona sa Nourice, & le vin de

Beaune : car plus le corps prend de substance & de vigueur dans un Individu ; d'autant moins la faculté *mentale* & la force *cogitante* seront vigoureuses, moins l'Enfant aura de ce qu'on nome en Latin, *acumen ingenii,* en Grec, αγχίνοια, en Français, *pénétration d'esprit :* & pour donner à mon sentiment une preuve irrecusable & vivante, je vous dirai qu'au *Tunquin,* l'on ofre des sacrifices à ceux qui sont morts d'inanition, afin d'en obtenir l'*acumen ingenii* dont ils furent doués dans leurs derniers momens, *acumen* que les gros Mangeurs ne peuvent jamais acquerir...

— Va chercher les Témoins, dit le *Portier* au *Fouèteur.*

— Ne m'intérompez pas, s'écrie *Boileau,* d'une voix de tonère ! La sotise du petit SOTENTOUT a deux causes principales ; la susdite & le sang dont il sort : *Ergo* SOTENTOUT est sot, parce qu'il est né de Parens sots, *talis Pater, talis Filius ;* qui l'ont sotement élevé, *qui turpiter instituerunt ;* il est sot, parce que, malgré mon oposition, il fut en nourice à Beaune ; *quia Belnis fuit nutritus.*

A cete conclusion, qui fut entendue par le *Fouèteur* beaunois, celui-ci veut dévisager le D.[r] ; on le retiént ; tandis que *Boileau,* natif de *Nuitz,* reproche au Sourd l'inscription fameuse, *Ce pont fut fait ici* (10) ; le bon mot des *canons tirés à la sourdine ;* la réponse au compliment de Louis XIV sur la bonté de leurs vins, *nous en avons encore du meilleur ;* la rare intelligence d'un Maire Beaunois, qui passant devant la boutique d'un Maréchal, ramasse un fer chaud & se brûle :

— *D'où viént laisser ainsi des choses qui exposent les Passans à se brûler?*
— *Atendez, M.*[r] *le Maire : Coli, ramasse ce fer.*
L'Enfant se baisse, crache dessus, & voyant bouillo-ner sa salive :
— *Nannin-da, il est trop chaud.*
— *Eh-bén, M.*[r] *le Maire?*
— *Va, je n'y serai plus atrapé.*
La soupe était sur table, quand le Maire arive à son logis;
— *Mangéz, mon Papa, lui dit sa petite Fille.*
— *Voyons,* fait-il en lui-même, *si elle ne brûle pas.*
Il crache au milieu du potage, porte à sa bouche sans rien craindre & ne s'en brûle pas moins.
Le D.[r] avait encore bien d'autres traits à raporter; mais le Sourd, qui jugea par les ris du Régent & du Portier, que *Boileau* drapait les Beaunois, s'arma de son *martinet,* s'élança sur le Médisant, & lui fit faire trois fois le tour de l'aire du Colège : Tel autrefois *Achile* pourchassait *Hector...* Tel aussi le Beaunois poursuivit le Détracteur de sa Patrie.

IVme CHAPITRE.

Entrevue.

DEPUIS six semaines, PLACIDE-NICAISE vivait en paix, les jambes croisées come un Pacha Turc, sur l'ancién *établie* paternel, lorsque sa chère Mère l'arachant à ses utiles ocupations, lui demanda son bras, pour aler du quartier de la rue *des-Singes,* à celui *Montmartre,* où est la rue *Tireboudin.* Come tout chemin est long, pour une grosse Femme & pour un Cagneus, Ma^me^ *Sotentout,* qui n'avait pas pris de voiture, se trouva rendue aux environs de la *Pointe-Sainteustache.* PLACIDE-NICAISE proposa d'aler se reposer à l'Église : mais sa chère Mère lui dit, come sans-dessein, qu'elle avait une Conaissance un-peu plus bas. En même-temps, elle lui parla de Mr *Cocus-de-Galanvile,* de Ma^me^ *Cocus,* & de Mlle DÉLIÉE, leur fille, qui sortait du Couvent depuis un mois ; une Fille d'esprit, d'un mérite sans égal, à laquelle il falait qu'il fît sa cour.
— Ce sera une Femme capable de bien conduire une maison, une Femme de tête, sur laquelle un Mari poura se reposer : d'ailleurs il n'est rién tel, à Paris, qu'une belle Femme, dans quelque comerce que ce

soit; ç'a rapèle les Chalands; si vous avéz Mlle DÉLIÉE, vous feréz tout ce que vous voudréz, soyéz-en sûr; elle aura toutes les Pratiques qu'elle voudra quêter; jamais un galant Home ne lui disputera vos prix; & voila come se font les bones maisons. Il ne faudra pas être ombrageus; ce n'est jamais la conduite des Femmes, c'est la sotise des Homes qui trouble les mènages : ne l'ai-je pas bién vu, avec votre Père, quoique je ne fusse pas jolie? Un Honête-home venait quelquefois chés nous; c'était un Home à mènager, qui nous rendait de grands services; cependant Mr *Sotentout* le trouva mauvais; & n'ôsant lui rién dire, parce qu'il savait que je n'étais pas endurante, il s'avisa de nous faire chanter un soir à la porte de ma chambre, le couplet du Gascon dans le *Fleuve-d'oubli :*

> J'abais pris Femmé laide
> Crainté d'êtré cocu, u, u, u;
> Mais c'ést un bain réméde
> J'en suis vién conbaincu, u, u, u :
> Et pour en pérdré la mémoire,
> Dans lé Flübe-d'ouvli
> Virivi,
> Jé büx voire, jé büx voire.

Vous sentez combién cela devenait indécent!

Ma^{me} *Sotentout* prononça le dernier mot de ce petit narré sur le seuil de la boutique de Mr *Cocus-de-Galanvile*. Ma^{me} *Cocus* en apercevant les SOTENTOUT fit la grimace; Mr *Cocus* courut à sa Comère les bras ouverts; Mlle DÉLIÉE éclata de rire, en regardant PLACIDE-NICAISE. Enfin les deux Dames s'embrassèrent, en se traitant de *ma chère Amie*, & se félicitant de se revoir, après deux grands mois :

— Vous demeuréz si loin! répondit Ma^{me} *Sotentout!*

— Votre rue *des-Singes* est si détournée, si maussade! reprit Ma^{me} *Cocus.*

— Oh! il est vrai que c'est un quartier perdu que ce maudit Marais!

(Ma^{me} *Coc.*) Monsieur a donc achevé ses études?

(Ma^{me} *Sot.*) Il est à la maison depuis six semaines, quinze jours précisément après votre dernière visite : come vous me dîtes que vous aliéz faire sortir Mademoiselle du Couvent, ç'a m'dona l'idée de faire aussi quiter les études à mon Fils : le voila ; je l'ai fait entrer ici, en passant, pour vous le montrer, & le lier avec nos meilleurs Amis.

(Ma^{me} *Coc.*) C'est bién du plaisir.

Et SOTENTOUT s'incline, en disant :

— C'est bén putôt pour moi, Madame.

(Ma^{me} *Coc.*) Il a l'air fort raisonable.

(Ma^{me} *Sot.*) Ah! c'est de Mlle DÉLIÉE, qu'on peut dire qu'elle l'est en-éfet. Mondieu! come elle est grandie!

— Méchante herbe croît toujours assés vîte, dit en ricanant Mr *Cocus.*

(Déliée) Pas si méchante, Papa ; vous savez combien je vous aime.

Une petite caresse : & le bon Mr *Cocus* tout fièr d'avoir une Fille si belle & si bién aprise, se *tuméfiait*, en jetant un regard de dédain sur la triste progéniture de sa Comère *Agnès-Pudentine.* Celle-ci ramena la conversation sur DÉLIÉE, en disant :

— Mondieu, madame *Cocus,* que Mademoiselle est

bién! que de coups-de-chapeau vous aléz avoir! je donerais dix Garsons pour une Fille come celle-là.

[Madame *Sotentout* n'avait pas tort, DÉLIÉE valait trente Garsons come le sién : Mais à choses égales, dans Paris (depuis la Bourgeoisie, s'entend, jusqu'au dernier étage inclusivement) ce sont des Filles que les Parens doivent desirer; outre qu'il viént assés de Garsons de la Province pour les établir; outre qu'il en faut pour *Femmes du second-rang* (11), aux Seigneurs, & même assés généralement à la Bourgeoisie rentière & comerçante, depuis un siècle ou deux leur Sexe tiént le sceptre come dans les Iles-Marianes (12); aussi rien de plus vrai que l'ingénieus Proverbe : Paris est *le Paradis des Femmes, le Purgatoire des Homes, & l'Enfer des Chevaux;* ces deux dernières espèces de Créatures y étant fort mal-menées; c'est-à-dire pourtant dans les basses conditions; car je n'ai pas la hardiesse de parler de Nosseigneurs les chevaux Financiers, Comtes, Marquis, Duc-pairs, Maréchaux-de-France, Abés, Évêques, Archevêques, Cardinaux, &c. Mais revenons à notre conversation, dont je viéns de m'écarter en Auteur véritablement Beaunois : DÉLIÉE répond aux complimens d'*Agnès-Pudentine* :]

— En-vérité, Madame, vous avéz bién de la bonté.

— Ce n'est pas que je sois mécontente de mon Fils, reprit Ma^me^ *Sotentout;* je n'ai qu'à remercier le Ciel de l'avoir fait aussi sage qu'il l'est : Il ne ressemble pas à ces Évaporés dont Paris fourmille, qui hantent les mauvais-lieux & les tripots; qui, plus coquèts qu'une Fille-de-coulisse, marchent insolament, le petit chapeau sur l'oreille, la longue brète au derrière, toujours prêts à persifler, à coudoyer & à se batre; qui regardent les Femmes entre-deux-ieux, ricanent au néz des Laides, & disent aux Jolies des choses, mais des choses horribles; je ne les ai jamais entendues, mais on mc l'a conté.

— Oh! je le crois, dit Ma[me] *Cocus,* en souriant.

— Madame a bién raison, ajouta DÉLIÉE, d'un air composé; l'on m'a dit souvent de ces choses horribles.

— Mon Fils, Mesdames, n'a donc aucun des défauts ordinaires, je ne dirai pas aux jeunes Parisiéns, mais à ces mauvais Garnemens de province qui nous les gâtent, & les rendent à la fin pires qu'eux.

— Eh mondieu! cela ne serait pas possible, intérompit DÉLIÉE, après avoir laissé tomber un regard malin sur PLACIDE-NICAISE.

— Mon Fils est un enfant soumis, raisonable, aimant son devoir : croiriéz-vous, Madame, qu'il ne sort jamais, & qu'il ne voit âme-qui-vive, à-moins qu'on ne l'envoye en comission? Il y a tant de mauvaises Compagnies, tant d'Aigrefins, qui semblent à l'afut pour guèter un Jeune-home, & l'induire au mal; tant de ces Creatures qui ne chèrchent qu'à corompre l'inocence! on ne saurait trop être sur ses gardes. Il est mènager, l'on ne peut dire combién : l'un de ces jours, il est alé jusqu'au Boulevard, tout-seul; il fesait une chaleur! je lui donai deux liards pour boire de la tisane; éh-bién, il ne les dépensa pas; à son retour, il m'en rendit un (13). Par une suite de son esprit d'économie, il se tiént debout à l'Église, & n'y veut jamais avoir d'argent sur lui, de-peur des Filous : tout-à-l'heure encore, j'alais prendre une voiture, parce que j'étais lasse, il m'a fait observer que ç'a coûtait. Pour qu'il ait le plaisir d'amasser ses petits profits, & de les voir s'acraître sans y toucher, nous avons fait faire une belle *tirelire,* dont il m'a remis la cléf; elle est garnie d'un petit grillage, qui permet de compter sans l'ouvrir; il y a bién déja trente écus. Savéz-vous l'usage qu'il prétend faire de son petit trésor?

— Vrai, Madame, j'en serais fort curieuse, dit en riant l'aimable DÉLIÉE?

— Cela me flate beaucoup, ma belle Poupone : Éh-bién, il le réservera tout-entier pour acheter quelques bijous à sa Prétendue, lorsqu'il en aura une. N'est-il pas vrai, mon chèr SOTENTOUT?

— Oui, ma ch'Mère; tout ce qu'on tirera de ma *tirelire,* ç'a sera pour elle.

— Vous voyez!

Ma[me] *Cocus* plia les épaules; son Mari trouva l'idée très-galante; DÉLIÉE, qui fut du même avis, se recria sur la délicatesse de consacrer d'avance tous ses *profits* à Celle qu'on doit aimer un-jour; la fine Créature employa le persiflage le plus couvert pour berner un Sot; & sans le vouloir elle en berna trois, SOTENTOUT, *Agnès-Pudentine,* & son chèr Père.

Quand cete première Visite eut assés duré, Ma[me] *Sotentout* & son chèr PLACIDE-NICAISE, dûment rafraîchis par une colation qu'on leur a servie, prirent congé de la Famille *Cocus-de-Galanvile;* la Mère, très-contente de l'acueil obligeant que son Fils a reçu; le Fils, tout ébloui des charmes de DÉLIÉE.

— Que penséz-vous, de cete Jeune-persone, Mr SOTENTOUT?

— Dame! elle est bén drôlète aumoins! ç'a vous cause!... a'r'cevra l'monde, a'f'ra toutes les afaires au-mieux : n'est-ce pas donc, ma ch'Mère?
— Vous avéz raison, mon Fils : mais je voudrais bién que vous prîssiéz un ton plus sensé : dit-on, en parlant d'une Fille *come-il-faut*, elle *est bién drôlète?* Coment, vous, qui avéz étudié, vous expriméz-vous come la populace, *a'r'cevra, a'f'ra?*
— Dame! ma ch'Mère, tous les Écoliers parlent come-ç'a, sans que les Régens llieux disent rien : on n'aprend que l'latin au Colège, voyéz-vous bén!
— Ç'a m'surprend : corigez-vous, mon Ami; vous voila dans l'monde; i'n'faut pas y débuter par le ridicule : ne dites plus *llieux disent rien,* mais *leurs* disent rien : vous prononcéz *ayeurs, mèyeur;* il faut dire *allieurs, mellieure, mervellieux;* ainsi du reste.
Cete leçon de Gramaire, où Ma^me^ *Sotentout* done à son Élève toutes les grâces de la prononciation Parisiène, dura jusqu'au logis.

V.ᴹᴱ CHAPITRE.

Déclaration.

TOUS Ceux & toutes Celles qui ont de l'esprit, s'imaginent que nous ne sommes au monde, nous autres Sots, que pour leurs menus-plaisirs. Ma^me *Cocus-de-Galanvile* ne voyait jamais son Amie *Agnès-Pudentine Sotiveau,* qu'elle ne fît des *gorges-chaudes* de ses ridicules : Elle viént d'avoir double dose cete fois-ci ; les deux Personages en fournissaient un fonds inépuisable : Mr *Cocus,* fesait-semblant de les avoir remarqués ; DÉLIÉE s'exerçait à copier tour-à-tour la Mère & le Fils ; ses Parens en riaient aux larmes : la petite Fole, qui *s'amusait come une Princesse,* crut devoir prolonger & fixer leurs plaisirs, en peignant les deux Originaux ; elle les esquissa de mémoire dès le même jour ; ensuite, elle exécuta leurs portraits en grand ; après néanmoins avoir engagé sa Mére à leur rendre promptement leur visite, pour se rafraîchir l'idée de leurs traits. Ces deux chéfs-d'œuvres furent placés dans le salon-de-compagnie, chargés de tout le grotesque qu'aurait pu de leur doner *Calot.*

De son côté, Ma^me *Sotentout* ne devait pas demeurer en-reste *au-vis-à-vis* de Ma^me *Cocus :* elle voit, avec une joie sotement bruyante, que PLACIDE-NICAISE comence à soupirer, à rêver à quelque chose, au lieu qu'auparavant il rêvait à rién : elle fait donc au-plutôt une seconde visite avec ce chèr Fils. DÉLIÉE était seule dans la boutique, lorsqu'ils parurent ; elle n'eut rien de plus pressé que de leur ouvrir les deux batans du salon, pour les y faire reposer, en-atendant qu'elle avertît sa Maman. Tandis qu'elle y courait, Ma[me] *Sotentout* examina les portraits : elle vit le sién, qui la fit *crever de rire,* avant que de le reconaître.

— Ah! la plaisante Persone!... voyéz, voyéz donc, mon Fils!

— Mais, ma ch'Mère, c'est vous qui êtes peinte dans cete Peinture, vous voila tout-come vous êtes quand vous riéz, lui dit niaisement NICAISE.

— Taisez-vous, Mr SOTENTOUT, vous ne savéz...

— Êh, êh, êh!

— Qu'avez-vous donc à rire?

— T'nez, êh, êh! r'gardéz donc, êh, êh! l'drôle de corps!

— Mais!... non;... si-fait!... serait-ce?... ç'a n'se peut pas... Oui ; c'est-lui-même;... c'est mon Fils!

— C't hébêté-là, qui tourne son chapeau, & qui rit tout-come un b'nêt!... C'n'est pas-là moi!

Durant ce colloque, Ma[me] *Cocus* est avertie ; elle est descendue dans la boutique.

— Où sont-ils donc?

— Là, répond DÉLIÉE ; dans le salon.

— Éh les Portraits!

— Bon! ils n'ont-garde de s'y reconaître...

— Ah! ma chère madame *Sotentout!* coment vous êtes-vous portée?

— A-merveilles.
— Et le chèr Mari?
— Sa goute l'a repris depuis hièr.
— Et le chèr Fils?... ah! le voila derrière vous! coment cela va-t-il, mon chèr Enfant?
— Assés bién (répond la Mère) si ce n'est un malheureus dévoiement qui lui dure depuis votre visite. Imaginéz, ma chère Madame, qu'il ne dort plus; il ne mange plus; je crains qu'il ne tombe tout-à-fait malade: bién-plus, il ne pouvait soufrir les Livres, ni l'écriture; il lit; Madame! il écrit!
— Ah! mondieu!
— C'est come ça. Mais j'oubliais de vous dire, que mon Mari, sans son indisposition, aurait eu l'honeur de venir aussi.
— C'est bién de l'honeur & du plaisir qu'il nous aurait faits.
— A-propos, dites-moi donc ce que c'est que ces tableaux-là?
— Oh! ma chère madame *Sotentout*, il faut que vous ayiéz bién plu à DÉLIÉE! son usage est de crayoner tous les Amis de notre maison; mais elle n'est pas fort habile dans le dessin; elle a plutôt défiguré que rendu votre portrait, & celui de votre Fils, come vous voyéz: ce n'est pourtant pas tout-à-fait sa faute; elle n'a pas ôsé vous demander une couple de matinées à chacun.
— Ah! j'y suis!... Mondieu! elle m'aurait fait bién de l'honeur & du plaisir, & j'en aurais doné plutôt trente, que de me voir acomodée come me voila.
DÉLIÉE, qui, de la boutique, écoutait tout, s'échape pour aler rire; Ma^me^ *De-Galanvile*, qui l'entend, saisit

un prétexte pour rire aussi; Ma^me^ *Sotentout* rit, pour faire croire qu'elle savait de quoi riait sa Comère; & PLACIDE-NICAISE rit, parce qu'il voyait rire.

Lorsqu'ils eurent tous bién ri, DÉLIÉE rentra : Mr *Cocus* la suivait; & Ma^me^ *Sotentout,* sans demander précisément la Fille de ses Amis, les pressentit visiblement là-dessus. Mr *Cocus* regarda sa Femme; Ma^me^ *Cocus* regarda DÉLIÉE, qui regarda NICAISE, lequel regarda sa Mère, qui regardait Ma^me^ *Cocus,* la bouche béante. On ne répondit rién. DÉLIÉE, pour ne pas perdre contenance, agaça son petit Chién, & le fit gronder contre celui que portait SOTENTOUT, qui (le Chién) ne manqua pas d'y répondre. Ces deux animaux entâmèrent ainsi la conversation; & lorsqu'ils eurent bién parlé à leur manière, l'on parla sur eux. Ma^me^ *Sotentout* fit l'éloge de ses Chiéns, de ses Chats, de son Écureuil, de son Lapin blanc, de son Perroquet, de son Serin, de sa Guenuche, & finit par son Angola. Ma^me^ *Cocus* suivit ponctuellement le même ordre; & n'ayant pas de Guenuche, d'Écureuil, ni même de Chién, elle se rejeta sur ceux de ces Animaux qui avaient bién-mérité de ses Ayeules, ou de ses Voisines.

On alait se séparer; & PLACIDE-NICAISE n'a pas encore dit un mot de sa tendresse à la belle DÉLIÉE.

— Mondieu, mon Fils, s'écrie Ma^me^ *Sotentout,* vous oubliéz ce que vous avéz fait pour Mademoiselle!

— Eh! qu'est-ce donc, mon Amie, répond Ma^me^ *Cocus?*

— Des Vers, ma chère Madame, des Vers!

— Des Vers!

— Des Vers! dit le Papa *Cocus!*

— Des Vers! répète DÉLIÉE.
— Des Vers, reprend Ma^{me} *Sotentout*.
— Voyons, voyons-les! s'écrie toute la Famille *Cocus*...
PLACIDE-NICAISE tire de sa poche une belle feuille de papier-à-vignètes, ambrée, musquée; il tousse, crache, mouche, rougit, jaunit, ricane, prend son sérieus, & lit enfin, en anonant sa propre écriture :

VERS en rimes à mademoiselle DÉLIÉE, ma future Maitresse.

OUY, ouy, mon esprit co — mence à se déboucher;
I'estais grossier aupa — ravant comme un Boucher;
Mais ie deviendrai po — ly comme un Petit-maistre
Dès que vous me servi — rez, ma Belle, de maistre :
Depuis que ie vous ay — vu^e, là d'sus croyez-moy,
I'en iure, tout en com — bustïon ie me voy.

De mille desirs vous — avez farcy mon âme,
En du feu l'enflamant — de la plus vive flâme;
Lâchez-y de l'eau d' vos — faveurs, ie l' dit tout d' bon,
Ou l'on me verra tôt — grillé comme un Cochon,
A-moins que ie ne fou — re mon corps dans la glace,
Et que dans l'indifé — rence ie ne m'encrasse.
Certes, dans l'ardeur brû — lante qui va croissant,
Ie m'écrie en lïon — forcené, rugissant :
Troubles que ta belle — vue à mon âme inspire,
Troubles troublans qui cau — sez mon cruel délire,
Hé! ne me troublez plus — d'un troublement si fort,
Ou ce malheureux trou — ble causera ma mort!

(Mme *Cocus*) C'est plaisant!
(Mr *Cocus*) Plein de sel!

(Mlle *Cocus*) Très-galant! ... Mais c'est une déclaration!
(Mme *Sotentout*) Excuséz sa hardiesse, mon bel Amour, j'en suis complice.
(Nicaise) En voici de cete nuit qui sont bien plus significatifs!
(Mr *Cocus*) Voyons donc?

ACROSTICHE à mademoiselle

C ocus est un grand nom, & Celle qui le porte
O cupe de mes sens l'avenue & la porte :
C OCUS! nom redouté, que DÉLIÉE embellit!
U n-iour avec le mien, si tu fais un conflit,
S OTENTOUT est COCUS, c'est COCUS qui l'emporte :

G ALANVILE autrefois sur COCUS eut le d'sus;
A uiourd'huy SOTENTOUT prend le d'sous sous COCUS;
L a chance doit tourner encor; car il importe,
Qu'en un cas le Porteur à-son-tour on supporte.

Par vostre serviteur NICAISE-SOTENTOUT,
Qui, si vous ne l'aimez, deviendra Fou-t-en-tout.

On ne manqua pas d'aplaudir encore. Cependant Ma^{me} *Cocus* observa, non sans prendre de grands ménagemens, que les comparaisons du jeune SOTENTOUT péchaient par le fond, en ne se raportant qu'à des objets vils ou hideus; il en aurait falu de choses gracieuses & riantes : elle se plaignit aussi de la césure au-milieu des mots, dans la première Pièce &c; tout en ajoutant, que les Vers n'en étaient pas moins un chéf-d'œuvre, vu que c'était le coup-d'essai d'un Jeune-Home tel que Mr PLACIDE-NICAISE, arrière-petit-fils d'Homes célèbres par leurs (sotes) Productions Ainsi finit la troisième Entrevue.

VI.me CHAPITRE.

Demande.

DEUX jours après que PLACIDE-NICAISE, sous les auspices de sa chère Mère, eut fait la déclaration de ses tendres feux, l'on vit entrer chés M.r & Mame *Cocus,* un vieux Confrère, Ami, Compère, Petit-cousin de la Famille *Cocus,* & Gendre dans celle des *Sotiveau.* DÉLIÉE, qui l'aperçut la première, courut dire à sa Maman :
— Voici M.r *Bavetin.*
On fut le recevoir.
— Bon-jou, M.r *Cocus,* bon-jou, Mame *Cocus,* bon-jou, mes Enfans, bon-jou, bon-jou.
— Coment se porte M.r *Bavetin?*
— A-merveilles, Mame *Cocus,* à-merveilles... Eh! je ne voyais pas, cete grande Fille... Bon-jou, ma charmante Enfant, bon-jou... come elle a l'air éveillé! elle est charmante!... c'est vous, c'est vous-même, Mame *Cocus...* Qu'est-ce que vous aléz faire de cela, Mame *Cocus?* ce n'est pas l'âge d'être inutile : alons, il faut que ça serve l'État : fi! rester inutile à son âge, avec de la beauté pour trois ménages

aumoins... Éh bién, dites donc, quand la marierez-vous?

Ma[me] *Cocus,* qui conaît le Personage, sourit sans répondre, & veut lui laisser épuiser tout son bavardage.

— A-propos, coment va le Comerce? on ne fait plus rién, si ce n'est vous & le Beau-frère SOTENTOUT? Il conaît tous ces Tailleurs; il s'arange avec eux, il fournit à crédit, leur vend en-conséquence; & les Pratiques payent l'intérêt. Je ne sais coment diable il fait; jamais il ne perd un sou. Mais où le sait-on mieux qu'ici? Entre-nous soit dit, savéz-vous que son arangement est fort bon? Ces soixante petits Maîtres qu'il tiént à ses gages, auxquels il fournit l'étofe, qu'il loge, sont autant de premiers Garsons. Je crois qu'il est bien riche aujourd'hui à... cinq-cens-mille livres. Il pourait se doner une voiture. Mais n'ayez pas peur; il est trop ménager. Ne lui conseilleriéz-vous pas de quiter après l'Échevinage, suposé qu'il y parviène, & d'acheter une charge à son Fils?... Non, je vois que ce n'est pas votre avis, & vous avéz raison; restons dans notre état; il est honête, & lucratif. Le jeune SOTENTOUT paraît avoir d'excélentes dispositions; il est rangé come une Fille; ç'a ne sera ni coquet, ni libertin; une Femme en fera tout ce qu'elle voudra; ç'a n'aura non-plus de volonté qu'un Enfant. Ma-foi... je ne suis chargé de rién; mais come Ami de votre Famille, allié dans l'autre; je vous donerais un conseil... Où trouveront-ils un Parti qui leur conviène mieux que Mlle *Cocus?* Où trouverez-vous plus de bién & de convenance? Vos deux maisons n'en font qu'une pour l'intérêt; vos

Enfans mariés, tout est à eux; sans discussion, sans compte à se rendre. Hém? votre sentiment, Ma[me] *Cocus?*

— Si vous étiéz chargé de quelque chose, je répondrais; mais come vous ne l'êtes pas, je n'ai rién à dire :

— Suposéz que je sois chargé de vous pressentir : le Parti vous conviéndrait-il?

— Je ne sais.

— Je vois bién qu'il faut vous dire, que je viéns de la part de votre Amie & de celle de son Mari.

— En-ce-cas, je vous répondrai, qu'ils nous font beaucoup d'honeur, & que si les Jeunes-gens se conviènent, l'oposition ne viéndra pas de notre part.

— Voila parler! que je vous embrasse, ma chère... Il est inutile de rendre compte du reste de la conversation.

Mr *Bavetin* ala porter la bone nouvelle à ses Comètans, M.[r] & Ma[me] *Sotentout.*

Dès le lendemain, Mr *Sotentout,* le Podagre se trouvant en état de marcher, on profita de ce bon moment, pour faire la demande de Mlle DÉLIÉE. Le chèr Père & la chère Mère se rendirent au coin de la rue *T****, chés leur Associé Mr *Cocus.* En les apercevant, on ne douta pas du sujet qui les amenait. DÉLIÉE témoigna beaucoup de répugnance. Sa Maman, tandis que le Père fait les honeurs du salon, eut avec elle un petit entretién, dont j'ai retenu le précis.

— Que tu sais peu ce qu'il te faut, lui dit cete Mère prévoyante (14)! un Sot est un Mari d'or, sur tout s'il est bién laid. Tu seras la Souveraine, come il conviént que le soit une Femme dans sa maison, & ton Mari ne sera que l'économe. Il faut te détailler les raisons de tout cela. Notre pouvoir, ma chère Fille, fondé sur la Coutume de Paris, n'y est pas établi en termes exprès; les Homes, qui seuls professent la Jurisprudence, en ont ou rayé l'article, ou n'ont jamais soufert qu'il fût écrit. Cependant, malgré tous leurs éforts, il s'est conservé par tradition; parceque ce n'est pas aux caprices humains qu'il doit son origine; c'est à la raison éternelle : mais come il est très-peu d'Homes raisonables, la plupart d'entr'eux, même à Paris, tendent à s'emparer de l'autorité : pour peu qu'ils aient de figure & d'esprit, que leur Femme soit patiente, douce, ils dominent, & la retiènent dans la dépendance. Pour éviter ce malheur, lorsque j'étais fille, j'eus toujours en horreur les beaux Homes (15) & les Homes spirituels; je pris soin d'ôter bién-vîte toute espérance à ceux de cet acabit qui se métaient sur les rangs pour obtenir ma main; & j'eus d'autant moins de peine à les écarter, qu'ils composent le petit nombre. « Monsieur, disais-je une fois à l'un d'entr'eux, je goûte votre société, votre entretién me charme; je vous aimerais à la folie, si... vous étiez marié ». Mon incartade ne le révolta point; il se maria dans la quinzaine, & fut soufert. Votre Père se présenta dans le même temps : come il n'avait aucun des défauts qui me fesaient fuir le mariage, je me rendis à tout ce qu'on voulut, & cete union fut heureuse. Je conviéns que Mr *Cocus* n'était pas aussi laid que Mr SOTENTOUT (il fut même fort bién avant sa petite-vérole) & qu'il n'était pas aussi borné : mais, ma chère Enfant, tout ce que ton

Père eut de moins en cela, je fus obligée de l'avoir de moins en autorité, come en liberté; s'il avait ressemblé ton Prétendant, j'aurais joui beaucoup plus entièrement de ces deux nobles prérogatives. Le Public est pour nous, quelque chose, que nous fassions, quand nous avons un Mâgot; l'on nous excuse, & l'on nous plaint encore lorsque nous lui manquons.

A cet avis maternel, dont la Belle sent tout le fin, DÉLIÉE sourit en-dessous :

— Donéz-moi du temps, Maman, répondit-elle; il m'en faudra beaucoup, je pense, pour me déterminer.

On descendit ensuite dans le salon.

— Nous vous atendions, Madame, (dit M.r *Sotentout*); & come vos droits sur Mademoiselle sont les plus avérés, Madame *Sotentout* & moi, nous n'avons pas comis l'incongruité de parler en votre absence à M.r *De-Galanvile* du sujet qui nous amène.

Mame *Sotentout* embrassa Mame *Cocus,* en lui disant :

— C'est la chère Fille, dont le mérite tourne la tête à notre Fils, que nous prenons la liberté de vous demander pour lui : si vous nous honoréz de votre alliance, come nous l'a fait espérer M.r *Bavetin,* nous n'aurons plus de vœux à former : vous conaisséz notre Famille & notre fortune; ainsi point de difficulté de ce côté-là.

— Je suis pour vous, Madame, répondit Mame *Cocus;* mais mon Mari est le Chèf.

— Ah! Madame, vous êtes Reine dans votre maison (16), s'écria M.r *Sotentout;* & je conais trop mon Ami, son respect *au-vis-à-vis* des Dames, pour douter qu'il soit d'un avis différent du vôtre.

— En cela vous me rendéz justice, dit M.r *Cocus;* cependant, je sais avoir de la fermeté, quand il le faut; & je vous déclare que c'est de ma Fille que tout va dépendre : je ne soufrirais pas que sa Mère la contraignît, à-moins qu'elle n'eût de fortes raisons... Quel est votre sentiment, Mademoiselle?

— A moi! Papa? je n'en ai point que les vôtres, & ceux de Maman; je vous suis soumise en tout.

— Vous voyéz, mon chèr Confrère, point de volonté!

— Pourtant, mon chèr Papa, reprit DÉLIÉE, come le mariage est un engagement de la plus grande conséquence, je suis bién sûre que vous m'ordoneréz de ne me déterminer qu'après de mûres réflexions, & les ordres de Maman.

— Ce sont mes sentimens, ma Fille.

— Mon Ami, dit Ma^me^ *Cocus,* votre Fille est bién jeune!

— Cela signifie-t-il un refus, dit Ma^me^ *Sotentout?*

— Point-du-tout, s'écrie M.r *Cocus.*

— Considéréz donc, mon Ami, reprend Ma^me^ *Cocus;* c'est une Enfant!

— Mais elle a dix-sept ans; & vous n'en aviéz que seize quand...

— Aussi, mon Ami, que n'ai-je pas soufert!

— Mais, non, que je me souviène; tout ala le mieux du monde!

— Vous n'avéz pas de mémoire, M.r *De-Galanvile.*

— Eh pardieu, mon Ami, dit en ricanant M.r *Sotentout,* nous étions donc logés à la même enseigne! En-vérité, si je n'avais pas été sûr de M.lle *Sotiveau,* j'aurais pris certaines idées...

— Oh! votre Femme était plus formée que la miène sans comparaison. (*Nota* que le sieur *Cocus* était un des cinq Garsons favorisés par la Dame avant le *matrimonion*).

— Songéz devant quî vous parléz, intérompit aigrement Ma^me *Cocus* (en montrant sa Fille, qui feignait de s'amuser à son clavessin durant cete conversation).

— Voyons, madame *De-Galanvile,* que décidons-nous, dit le Père de DÉLIÉE?

— Tout ce qu'il vous plaira, mon Ami; je crois pourtant qu'il faut demander la huitaine.

— C'est ce que je pensais.

Après cete réponse, on parla d'afaires, en atendant le dîner : & pour que la joie fût complète, on envoya chèrcher SOTENTOUT par un Garson-de-boutique.

Celui-ci, malin garnement, très-amoureus de DÉLIÉE, & qui s'était douté de ce qui se tramait, trouva PLACIDE-NICAISE en négligé, vu ses ocupations. Il le força de partir fort mal en ordre & sans poudre sur son ardente chevelure : un orage survint; point de répit; l'afaire est pressée, & ne permet pas qu'on diffère : l'inhumain Garson le mena toujours au trot, le poussant près des voitures éclaboussantes, ou le retenant sous les cascades des goutières, lorsque les embaras exigeaient qu'on s'arêtât; s'il lui done la main, c'est pour le faire trébucher au-milieu des torrens fangeus, dont la Capitale de la France est encore inondée au-milieu du XVIIIe siècle. PLACIDE-NICAISE ariva croté come un Barbet, ou come un pauvre Auteur, qui porte aux Journalistes une Production nouvelle, dont il atend sa gloire & du pain (17); il avait de l'eau plein ses souliers, & jusques dans ses hautes-chausses, c'est-à-dire dans ses culotes. L'on fut obligé de le changer de tout, après que DÉLIÉE se fut amusée de sa figure barbotine : on lui dona donc un habit de M.[r] *De-Galanvile,* trop long & trop large de moitié, avec tout le reste de l'habillement, jusqu'aux souliers *à-poulaine.* Ce furent les deux Garsons-de-boutique qui lui servirent de Valets-de-chambre; le premier était le même qui l'avait amené; le second, un jeune Hipocrite dont il sera beaucoup parlé dans cete Histoire. PLACIDE-NICAISE fut à la torture entre leurs mains; peu s'en falut qu'ils ne lui redressassent les jambes en le déchaussant, & qu'ils ne le démembrassent en ôtant sa chemise colée sur son corps amaigri par l'amour. Pour cacher ses cheveux, qu'on n'avait pas le loisir de mètre en ordre, DÉLIÉE s'avisa de l'afubler de l'antique et magistrale pèruque avec laquelle son chèr Père, dix anées auparavant, présidait aux *Consuls.* En cet équipage, PLACIDE-NICAISE prit séance à table entre Ma[me] *Cocus* & sa Fille. Il était un peu honteus de son arangement : mais sa chère Mère lui dit à l'oreille, Qu'il falait se prêter à ce qui fesait plaisir aux Dames, & que Mlle DÉLIÉE, l'ayant elle-même *coîfé* de cete pèruque, il devait être glorieus de la garder. On ne sait trop quelle mine fit PLACIDE-NICAISE; il ne pouvait être vu qu'en face; encore son petit groin *soneus & roussâtre* ne se découvrait-il que come une boule de cire brute, *crinitée* par cent livres d'étoupes : Tels ces Chevaux ombrageus, ces Mulets indociles, ou ces Taureaux conipètes, à quî l'on met des *œillères,* pour les empêcher de voir ailleurs qu'en ligne droite. Durant le repas, DÉLIÉE fit cent malices à PLACIDE-NICAISE; la plus cruelle fut de lui écrâser le piéd avec le talon de son soulier; le pauvre Garson en versa des larmes, qu'heureusement on ne put apercevoir; mais il n'ôsa pas le retirer, & n'eut garde de se plaindre; il avait ouï dire que marcher sur le piéd était une faveur.

Lorsqu'on en fut au dessert, Ma^me^ *Cocus* dit en riant :

— Éh-bién, Mr *Sotentout,* votre verve s'est-elle encore exercée?

— Oh! pour ça oui, Madame.

— Ah! que je serais charmée de voir si vous avéz profité de mes leçons.

— Bast! j'ai fait bién mieux.

— Il faut nous montrer cela?

— Oh! je ne veux pas lire devant ces deux Messieurs (designant les Garsons) ils se moquent de tout ce que je dis.

— En ce cas, donéz, je vous promets le secret.

Lorsque les deux Critiques furent sortis, Ma^me^ *Cocus* étudia quelques minutes, à-cause de la mauvaise écriture, & lut [*] : [ci-après.]

— Miséricorde! s'écrie-t-elle en achevant, qu'avéz-vous fait-là!

— Des Vers à douze piéds, Madame, & vingt-quatre sillabes : jugéz de la grandeur de mon amour, par la longueur de mes Vers! si je m'étais cru, j'en aurais fait à mille piéds.

— Votre compliment est très-bién; & vos Vers sont mauvais. Mon Enfant, c'est une petite erreur où vous avéz doné; votre intention était bone : n'auriéz-vous pas jeté la vue sur une Brochure que je lisais l'autre jour, où certain Auteur, non-content de la gêne où sont déjà nos Poètes pour associer la rime à la raison, voudrait encore les assujétir à la Prosodie?

— Oui, Madame.

— Vous voyéz que c'est une chose impossible dans notre langue : sans être savantes, nous avons le goût sûr, nous autres Femmes, & nos DÉCISIONS SONT TOUJOURS CELLES DE LA RAISON : des Vers trop longs n'ont plus d'harmonie; la quantité dans nos sillabes n'est pas asséz partagée; nous avons dix brèves contre une longue :

(*) *Doubles-grands Vers rimés & mesurés, à mademoiselle DÉLIÉE.*

Cŏmmĕ rēsté l'ăgnĕlĕt ĕn sŏn ĕcūrīĕ, -ĭmpătĭēmmĕnt ăttēnd să Mĕrĕ ĕn bēlānt;
Cŏmmĕ vŏtrĕ sĕrĭn, dĕ să sĕrĭnĕ ĕprīs, -dāns să căge saūtĕ & vă toūsioūrs crĭŏlānt;
Toŭt-dĕ-mēmĕ moĭ iĕ n'aĭ plŭs rĕpōs aūcŭn, -& vaīs dĕ pīs toūsioūrs ĕn pīs mĕ hārcĕlānt,
Iŭsqu'aū mŏmĕnt heŭreūs oŭ toūs-lēs-deūx lĭés, -nōs bĭēns, nōs nōms, nōs cœūrs, nōs chaīrs s'ĭrōnt mēlānt.

voyéz vos Vers, où vous les avéz marquées. Si j'avais un conseil à vous doner, ce serait non de renoncer à la Poésie, c'est un amusement *très-inocent* pour vous; d'ailleurs, dans un siècle où tout le monde a de l'esprit, il faut bién suivre le torrent : le conseil que je vous donerais, dis-je, ce serait de ne faire que de petits Vers; notre ïambe, de dix sillabes est assés aisé; le Vers de huit l'est peut-être encore davantage, parce qu'il n'a pas de césure : du-reste suivéz les règles.

Durant ce colloque, DÉLIÉE lisait adroitement les Vers-géans; & la petite Fole, qui les retint, courut les reciter d'un grand sérieus aux deux Garsons, pour les leur faire admirer : ce qu'on reconut aisément, au nom d'*Agnelet* qu'ils lui donèrent, lorsqu'il vint auprès d'eux après le dîner.

Je n'ai plus rien à-dire à son sujet dans ce Chapitre, si ce n'est qu'on l'enmena tel qu'il était, & qu'en arivant chés lui, certaine Voisine, friande s'il en fut, qui guétait le cœur de l'Inocent, se hâta de le desafubler, non sans rire, & sur-tout en tâchant de l'indisposer contre DÉLIÉE; mais elle n'y réussit pas. Cete Femme se nomait Ma[me] *Fourète :* il en sera question dans la suite.

VII.ME CHAPITRE.

Rivaux.

IL ne faut pas s'imaginer que tous les Jeunes-gens de la Capitale soient des SOTENTOUT; la plupart tiènent un-peu de mon Héros, *qui* dans une chose, *qui* dans une autre; mais comunément ils sont *retapés* sur l'article de l'amour, à-cause des exemples qu'ils ont continuellement sous les ieux. Qu'on n'aille donc pas se récrier, & dire que je peins un Parisién come il n'y en a pas, & plutôt un Beaunois qu'un Parisién; SOTENTOUT est le corifée, le complètement Badaud; mais il a des diminutifs de nuances en nuances jusqu'au plus haut degré d'élégance & de *dégourderie :* qu'on n'oublie pas néanmoins, que quiconque est né dans la banlieue, fût-il le grand *V**** lui-même, participe du climat, & demeure toujours badaud, ne fût-ce que par le bout du talon, come autrefois Achille. C'est tout come moi; si dans quelques tirades l'on peut oublier que je suis de Beaune, je ne me soutiéns pas longtemps, & les oreilles de l'âne percent, à l'instant qu'on le croyait le mieux déguisé : Témoin ce préambule & beaucoup de Notes, de digressions, &c, &c.

Come je l'ai dit, M.r *Cocus-de-Galanvile* avait deux Garsons-de-boutique; un bel Enfant de quatorze à quinze ans, né rue *Croûlebarbe,* faubourg *Saintmarceau,* qui se nomait *Cuculis :* son Compagnon était un grand Jeune-home, de vingt à vingt-deux ans, fait au tour, & très-dégourdi, quoiqu'il ne fût à la Capitale que depuis six mois : *Friponet* est son nom; il est natif de Dôle en Franche-Comté, Province où la bonté n'est pas une marchandise plus comune que l'esprit à Beaune. Ce grand Drôle avait jeté son dévolu sur le cœur, sur la main, sur la fortune, & même sur les faveurs de M.lle DÉLIÉE. Mais son mince patrimoine, en comparaison des richesses de M.r *Cocus,* lui fesait prendre un long circuit pour gagner l'afection des Parens & la tendresse de la Demoiselle. Tout *paraissait* aler assés bién, lorsqu'un Mâgot vint déranger ses projets. *Friponet* en fut au desespoir. Un jour, il se trouva seul avec DÉLIÉE (ocasion fort rare, par la grande atention de Mame *De-Galanvile* qui conaissait la faiblesse du sexe); il se hâta de s'expliquer, après avoir poussé ce soupir, *Hun! hun! (Déliée)* Vous soupiréz, je pense?

(Frip.) Oui, Mademoiselle, je soupire! *hun! hun!*

(Déliée) Éh-mondieu! qu'avéz-vous?

(Frip.) Faut-il le demander après ce qui se passe?

(Dél.) Coment?

(Frip.) Est-il possible que Monsieur & Madame puissent sacrifier la perfection même, à... SOTENTOUT!

(Dél. en riant) Bon! n'est-ce que cela?

(Frip.) Coment, morbleu! il y va de ma vie!

(Dél.) Quel raport entre votre vie & mon mariage?
(Frip.) Un très-grand, Mademoiselle; dès que le trop heureus SOTENTOUT sera maître de cete belle main, j'irai me pendre.
(Dél.) Mais vous feriéz une très-grande folie, mon pauvre *Friponet!*
(Frip. du ton pénétré.) Je vous porte dans mon cœur, Mademoiselle, depuis le premier instant où je vous ai vue.
(Dél.) C'est très-galant!
(Frip.) Je ne sais pas si je suis galant; mais je suis sensible, tendre, & je vous adore, Mademoiselle, come ma divinité.
(Dél.) Ce que vous dites là, *Friponet,* ne saurait que me flater : cependant, que vouléz-vous? mes Parens, come c'est l'usage, demandent du bién; Maman d'ailleurs m'aporte certaines raisons.
(Frip.) Pouréz-vous aimer un Sapajou?
(Dél. à demi-bas.) Éh mondieu! non.
(Frip.) Pourquoi donc vous doner?
(Dél.) Vous ne le devinéz pas!... Pour être libre come toutes les Femmes mariées. D'ailleurs, je ne conais guères cet amour si vanté! Plaire, être admirée, voila le souverain bién.
(Frip.) Aimer est un plaisir qui le surpasse : aimer un Mari bién amoureus, d'une figure agréable, d'une santé robuste; passer avec lui des momens... pleins de charmes, & dans ses bras, des nuits...
(Dél.) Vous peignéz bién. Écoutéz, je prendrai du temps; tâchéz d'en profiter : il ne s'agit que de Maman.
(Frip.) Je ne le sais que trop!

(Dél.) Faites votre cour.
(Frip.) Si vous êtes pour moi, je puis tout surmonter.
DÉLIÉE aperçut sa Maman; elle feignit de repasser à demi-voix une ariète que *Friponet* avait chantée la veille, & dit à ce dernier :
— Encore une leçon, je la sais tout-à-fait.

Ce n'est pas que la Belle soit éprise du Francomtois : DÉLIÉE aime *Cuculis,* parcequ'il est mignon, c'est-à-dire, d'une beauté efféminée : il est d'ailleurs d'une famille égale à celle des *Cocus;* son Père, ancién Garde de la Comunauté des *Merciers,* avait quité le comerce après la mort de sa Femme, & venait de mourir : par son testament, il avait institué Curateur de son Fils, son Ami M.r *Cocus,* & l'avait chargé de lui doner un état : la fortune de *Cuculis* pouvait se monter à *soixante mille livres;* c'était bién loin de celle de M.r *Cocus;* mais ne fait-on rién pour le Fils d'un Ami? Voila quel était le petit raisonement de DÉLIÉE. *Cuculis,* Parisién come SOTENTOUT, payait le tribut à sa Patrie; c'est-à-dire, qu'il était Badaud en un point; mais du-reste, il était plein d'esprit; il chantait bién, dansait encore mieux, jouait du violon & de la flûte-douce; devinait très-bién les énigmes & les logogrifs du *Mercure* ou du *Journal-de-Verdun;* avait une teinture de Filosofie, d'Histoire, de Géografie, d'Uranografie, & de Morale. En-un-mot, son mérite était brillanté par l'éducation que l'on done aux Jeunes-gens come-il-faut. En-quoi donc *badaudait-il?* Dans sa souplesse auprès des Femmes; dans son goût pour les riéns; dans l'importance qu'il done aux futilités qui l'entraînent; une ariète est une afaire d'État; jouer de la flûte, une ocupation à laquelle tout doit céder; un pas nouveau, une énigme, & d'autres misères s'emparent de toutes ses facultés : & qu'on ne croye pas que sa jeunesse en est cause : on est précoce à Paris; ce qui lui plaît aujourd'hui lui plaîra dans trente ans, & peut-être davantage; les Enfans à barbe-grise ne sont pas les moins enfans dans la Capitale. Encore à Beaune, on vieillit à la fois d'esprit & de corps; l'on y radote à-la-vérité, mais l'on n'y *enfantille* pas à soixante ans : à Paris, c'est tout le contraire; on y voit souvent de petits Catons de dix-huit ans, & des Adonis ou des Apicius de cinquante. Le goût de DÉLIÉE est fondé sur ces talens colifichets : mais come elle a beaucoup de raison, qu'elle est fort dissimulée, elle combine ce que sa Maman & son goût lui disent. Le resultat de ses réflexions, que l'entretién avec *Friponet* viént de mûrir, c'est qu'elle va témoigner sa répugnance pour PLACIDE-NICAISE. Dans le même jour, elle vint à son but.

— En-vérité, Maman, votre SOTENTOUT est bién hideus!

— Je vois la source de cete remarque, ma Fille.

— Mondieu! Maman, la source en est dans l'Objet que je viéns de nomer.

— A-la-bone-heure : mais je vous ai dit l'autre-jour ce que je pensais, il paraît que je ne vous ai pas convaincue.

— Ma chère Maman, je vous avouerai que je ne m'acomoderai guères d'un Mari desagréable, dont la présence serait un suplice.

— On l'exclut, mon Enfant, on l'exclut, on fait lit à part.

— Mais avec cete exclusion-là, je me punirai moi-même.

— Que vous êtes simple, DÉLIÉE!... Va, mon enfant, il faut t'en raporter à ta Mère : il est des choses que les Filles ne sauraient concevoir. Un Filosofe Anglais a dit (18) : *Un Home qui voit une belle Femme, n'a pas plus de raison de souhaiter de devenir son Mari, que l'Admirateur des pomes-d'or du jardin des Hespérides en aurait eu de desirer d'être le Dragon qui les gardait :* L'usage est de vérifier cet adage, que la force de la vérité viént d'aracher à *Pope.* Savéz-vous ce que c'est qu'un Beau, ma chère Fille? Un Être mielleus d'abord, dédaigneus ensuite, avantageus toute sa vie. J'ai conu beaucoup de beaux Maris, & pas une Femme qui en ait été contente, passé le premier mois. Je vous dirai plus; c'est que j'ai vu de ces Couples mutuellement jalous de leur beauté : la toilète de *Monsieur,* était aussi rechèrchée, plus dispendieuse que celle de *Madame;* il consultait plus souvent les glasses, était plus avide de complimens, & les savourait avec plus d'impudence. La Femme pliait les épaules, ou-bién injuriait, en maudissant vingt fois le jour la folie qu'elle avait faite de préférer un beau Mari. Une Femme de Paris, outre les prérogatives de la Coutume, doit jouir encore de toutes celles de la nature : la première est la beauté; c'est-là son avantage le plus brillant & le plus flateur. D'où-viént donc aler s'exposer de gaîté-de-cœur à le partager; à céder peut-être les droits qu'il nous done sur les Homes?... Épousez un Laid : une Femme raisonable ne peut aimer son Mari; cela tirerait trop à conséquence! Gardéz de vous laisser tromper par votre imagination, & de céder au leurre qu'elle vous présente : ma chère Enfant, toujours, toujours l'Amant d'avant la célébration n'est plus qu'un Mari, après ; l'on s'en aperçoit dès le premier mot, dès le premier regard qui la suivent. Coment se trouve-t-il des Femmes assés sotes pour sacrifier à la chimère de l'amour conjugal, & s'exposer à toutes les suites desagréables d'une erreur aussi ridicule ?

— Mais, Maman, rien n'est si doux que l'amour : je lisais hièr dans un Livre Italien : *Lo stato amoroso è per la Dona il più felice, essendo in esso superiore ; la dove in ogn'altro deve all'Uomo ubbidire.*

— L'Auteur a raison ; mais il parle de la Femme aimante, & non de la Femme aimée.

Est-il donc si vrai que l'amour conjugal soit une chimère ? voici des Vers d'un Home marié depuis dix ans ; nous conaissons l'Auteur ; c'est le Parent de M.r *Cuculis* :

DIEUX ! quels transports & quelle joie !
Depuis ce fortuné moment,
Nos jours filés d'or et de soie
N'ont été qu'un enchaînement
Et de plaisir & d'allégresse.
Déja dans cete aimable ivresse
Deux lustres se sont écoulés :
Ils ont disparu come un songe,
Qui des erreurs d'un doux mensonge
Laisse nos sens encor troublés.

JUSQUES à quand, Home coupable,
Pour voîler ta légèreté,
Rendras-tu le temps responsable

De ta propre malignité?
Trouvé-je ma Cloé moins belle,
Et mon cœur est-il moins fidèle?
Non, non, d'un semblable malheur,
Nous n'aurons jamais à nous plaindre;
Et le temps, bién loin de l'éteindre,
Ne fait qu'acraître notre ardeur...

EST-IL une union plus belle,
Et plus digne de sa faveur *(de l'amour)!*
Qu'une flâme toujours nouvelle
Fasse toujours notre bonheur!
Oui, jusques dans la vieillesse,
L'un pour l'autre brûlons sans-cesse;
Et jalous de nous faire un nom
Qui soit à jamais mémorable,
Changeons en-vérité la fable
De Baucis & de Philémon *.

* Il viént de paraître sur le même sujet des Vers d'un Marié depuis vingt-cinq ans.

— Il est très-heureus, ma Fille, que je sois au-fait pour vous desabuser : le premier de ces Maris-poètes, est un despote, qui veut éblouir sa Femme & l'aveugler sur son esclavage : celui que cite la *note,* est le plus bas des Complaisans; mais il en rougit, & veut éviter la honte qu'il mérite, en rejetant la faute sur l'amour, qui, je vous jure, en est très-inocent. Mais l'amour conjugal, fût-il vrai d'abord, il suivra bientôt la marche ordinaire : ne s'ennuie-t-on pas de voir toujours les mêmes objets; de lire toujours le même livre; d'assister toujours à la même Pièce de théâtre; d'aler toujours à la même promenade;

d'entendre toujours *la même chanson,* come dit le Proverbe; de porter toujours la même étofe, & des bonets de la même façon? rapeléz-vous les *pâtés d'anguilles* de *La-Fontaine :* c'est lui qui sait prouver par son Conte ingénieus, qu'il n'est pas possible d'avoir toujours le même goût pour la même Femme ou pour le même Home. On voit sur les vîtres d'un cabinet, au château de Chambor, ces deux rimes, écrites de la main de François Ier :

Souvent Femme varie;
Mal-habil qui s'y fie.

La leçon du bon Roi me paraît importante pour nous; elle dit qu'il ne faut pas s'ocuper d'une fantaisie aussi courte que celle-là, & que c'est une folie de la doner pour bâse à son chois... Il semble que la Nature n'a pas, sans plus d'une raison, mis en nous le dégoût de l'uniformité : la principale, c'est afin de diversifier la jouissance des choses, & que l'Être vivant puisse jouir de tous les biéns qui l'environent; ensuite, c'est pour doner plus de vigueur à la possession & aux éfets qui doivent en resulter : dans un Pays où les Homes & les Femmes ressembleraient aux animaux, pour la liberté, les Enfans devraient être plus forts & mieux conformés; par des raisons fisiques, très-palpables pour d'autres que pour vous.

Ce Discours de madame *Cocus* fit la plus forte impression sur DÉLIÉE; elle en saisit tout le fin, & se détermina tout-à-fait : il fut arêté dans son petit cerveau qu'elle aimerait *Cuculis;* qu'elle favoriserait

Friponet, & qu'elle épouserait SOTENTOUT. L'on verra bientôt come elle saura ménager plusieurs Amans; c'est dans cet art qu'excèlent, par-dessus toutes les Femmes de l'Univers, les Jeunes-filles de Paris. Mais pour finir ce Chapitre d'une manière qui réponde à celle dont je l'ai comencé, je dois dire, que toutes les Parisiènes ne ressemblent pas à DÉLIÉE; mon Héroïne est telle que les mœurs de la Capitale doivent rendre les Filles, et non telle qu'elles sont toutes : il en est d'honêtes, de méritantes : j'ai souvent ouï-dire à des Homes qui n'étaient pas de Beaune, que si la Femme la plus corompue se trouvait à Paris, c'était aussi l'endroit du monde où il falait chèrcher la plus vertueuse, la plus propre à rendre un Épous heureus. Or cet Ouvrage n'est pas destiné pour celles-ci : je prie mes Lecteurs de ne pas l'oublier : je fais une satyre; mais ce n'est pas celle des Femmes ou des Maris de la Capitale; c'est celle du vice, que j'entreprens de démasquer : si j'y parviéns, je ne troquerais pas ma sotise contre beaucoup d'esprit.

VIII.ME CHAPITRE.

Fréquentation.

C'est toujours la suite des démarches de mon Héros ou de mon Héroïne qui déterminera les titres de mes Chapitres ; j'en avertis ceux de mes Lecteurs qui seraient ou de Beaune, ou de la Champagne, ou de Flandres, & généralement quiconque participe de la nature Beaunoise, en quelque lieu du monde qu'il soit né, fût-ce à Paris.

La huitaine qu'ont demandée M.r & Ma^me *Cocus* est écoulée ; on viént savoir leur réponse définitive : elle fut, que M.r PLACIDE-NICAISE SOTENTOUT pouvait fréquenter. L'on envoya come l'autrefois chèrcher le Prétendu ; il vint tout-de-même, si ce n'est qu'il avait été de précaution, & qu'il n'y eut pas d'orage ; ensuite on dîna tout-de-même ; & l'on parla tout-de-même d'afaires ; après quoi l'on s'en retourna, je crois, tout-de-même.

A la première visite que rendit PLACIDE-NICAISE, après la permission, il fut assés bién reçu ; néanmoins DÉLIÉE ne le voulut entretenir qu'en présence de sa Maman (19) :

— Une honête Fille (allégua-t-elle) ne doit pas avoir

de tête-à-tête, même avec son Promis, si ce n'est le jour des fiançailles.

Mais cette raison, l'on pense bién, n'est pas la véritable : Que peut avoir une Fille à dire en particulier à l'Home qui sera son Mari? au Galant passe; les momens sont précieus, & l'on a toujours des mesures à prendre. SOTENTOUT s'assit auprès de madame *De-Galanvile;* &, par l'avis de sa chère Mère, il se proposa de lui faire bién des complimens.

— Vous êtes charmant aujourd'hui, venait de lui dire la Mère de DÉLIÉE, en lui voyant la tête garnie de petites boucles, surmontées d'un toupet *à-la-monte-au-ciel,* qui formait un obélisque de neige pisseuse d'environ demi-piéd de haut (20).

— Vous êtes bién polie, Madame : il est vrai que le Garson *Pèrutier* a mis toute sa science à mon acomodage : Mais c'est de vous, Madame, qu'on peut dire que vous êtes charmante!

— Trouvéz-vous?

— Ah mondieu oui : vous avéz quèque chose de si charmant, de si doux, de si brillant... En-vérité, j'ai besoin de savoir que vous êtes la Maman, pour ne pas vous prendre pour la Fille.

— Coment donc! vous me cajoléz!

— Doucement, Monsieur, intérompit DÉLIÉE; n'aléz pas dire que j'ai l'air de la Mère; c'est assés que Maman soit ma Sœur!

— D'honeur, Mademoiselle, c'est tout au-moins.

— Mais, dit Ma^me^ *Cocus,* vous êtes très-galant!

— Ah! Madame! vous êtes si galante vous-même, qu'on ne saurait l'être trop, lorsqu'on est auprès de vous. Et pour vous prouver, Madame, que je ne dis pas cela pour vous flater, parce que j'ai besoin de vous, je m'en vais lire une pièce de Vers, que je fis dès au Colége, après vous avoir entrevue chés nous, un jour que vous causiéz avec ma Mère, vous savéz bién? de ce petit tour,... vous savéz bién? que vous aviéz joué à votre M...

— Je me rapèle (dit Ma[me] *Cocus,* en lui mettant la main sur la bouche) coment! vous nous aviéz entendues! c'était une histoire faite à-plaisir, mon Enfant, c'était une histoire faite à-plaisir.

— *Vers à madame DE-GALANVILE,*
sur ce qu'elle a fait à son Mari.

— Laissons cela, Mr SOTENTOUT; ou plutôt donéz-moi vos Vers, je les lirai plus à mon aise, quand je serai seule. Parlons d'afaires: Feréz-vous un bon Mari?

— Madame, je crois que Mademoiselle votre Fille n'aura jamais à se plaindre de ma soumission; ni vous, Madame.

— Mais, il est adorable! (dit à-demi-voix Ma[me] *Cocus*). Voyons; coment vous comporterteréz-vous avec ma Fille? Il ne faudra pas être jalous.

— Fi-donc, jalous! je suis Parisién, peut-être? D'abord, Mademoiselle est faite pour être courtisée, ma chère Mère me l'a dit, & que je serais un fou de prendre martel-en-tête, pour une chose qu'il ne dépendra pas d'elle d'empêcher: En second lieu, ma chère Mère a dit encore, que c'était l'usage: En troisième lieu, elle m'a dit aussi, que quand même je voudrais en empêcher, ç'a ne ferait que rendre les choses pires: En quatrième lieu, que c'était une vétille: En cinquième lieu, que ç'a ne durait tout-au-plus que les dix ou douze premières anées du mariage : En sixième lieu, elle m'a bién assuré, que l'afabilité d'une Femme, mal-à-propos nomée coquèterie, fesait toujours très-bién les afaires d'une maison, si la Femme est entendue, & que c'est-là le *tu-autem :* En septième lieu...

— Madame votre Mère a du vous dire, intérompit DÉLIÉE, qu'on peut s'en reposer sur une femme honête.

— Elle ne m'a pas dit tout-à-fait come ç'a, Mademoiselle; elle m'a dit, que la Femme la plus honête, était celle qui se comportait de façon à ne pouvoir jamais être convaincue.

(DÉLIÉE se mordit les lèvres, d'un air qui disait : *c'est bon! c'est bon!* tandis que SOTENTOUT continuait) : Elle m'a cité beaucoup de ses Conaissances & de ses Amies...

— Pouriéz-vous, dit Ma[me] *Cocus,* nous en nomer quelqu'une en confidence?

— Ah! dame, ma chère Mère me l'a bién défendu.

— Songéz donc que cete défense ne me regarde pas!

— Pardonéz-moi, Madame, pardonéz-moi, & vous toute la première... Mais je ne suis pas aussi sot que mon Cousin *Sotiveau.*

— Qu'a-t-il donc fait, Monsieur, demanda DÉLIÉE?

— Vous sauréz, Mademoiselle, que la Famille de ma Mère est originaire de Bourgogne, & d'une petite ville renomée pour le bon cîdre ou la bone bière, je ne sais plus trop lequel; mais je crois que c'est le cîdre, car je l'aime beaucoup.

— Vous la noméz, dit Ma[me] *Cocus?*

— Bŏne, Madame.

— C'est du bon vin, que l'on fait à Bone, Monsieur.

— Je savais bién que c'était quèque chose de bon, puisque la Ville porte le nom de Bŏne. A Bŏne donc, j'ai des Parens, entr'autres, un Cousin de ma Mère qui a le germain sur elle, M.r *Sotiveau,* qui est fort riche; il a des maisons, des espaliers, des vignes, des étangs, des rivières, une mer, des Chevaux, des Chiéns, des Cochons, des Brebis, des Paons, des Pigeons, des Vaches, des Chameaux & des Eléfans, qui sont fort comuns dans ce pays-là. Ce riche Cousin, en-outre, a plusieurs Enfans, entr'autres un Fils de mon âge, fort bêta, qui me ressemble, dit-on. Un jour M.r *Sotiveau* & sa Femme se resolurent d'envoyer un présent en fruits à un Conseiller de Dijon, leur Raporteur dans un procès qu'il fesait traîner depuis dix ans. Si-bién donc, qu'en arangeant ces fruits, mon Cousin & ma Cousine devisaient entr'eux, & se disaient : *Mètons ces méchantes poires-ci dures come fer; & puis ces pomes, dont nos Cochons ne veulent plus; & ces coings qui sentent la..., & ces raisins moisis; telles gens, tel encens.*

— *Je voudrais lui pouvoir envoyer de la mort-aux-Rats,* ajoutait Ma.me *Sotiveau; le vieux Rogantin; il est ladre come un Juif, & notre procès est sa vache-à-lait.*

— *Ahn, ahn,* dit mon Cousin, *tu sais bién qu'il faut baiser la main qu'on voudrait qui fût brûlée.*

Quand tout fut arrangé, l'on mit les présens dans un fiacre, & mon Cousin dit à son Fils d'aler les conduire. Si-bién donc que mon petit Cousin monta dans le fiacre, & dit au Cocher : *A Dijon, chés M.*r Quatreveaux, *Conseiller.* A Paris, les Cochers savent toutes les rues; en Province, ils conaissent tout le monde. Mon petit Cousin arive; le Fiacre arète à la porte; mon petit Cousin dit au Cocher de fraper : on ouvre. Mon petit Cousin se présente, & demande à parler à M.r le Conseiller *Quatreveaux,* Raporteur du Procès de M.r *Sotiveau* de Bŏne. On va l'anoncer. Or il faut vous dire, Mesdames, qu'à Bŏne, par une bone plaisanterie (car on est fort plaisant dans ce pays-là) on apelait ma cousine *Sotiveau,* Mame *Sotivache :* mon petit Cousin, qui, ainsi que moi, avait étudié, crut que c'était la régularité du langage, & que *Sotivache* était le féminin de *Sotiveau,* come *bona* est le féminin de *bonus;* ce qui fait *bonus* le bon; *bona,* la bone; *bonum,* le... &c. Pour revenir donc au Conseiller, il descendit avec sa Femme, pour voir les présens : Et mon petit Cousin qui les fesait décharger dans la cour par le Cocher, se dépêcha d'aler faire son compliment, conçu en ces termes : *Bonjour, M. Quatreveaux & Mame Quatrevaches; mon Père & ma Mère, M.* Sotiveau *& Mame* Sotivache *de* Bŏne, *vous envoient ces poires dures come fer, ces pomes dont nos Cochons ne veulent plus; ces coings, qui sentent, sauf votre respect, la..., & ces raisins moisis : ma Mère aurait bién voulu vous envoyer aussi de la mort-aux-rats, à-cause que vous êtes un vieux rogantin, ladre come un Juif, & que notre procès est votre vache-à-lait : mais mon Père a dit come-ça, qu'il faut baiser la main qu'on voudrait qui fût brûlée.*

Ce sot compliment fut cause, que le Conseiller, tout en gardant les poires, les pomes, les coings & les raisins, fit perdre le procès à mon Cousin *Sotiveau.*

— Mais! coment donc, s'écrie Ma^{me} *Cocus,* il narre joliment.

— Et des traits bién choisis, ajouta DÉLIÉE!

— On voit aisément l'aplication de votre histoire, reprit Ma^{me} *Cocus,* & je ne vous en demande pas davantage.

— Oh! Madame, je sais bién que vous avéz trop d'esprit pour ne pas comprendre tout-d'un-coup *ce que parler veut dire :* elle signifie que je ne sais pas faire de sots complimens.

On ne releva pas cete balourdise, non plus que celle des rivières, de la mer possédées par le Cousin Beaunois, & des fiacres à Beaune. Ensuite, PLACIDE-NICAISE SOTENTOUT s'en retourna rue *des-Singes.*

— Il est borné, mais il pense bién, dit Ma^{me} *Cocus* à sa Fille; il a de bons principes; il sera soumis. Pour sentir le mérite d'un Mari de cete espèce, il faut jeter les ieux sur nos anciènes mœurs : au XIIe siècle, par-exemple, un certain Humbert, petit despote du Beaujolais, pour atirer des Habitans dans Ville-franche sa Capitale, qu'il venait de bâtir, acorda le singulier privilége, *Que les Maris pouraient y batre leurs Femmes jusqu'à effusion de sang, sans que la Justice s'en mêlât.*

— Ah! quelle barbarie!

— Elle contraste avec notre bonheur, que sans doute elle a causé; les excès amènent toujours la réforme.

[La bone Dame n'aurait-elle pas ici profétisé sans le savoir?]

A la seconde visite, Ma^{me} *Cocus* crut devoir laisser DÉLIÉE seule avec son Prétendu; la répugnance de sa Fille fut ce qui l'y détermina. L'amoureus PLACIDE en fut si charmé, que dès qu'il se vit libre, il s'aprocha fort près de sa Maitresse, & voulut porter la main sur sa gorge, en tâchant de lui prendre un baiser. DÉLIÉE l'esquiva ; le petit Lutin la poursuivit dans un cabinet, où la Jeune-persone s'assit sur un lit-de-repos, en disant à NICAISE :

— Coment-donc, Monsieur, vous n'êtes pas sage ! je le dirai à Maman, qui ne me laissera plus seule avec vous.

— Oh ! je sais bién moi, qu'il faut être entreprenant auprès des Belles, & qu'elles traitent de nigauds ceux qui ne le sont pas.

— Point-du-tout, Monsieur, & ceux qui vous ont doné ces leçons-là, vous ont bién trompé.

— Dame ! des goûts & des couleurs on n'en dispute pas : mais il y a une Dame...

— Mais il faut être discret ; une Dame ne peut avoir tenu ces propos-là, Monsieur ; à-moins que ce ne soit...

— Éh-bién, je l'ai lu, là ; dans les Contes,... les Contes...

— Des Contes ne sont que des Contes, Monsieur ; & si vous prenéz au piéd de la lètre tout ce que vous liséz, je vous prèterai *Cyrus, Polexandre, Artamène,* ou *Clélie,* qui détruiront ces mauvaises impressions.

— Je vous serai bién obligé, Mademoiselle... Mon-dieu ! que vous êtes jolie ! le joli petit néz ! les jolis petits ieux ! la jolie petite bouche ! les jolis petits... Cete jolie main ! ces jolis petits bras ! cete jolie petite...

— Finiréz-vous, Monsieur ?

— Laisséz, laisséz-moi faire...

— Éh! mais que prétendéz-vous donc, monsieur SOTENTOUT?

— Ce que je prétens, êh! êh! êh! mais, admirer cete jolie petite jambe fine, & mieux voir ce joli petit peton que vous cachéz.

... — Finiréz-vous? je vais apeler Maman.

— Tout cela n'est-il pas pour moi?

— Ce n'est pas encore votre tour.

— Il viéndra, mon petit cœur; il viéndra, ma petite poulète; il viéndra, mon petit chou; il viéndra, il viéndra, il viéndra biéntôt. Oh! que je vous aimerai! come je vous mangerai, vous croquerai.

— Éh! mondieu! vous me faites peur! je crois voir un Ogre.

Ma^me^ *Cocus* avait tout écouté; cete Mère prudente revint auprès des Amans : Et SOTENTOUT, suivant les avis d'*Agnès-Pudentine Sotiveau,* ne s'ocupa plus que d'elle. La vieille Coquète, quoique l'art fut grossier, n'en fut pas moins flatée! Elle venait de remarquer, non sans quelque surprise, que SOTENTOUT était entreprenant. A-la-vérité, c'était d'une manière gauche, come tout ce qui ne part pas du cœur, & ne se fait que par imitation; elle voulut se doner l'amusement de voir par elle-même jusqu'où il porterait la témérité. Pour cet éfet, elle renvoya DÉLIÉE. Mais la fine Persone conaissait la guérite de sa Maman, pour voir ce qui se passait dans le salon & dans la boutique; elle courut s'y cantoner, & n'y demeura pas seule.

— Savéz-vous bién, mon chèr SOTENTOUT, disait Ma^me^ *Cocus,* que vos propos me feraient entendre que vous m'aiméz autant que ma Fille?

— Ah! Madame, vous pouriéz dire plus.
— (*d'un air mignard*) Vous la lutiniéz tout-à-l'heure, cela n'est pas bién : les Femmes sont faibles, & si vous m'en fesiéz autant...
— Oh! que je n'ai garde! si nous venions à faire une sotise, vous ne pouriéz pas être ma Femme.
— Mais, suposons ; si... j'étais veuve?
— Ah! dame, en ce cas... Mais vous ne l'êtes pas.
— Ne pouvéz-vous suposer?
— Moi? non ; je ne saurais suposer les choses qui ne sont pas.
— Vous êtes terrible! voyons ; prenéz que je suis votre Maitresse ; que vous m'aiméz, &...
— C'est encore une suposition, je crois?... ah, t'néz, je n' saurais.
— Savéz-vous, qu'à la fin je m'impatiente... Prenéz que vous m'aiméz, & que pour vous, je me détermine à tromper... mon Mari?
— Toujours suposition, n'est-ce pas?
— Oui. Vous n'ignoréz pas qu'il faut qu'un Jeune-home ait eu quelqu'avanture en ce genre pour le former, sans quoi ce n'est qu'un sot?
— Oui? Madame!
— Très-sûrement!
— Oh! bén, je ne suis donc pas un sot.
— Expliquéz-vous?
— C'est qu'on m'a formé ces jours-ci.
— On vous a formé?
— Éh-oui! notre Voisine ; madame *Fourète!* je l'entendais un soir, qu'elle causait avec ma ch'Mère, & qu'elle lui disait : *En-vérité, ma chère madame* Sotentout, *l'on ne saurait plus se fier aux Jeunes-gens; ils*

sont tous gâtés par des Filles, qui les acoutument à trouver tant de facilité, tant de facilité! qu'ils nous plantent-là, dès que nous disputons le terrein le moins du monde! ç'a fait horreur!... A-propos? votre Fils est donc ici? Mondieu! qu'il me paraît posé! Je suis bién sûre qu'il a toute son inocence.

— *Oh! vous l'avéz dit*, dit ma ch'Mère.

— *Il faudra me l'envoyer : il fera ma partie les soirs; nous causerons : il faut doner du monde à cela.*

Ma ch'Mère m'y conduisit; & puis j'y suis alé seul; & puis elle m'a fait tant d'amitiés, tant d'amitiés! & puis je lui en fesais aussi... Mais tout cela, c'était avant que d'avoir vu Mlle DÉLIÉE au-moins : oh! depuis, Ma[me] *Fourète* ne me sent plus rién. Je lui ai bién dit, l'un de ces jours. Elle m'a répondu à ç'a, que je serais son Galant.

— Vrai?

— Bién vrai : mais je n'ai garde.

— Pourquoi non?

— Pourquoi non! dame, je ne sais pas moi : c'est que je ne veux être le Galant que de Mlle DÉLIÉE.

— Il me paraît que vous ne conaisséz qu'une signification du mot *galant;* ce n'est pas de celle-là que je veux vous parler! un Home bién élevé, ne doit-être amoureus que de sa Femme (& c'est beaucoup, s'il y sufit!) mais dans un sens honête & plus étendu, l'Home éduqué est galant avec toutes les Femmes.

— Ah-bén, je n'savais pas ç'a! Alons, voyons, instruiséz-moi?

— Suposons que je sois votre aimable Voisine.

— Mais vous ne l'êtes pas.

— Ah ciel! quelle patience!... Je la suis, vous dis-je, regardéz moi bién.

PLACIDE-NICAISE tout-tremblant, fit semblant de le croire.

— Ne lui ressemblé-je pas! hém? (continua Ma[me] *Cocus*, d'un air sévère.)

— Premièrement d'abord, répondit PLACIDE-NICAISE, vous avéz come elle, un front, des ieux, un néz, une bouche, un menton, des joues, des cheveux, un cou, des...

— Éh-bién, je lui ressemble donc?

— Vous lui ressembléz, & vous ne lui ressembléz pas : Ma[me] *Fourète* a tout ç'a; mais ç'a est... ç'a est... fort diférent.

— Savéz-vous bién que vous êtes un sot, Mr SOTEN-TOUT? Voila précisément où je vous atendais. Un Home galant, ou simplement un Galant-home, qui voudrait avoir ma Fille, s'y prendrait tout diféra-ment.

— Ah-bén, dans ce cas-là, recomençons.

— Puisque vous devenéz raisonable, je vous excuse : faites à-présent, come vous feriéz avec elle.

— Tout-d'abord, je lui pris la main come-ça : Et puis, je lui dis... à-propos, je me souviéns que je ne lui disais rién! Et puis je passai mon bras autour d'elle, come-ça : Et puis je l'embrassai, come-ça.

— Finisséz-donc, finisséz-donc!

— Je vous d'mande bén pardon, Madame; mais vous m'dites de faire come...

— Ne voyéz-vous pas que je fais de mon côté come elle fit?

— Oh! non pas, non pas : madame *Fourète* ne fit pas come-ça.
— Que fit-elle donc?
— Dame! on dit que ç'a n'doit pas s'dire.
— Vous avéz raison : mais vous m'en faites entendre plus qu'il n'y en a, peut-être.
— Oh! que non. Elle est bén fâchée contre moi!
— Pour ce qu'elle vous a laissé faire?
— Non, non. (*à l'oreille*) J'ai couché dans sa chambre.
— Ah! Dieu!
— Sans qu'elle le sût.
— Mais, si elle ne le sait pas...
— Elle l'a su le lendemain, quand je me suis esquivé. Oh! elle était furieuse.
— Elle avait raison : si dans la nuit son Mari...
— Il était à Fontainebleau : je m'étais introduit secrètement après le souper : je croyais pourtant voir qu'elle me voyait;... mais elle ne me vit pas; et je pris bién garde de ne cracher, ni moucher, ni remuer de ma place.
— Très-bién agi! Éh! quel était votre but?
— Dame, c'était pour lui dire, le lendemain : C'te nuit, à telle heure, vous avéz fait ç'a; & puis ç'a, à telle heure. Elle aurait été bién étonée, si elle ne m'avait pas vu sortir.
Madame *Cocus* admira le nigaudisme de son Gendre futur; elle en augura très-bién pout la tranquilité de sa Fille : & voyant, après diférentes questions, qu'elle ne pouvait en rién tirer de plus, elle le renvoya chés M.r *Sotentout* son ch'Père.

Mais durant la scène qu'on viént de lire, il s'en

passe une autre dans le salon, entre la belle DÉLIÉE & *Friponet*. Celui-ci, toujours alerte pour saisir le moindre moment, sut adroitement profiter de l'absence de M.r *Cocus* & de *Cuculis*, pour s'introduire auprès de celle qu'il adore. DÉLIÉE était si atentive à la petite portière, qu'elle ne l'entendit pas entrer, & refermer la porte aux véroux. L'amoureus Garson-marchand rassasie sa vue de tous les apas que l'attitude de DÉLIÉE laissait à découvert (la Belle était montée sur un gradin, pour mieux entendre & mieux voir). Il s'aproche, & son œil téméraire, secondé par sa main... La crainte d'éfrayer DÉLIÉE, & qu'elle ne jète un cri, sut le rendre discrèt, en dépit des tumultueus desirs; il s'éloigna pour faire un-peu de bruit. La Jeune-persone se retourne, & feint de paraître fâchée.

— Si je suis importun, Mademoiselle...

— Oh! oui : laisséz-moi; je veux être seule... si mon Papa, si quelqu'un...

— L'on est sorti...

— Éh-bién donc, si... vous restéz, je veux que l'on soit tranquille.

Elle se remet à son poste; & *Friponet* au sién : il ne ménagea que ce qu'une main sévère défendit constament. Vers la fin de la conversation, lorsque DÉLIÉE quita la guérite, elle se laissa tomber nonchalament dans les bras du Francomtois, & soufrit sur sa bouche de rose le plus amoureus des baisers. Si le temps, si le lieu l'eussent permis... *Mais ce qui est diféré n'est pas perdu*, come on dit à Beaune.

Pour revenir à SOTENTOUT, il continua de voir sa Maitresse de deux-jours-l'un : mais la plupart du temps

M.[r] *De-Galanvile* le fesait travailler auprès de lui, pour le mètre au fait du comerce, & lui doner une teinture d'aritmétique; par ce moyén, il n'ennuyait que fort rarement DÉLIÉE, qui s'amusait avec *Cuculis,* s'aprivoisait avec *Friponet*, &c.

[*Nota* que ce dernier employait chaque jour de nouveaux moyéns pour subjuguer impérieusement la Belle par les sens : & je dois convenir qu'il aurait mené la chose à-point (tant il est vrai que ce n'est pas le plus souvent la tendresse qui fait qu'une Fille *casse-son-sabot,* come on dit à Beaune où l'on en porte; mais le tempérament)! si la Maman *Cocus* n'eût exactement veillé; une Mère vigilante empêche bién des sotises!... Mais il ne faut pas anticiper]. Nous alons doner des détails particuliers sur la manière dont PLACIDE-NICAISE SOTENTOUT fit l'amour, & sur celle dont sa Future y répondait : ce sera le sujet des deux Chapitres suivans.

IX.ME CHAPITRE.

Belle-passion.

Il n'est pas de Jeune-home bién apris, né dans la Capitale, qui ne sache qu'*on doit tout aux Dames.* C'est d'après ce principe fondamental des Éducations Parisiènes qu'il conviént de juger coment un Badaud doit filer la belle-passion. Les bassesses, les platitudes, les fadeurs s'y placent come d'elles-mêmes. Pour l'ordinaire, les Jeunes-persones goûtent ces adulations, & pensent, d'après leurs Mères, que c'est en agir *come-il faut :* quelques-unes plus éclairées, ou-bién les Jolies-femmes qui ont vu le monde, trouvent tout-cela fastidieus, & s'en moquent; mais elles passent pour avoir tort. PLACIDE-NICAISE ne manqua pas au *costume;* il *assoma* sa Maitresse de prévenances, de complimens, de bouquets & de Vers. On sait come il en fait; ceux qu'on a lus, sont come il n'en est pas, ou plutôt, come on en trouve dans les Ouvrages de quelques insignes Beaunois, le sieur *André,* Auteur de la Tragédie fameuse du *Tremblement-de-terre-de-Lisbonne* (21); l'Auteur d'une certaine *Béatitude* (22), imprimée (à la gloire du dix-huitième siècle) en 1771, où l'on admire ces deux Vers contre les Incrédules :

> D'autres, le croirais-tu ! m'en dresse le cheveu !
> Ils disaient, oh l'horreur ! qu'il n'y a point de Dieu !

Et certain petit *Poétereau*, qui possède en manuscrit, un dèrnier Chant de *la Dunciade ;* une suite de *la Pucelle ;* une *Épître* dont le titre ne peut se dire, &c. le tout de sa composition.

Raporter les Vers d'un Home si sot ! poura-t on me dire. Pourquoi non? l'on imprime bién, & des gens qui ne sont pas de Beaune achètent & lisent bién les Vers de *Du-R***, & les Romans des *Mou**, des *Ben* ;* les Jugemens des *Cl***, des *Sa****, &c, &c. D'ailleurs, chacun prône ses Confrères & ses Pareils. Ne voit-on pas tous les jours messieurs les Beaux-esprits se célébrer, se congratuler? Pourquoi-donc, nous autres Nigauds, ne nous célébrerions, ne nous congratulerions-nous pas? N'est-ce pas pour nous qu'on a fait le Proverbe Latin, *Asinus Asinum fricat*(23)*? Mais les Gens-d'esprit, les grands Auteurs se déchirent*. Peut-on prendre de plus beaux modèles? & puisque nous somes leurs singes, n'aurions-nous pas droit de les imiter en tout? L'on verrait, qu'en mon particulier, je n'épargnerais guères mes sotissimes Confrères, à quî je ne demanderais aucun quartier... Mais non, les Sots, en cete ocasion vont se montrer les plus sages, doner l'exemple, & devenir modèles à leur tour. C'est pour les faire admirer que je raporterai les Vers de PLACIDE-NICAISE SOTENTOUT. J'en ai recueilli plusieurs pièces, dans lesquelles on verra le germe du talent, qui ne doit se bién déveloper qu'après son mariage : c'est alors qu'il doit ateindre aux grandes choses; & qu'en qualité d'Auteur & d'Amateur, il aura part, conseillera, corigera dans la plupart des Ouvrages qui paraîtront de son temps, & formera même une Académie fameuse; Pièces-de-Théâtre, Ouvrages didactiques, Dictionaires, Romans, riches Compilations, tout sera de son ressort.

Au frontispice du Recueil de ses *Poésies diverses,* on lit cet épigrafe, qu'autrefois *D'Alibrai* mit à la tête de ses Œuvres :

> Quiconque vous soyiéz, qui liréz ces Ouvrages,
> Amateurs des nouveaux, adorateurs des vieux;
> Si vous aprouvéz tout, vous n'êtes pas trop sages,
> Si vous n'estiméz rién, vous êtes envïeus.

La première Pièce de Vers que reçut Mlle COCUS, est une *Épître,* où tout est rimé, adresse, date, signature. PLACIDE-NICAISE était vivement épris : DÉLIÉE, parfaitement indiférente, pour lui, s'entend. Lorsque PLACIDE-NICAISE ne voyait pas sa belle Maitresse, il s'en ocupait, il s'entretenait avec elle sur le papier; & telle fut l'origine de son goût pour les Lettres : les Pédans de Colége n'avaient pu le déboucher, l'Amour, à l'aide de deux ieux enchanteurs, en fit plus en un moment, qu'eux en cinq longues anées. Un jour NICAISE écrivit à sa Promise, une Lètre copiée mot-à-mot du *Secrétaire de la Cour :* Mlle COCUS lui récrivit : *Page* tant *de votre Livre, vous trouveréz ma Réponse.* SOTENTOUT ne comprit rién à cete Lètre laconique : mais à telle fin que de raison, il crut devoir s'en plaindre par une missive entièrement de son crû, composée de manière qu'on ne pût s'y méprendre.

ÉPITRE à mademoiselle DÉLIÉE, pour me plaindre de ce qu'elle n'a pas honoré d'une Réponse raisonée ma tendre Lettre d'avant-hièr.

ADRESSE

A la Beauté — dont j'adore les charmes,
Qui, m'entendant, — veut ne m'entendre pas,
Vole ma Lettre, — & porte-lui les larmes
Du tendre Amant, — que brûlent ses apas.

MADEMOISELLE,

Ou-bién plutôt, — ma Tigresse cruelle.

LE tendre Amour, — que mon cœur a conçu,
Se lasse enfin, — d'avoir trop atendu, &c.

[*Je suprime ici près de soixante Vers, un peu meilleurs que ceux déja raportés, & qui, par cete raison, paraîtraient moins suportables aux Esprités.*]

Ajouter on ne peut — aux tendres sentimens
Mademoiselle, dont — vous enchantéz les sens
Du petit SOTENTOUT, — dit PLACIDE-NICAISE,
Qui repos ne prendra, jusqu'à ce qu'il vous plaise.

Du-mois de Juin le vingt-&-deux Au petit coin où je soupire
L'an mil sept cens cinquante-deux. Soufrant un langoureus martire.

Et come si le stile n'eût pas été plus que sufisant pour assurer à SOTENTOUT l'invention de l'Épître, il prit deux témoins,

> Oui, je veux être un bélître,
> Si *Cuculis & Friponet*
> N'ont vu ma main qui traçait
> Sans copïer, & tout d'un trait
> Cette langoureuse Épître.

DÉLIÉE se récria bién davantage encore :
— Oh! M.r SOTENTOUT, (disait-elle en riant) pour-le-coup, il est encore moins possible que cete Épître soit de vous que la Lètre en prose : Pour vous répondre, il faudrait que je susse le nom de votre Secrétaire, je m'en servirais à mon tour.
— Que vous êtes bon, dit *Cuculis* à NICAISE dépité! ne voyéz-vous pas que les doutes de Mademoiselle sont à votre gloire; elle trouve l'Ouvrage si beau, qu'à-peine elle croit l'esprit humain capable d'aler jusques-là : voici come une Dame ingénieuse se console en pareille circonstance :

> — Mes Vers sont pillés, disent-elles;
> Non, Cloé n'en est pas l'auteur;
> Elle fut d'une pesanteur!
> Le temps ne done pas des ailes —...
> Mesdames, à ne point mentir,
> Je prise fort de tels sufrages :
> Mais craignéz de m'enorgueillir,
> En me disputant mes ouvrages;
> Ne me donéz point le plaisir
> De me croire un objet d'envie;

Je triomfe quand vous doutéz;
Rendéz-moi vîte vos bontés,
Et je reprens ma modestie.

Cet exemple remit PLACIDE-NICAISE; mais DÉLIÉE continua de soutenir que l'*Écriveur* avait eu quelque *Secrétaire vivant*, pour composer cete Lètre, & qu'il l'avait ensuite aprise par-cœur :
— Le Poète bién mortifié, jura son honeur. Pauvre hipotèque pour DÉLIÉE, à quî le fonds apartenait déja; cependant elle feignit de se rendre.
— Éh-bién, lui dit-elle avec une douceur feinte, si vous vouléz me persuader tout-à-fait, Maman viént de sortir, Papa s'est renfermé, *Friponet* est en comission; nous somes libres, passéz dans ma chambre, dont j'emporterai la cléf, & faites une pièce de Vers, que je ne puisse douter que vous n'ayiéz tirée de là.

SOTENTOUT fut ravi : quelques petites caresses de sa Belle l'animèrent. Il monte dans le petit Palais des Grâces; M.lle COCUS lui done une feuille de *Grand-raisin*, ferme la porte à deux tours, & reviént dans le salon, s'amuser avec le charmant *Cuculis*. C'était le but de la Rusée. Tandis qu'ils s'ocupent agréablement, & que le Père & la Mère croient leur Fille avec PLACIDE-NICAISE, qu'ils savent bién n'être pas dangereus, le bon SOTENTOUT grifone, & produit une

ODE à mademoiselle DÉLIÉE.
Sur l'air du *Malheureus Lisandre*.

ENFIN, rigoureuse DÉLIÉE,
Tes ieux entre doux & hagards

Par l'optique de leurs regards,
Vont m'évaporer en fumée :
Toutefois parmi ces ardeurs,
Tes hétéroclites froideurs
Causent une antipéristase;
Ainsi mourant, ne mourant pas,
Je me sens ravir en extase,
Entre la vie, & le trépas.

Mon cœur devint pusillanime,
Au prime aspect de ta beauté,
Et ta Scitique cruauté
Rendit mon esprit cacochime :
Tantôt dans l'Euripe amoureus,
Je me crois le plus malheureus
Des Individus sublunaires;
Tantôt je me crois transporté,
Aux espaces imaginaires,
D'une excentrique volupté.

Aussi ton humeur apocrife
Fait que l'on te nome en ce temps
Des hipocondres inconstans
Le véritable hiéroglife :
Les grotesques illusïons
Des fanatiques visïons
Te prènent pour leur hipotèse;
Et dedans mes calamités,
Je n'atens que la sinderèse
De tes froides neutralités.

Aujourd'hui la métamorfose
De mon bonheur en tant de maux,
Fait que l'espoir de mes travaux
N'est plus qu'en la métempsicose :
La catastrofe d'un Amant

Ne trouve point de sentiment
Dans ton âme paralitique;
Faut-il lunatique Beauté,
Que tu sois le pôle antartique
De l'amoureuse humanité!

Chante donc la palinodie,
Chèr paradoxe de mes sens,
Et des simptômes que je sens,
Débrouille l'enciclopédie :
Ainsi les célestes Brandons
Versent sur ton chef mille dons,
En lignes perpendiculaires;
Et devant ton terme fatal,
Cent révolutions solaires
Eclairent sur ton vertical.

Le Poète achevait, lorsque DÉLIÉE ayant entendu rentrer sa Maman, se hâta de l'aler déprisoner. Il montra ses Vers d'un air de triomfe : DÉLIÉE les admira sans les lire (ils avaient fait passer de si doux momens!) & courut les porter à Ma^me^ *De-Galanvile,* qui les trouva miraculeus; son admiration tenait de l'entousiasme : ce n'est pas, qu'espritée come elle était, cete Dame les trouvât bons; elle disait seulement que c'était un chéf-d'œuvre en son genre; & DÉLIÉE ne put s'empêcher d'en convenir.

PLACIDE-NICAISE saisissait toutes les ocasions de montrer son talent, & la tendre passion qu'il croit éprouver (car c'est une question à Beaune, de savoir si l'on peut aimer quand on est sot; d'où-viént que les Beaunois & les Beaunoises passent en général pour insensibles; sans que pourtant les Filles y soient plus sévères qu'ailleurs); il se flatait par-là de montrer qu'il savait vivre : Un soir, qu'il fesait chaud, il surprit DÉLIÉE dans une ocupation que les quatre premiers Vers qu'elle lui suggéra vont faire conaître.

A l'instant, je t'ai vue, ô trop charmante Iris,
Cherchotant si la Puce en suçotant tes lis,
N'a point sur ton beau corps, par sa rouge piqûre,
Indiqué la retraite où ta pudeur l'assure, &c.

(Tout bornés qu'on nous dit, nous autres Sots, nous dessinons quelquefois voluptueusement ; le Poète avait mis ici des images, que je suis obligé de suprimer par décence : je me permètrai seulement de dire, qu'on trouvait à la fin de la pièce une idée très-anacréontique, dans le goût de celle qu'expriment les Vers par lesquels on y répondit.)

Lorsque DÉLIÉE eut vu cete Pièce libre, elle sourit : ensuite prenant un air sérieus, elle gronda son Amant, en lui représentant, que les Vers qu'il lui donait-là, suposé qu'ils fussent bién faits, n'étaient bons que pour une Fille de coulisse, ou même au-dessous ; que l'on devait respecter davantage les mœurs d'une Jeune-persone honête qu'on doit épouser :
— Par-exemple, ajouta-t-elle, si j'avais eu à rendre l'idée très-jolie de votre Pièce, que vous avéz gâtée, j'aurais emprunté le langage d'*Anacréon,* & j'aurais dit :

De la Fille de Tantale
La Fable a fait un rocher ;

De l'Amante de Céphale
Le Mari devint Cigale :
Moi, je voudrais me cacher
Sous quelque forme amoureuse.
Que n'est-il en mon pouvoir
D'être cete glasse heureuse
Où vous aiméz à vous voir;
Cete lire harmonieuse
Qui vous plaît pas ses acords;
Cete fontaine orgueilleuse
Qui baigne votre beau corps;
Ou cete robe envïeuse
Qui couvre tant de trésors?
Ruban, je releverais
Votre écharpe & votre tresse,
Écharpe, je soutiéndrais
Votre gorge enchanteresse;
Perle, je vous ornerais;
Fleur, je naîtrais sous vos traces;
Soulier mignon, je serais
Foulé par le piéd des Grâces.

Je ne finirais pas, si je raportais tous les Vers que fit cet Amant : il n'abordait sa Maitresse qu'avec des Vers; le moindre petit événement était célébré par des Vers. Il en fesait & les donait tous les jours; à force d'en faire, il s'aprit, & l'on verra par une Pièce que je renvoie à la fin de cete *Partie,* qu'un Sot peut en tourner aussi bién que tant d'autres qui le méprisent, après avoir été Membres de son Académie.

Mais le galant SOTENTOUT ne se bornait pas à faire des Vers, il avait encore mille inventions charmantes. Il est bon d'aprendre au Lecteur, qu'il comence à prendre du goût pour les Arts : Un jour, il venait d'admirer, sans y rién comprendre, les bas reliefs de la Fontaine des *Inocens;* en passant devant l'Eglise du *Sépulcre,* qui en est tout proche, il s'avisa de regarder le portail, & ne douta pas qu'il ne falût aussi le trouver beau : il y découvrit une inscription gotique, qu'il ne put lire, parcequ'il était *miope :* il tire sa lorgnète de Théâtre, & déchifre ces mots *le* ♡ *à Dieu.* Il fut enchanté de ce jéroglifique mêlange, & retourna chés lui, rue *des-Singes,* où il se mit à faire, dans le même goût de fort belles choses, qui ont couru la Capitale & les Provinces, parcequ'on les regarda beaunoisement come nouvelles. Il ala plus loin encore, & son imaginative en créa d'un autre genre : un jour il posa devant DÉLIÉE un papier contenant ce *Tipogrife* (24) si conu depuis, $10^{\text{P}}_{\text{g}}11$; M.lle COCUS eut besoin de toute la sagacité de son esprit, pour en saisir le sens; *Friponet & Cuculis* y venaient d'échouer : le Francomtois, lorsque leur comune Maitresse eut deviné, serait mort de rage & d'envie, si le plus gracieus coup-d'œil ne l'avait un-peu remis.

Une autre fois, qu'il lisait le *Mercure* ou *Verdun* (je ne sais plus trop lequel) les *Énigmes,* les *Logogrifes* le transportèrent d'admiration : *Que d'esprit,* s'écria-t-il, *& que je suis loin de ces grands-Homes!... Mais... ne pourait-on pas se traîner sur leurs traces!... les égaler!... les surpasser!... Oui!... êh! êh! êh! oui,... j'y suis;... l'excélente idée!* Il prend la plume (on dit que c'était la plus forte de l'aîle d'un gros Dinde); & la page étonée se vit couverte du chéf-d'œuvre nouveau qu'on va lire :

LOGOGRIFE en stile lapidaire (25),
& de mon invention.

Ma tête est un Singe;
Mon col, un Opéra;
Ma poitrine, une Truite;
Mon cœur, un Escargot;
Mon ventre, un Nègre;
Mes bras, des Tenailles;
Mes cuisses, un Orquestre;
Mes jambes, des Ustensiles;
& Mes piéds, des Tympanons (26).

Je laisse à penser come SOTENTOUT s'aplaudit, après cete belle découverte! Il courut la montrer à DÉLIÉE : il n'avait pas séparé le dèrnier mot, come je l'ai fait ici; on apelle *Friponet & Cuculis;* Ma[me] *De-Galanvile* elle-même veut deviner; mais la gloire fut encore pour DÉLIÉE, qui sur-le-champ répondit à son Prétendu par cet autre *Logogrife,* sans exprimer les parties du corps :

D ivine, ou-bién, Diamant.
E venté, Epice.
L ibertine, Labirinte.
I nfidèle, Idole.
E brêché, Étui.
E mportés, Echantillons.

— J'y suis, dit alors Ma[me] *De-Galanvile;* le mot de Monsieur est SOTENTOUT, & celui de ma Fille, DÉLIÉE.

— Vous l'tenéz, Madame : vous voyéz que je me

suis ouvert une carière nouvelle; ce ne sont plus ici des Vers, & des lètres qui font des mots; je pense en grand, & je veux des choses.

On en convint, en donant à DÉLIÉE le tièrs de la gloire, pour avoir si bién saisi la subtile pensée de son Prétendu.

Aux gentillesses qu'on viént de lire, PLACIDE-NICAISE joignait tous les petits soins, & les présens. Il acompagnait à l'Église, aux promenades, y présentait & payait les chaises : Il *dona* la main pour faire le tour de la *Foire-Saintovide;* il la *dona* pour faire voir tous les jolis riéns du *Colisée :* il se précipitait au moindre petit service à rendre : un jour DÉLIÉE alait *quelque part;* SOTENTOUT se lève aussitôt suivant sa coutume : la Belle le repousse; il s'obstine; enfin elle le soufre, jusqu'à l'*endroit,* où elle le pria de la laisser libre, lui promètant de le rapeler pour revenir. Une autre fois, Mlle COCUS était devant le feu; un peloton de soie s'échape de sa main : SOTENTOUT, pour-lors à l'autre bout de la sale, s'élance, mais avec tant de malheur, qu'il trébuche, & par sa force *projectile,* glisse come un traîneau de Holande, jusque dans le brâsier; il y perdit une de ses faces, qui fut grillée, ainsi que partie de l'oreille. Cet accident l'obligea de porter pèruque avant son établissement contre l'ordre reçu parmi les Gens de comerce ou de métier, de ne la prendre que le jour des *Visites.* Ce n'est pas tout; l'amour le rendait *petitement* industrieus, (car cette passion renforce les inclinations, & n'en done pas de nouvelles); il s'apliquait à mille petits ouvrages, il brodait, tricotait, fesait du filet : DÉLIÉE recevait tous les jours de nouveaux cadeaux (précieus par le travail & par la main qui les présentait). Tantôt c'était une jolie boîte de paille propre à mettre des camions; tantôt un étui brillanté, nué des plus belles couleurs; tantôt un tour-de-gorge imitant la dentelle; d'autrefois des dessus, artistement brodés pour des souliers & des mules : enfin un bilboquet, un baguenaudier, &c. DÉLIÉE recevait; mais elle ne gardait rién; tout passait à sa Femme-de-chambre, ou-bién à *Cuculis*. PLACIDE-NICAISE s'en aperçut à-la-fin; son tendre cœur en fut nâvré. Pour se plaindre, & reprocher à son Ingrate un procédé si dur, il eut encore recours à son talent pour les Vers. Cete Pièce n'a pu se recouvrer; & je m'en console; car les sotes choses ennuient à la longue, même à Beaune. Mais la réponse que lui fit DÉLIÉE, n'a pas eu le même sort; j'en vais citer un trait. Après s'être justifiée des reproches d'infidélité, de parjure, elle ajoute : *Croyéz-moi, mon chèr, votre état d'espérance vaut mille fois mieux que la situation où vous aspiréz; & pour vous répondre aussi par des Vers, je dirai :*

Le desir le plus frivole
Vaut mieux que la vérité :
Le plaisir léger s'envole,
Dès qu'il n'est plus souhaité;
Il nâquit de l'espérance,
Il meurt dans la jouissance,
Le dégoût seul lui survit;
Et dans l'amoureus Empire,
Empressé quand il desire,
Il s'endort quand il joüit.

Jetons à-présent un coup-d'œil sur la *manière* de Mlle COCUS-DE-GALANVILE. Ce ne seront plus ce que les Esprités noment des *balourdises;* c'est un sistème suivi, raisoné; c'est une filosofie coquète admirable dans son entente & dans ses vues pour l'avenir. Il semble qu'à Paris le premier-sexe ait cédé ses avantages fisics au second-sexe avec les moraux; les Filles y sont fines, spirituelles, autant que les Garsons y sont (pour la plupart) niais & badauds.

X.ME CHAPITRE.

Galanterie.

L'AIMABLE DÉLIÉE se destine à M.r PLACIDE-NICAISE SOTENTOUT; aucun de ses Prétendans ne l'ignore : mais à Paris, l'usage n'est pas, come à Beaune (je le dis à la honte de ma Patrie) l'usage n'est pas que les Galans se retirent, lorsque la place d'une Fille est marquée : Au-contraire, ils se raniment; l'on dirait (& l'on dirait vrai) qu'il en est de ses faveurs come de sa jaretière le soir des Épousailles; chacun veut en emporter une parcelle : les uns tendent à précéder; les autres, plus modestes, à suivre le Mari. Et voila quelles sont les deux sortes de Gens dont M.lle COCUS-DE-GALANVILE est environée.

Friponet est le plus avantageus : non-seulement il espère des faveurs, les prémices même de la Belle, mais il prétend à sa main, en dépit des arangemens qu'il voit prendre. DÉLIÉE possède au plus haut degré l'art d'en imposer aux Homes, & de cacher ses vrais sentimens; elle montre sa répugnance naturelle pour SOTENTOUT en déguisant les motifs qui la lui font surmonter; elle laisse percer un certain goût pour *Friponet,* mais de-peur que celui-ci ne s'en prévale, elle fait entrevoir une troisième disposition, la déférence entière aux volontés de ses Parens. Le Comtois *est-il donc aimé?* Non, (& je l'ai déjà dit) non; DÉLIÉE a pénétré son caractère; elle le *craindrait* pour Mari : mais pour Amant, c'est autre chose; il est beau garson.

Si la belle Parisiène est réellement sensible, c'est pour *Cuculis :* ce mignon n'est qu'un enfant; voila tout son défaut; mais c'est pour lui seul que le cœur se remue : *Cuculis* est un petit espiègle; sans-cesse il folâtre, & lutine DÉLIÉE, qui de son côté n'aime rién tant que de jouer avec lui. L'Enfant téméraire s'émancipe; car il est amoureus autant qu'il est aimable. Dès qu'il se voit près d'elle un-moment sans témoins, il aproche sa bouche vermeille du bouton de rose qui forme celle de sa jeune Maitresse : ... Tel cet Oiseau (27), charmant, le plus petit de tous, suce au lever de l'aurore le mièl des fleurs dont le sein comence à s'entr'ouvrir : ... Une rougeur éblouissante *incarnate* les lis de la jeune Beauté; son petit cœur tressaille; le desir l'agite; & ce moment serait pour *Friponet* l'heure du Berger, si la défiante Maman n'avait les ieux toujours ouverts. *Quoi! Cuculis prépare pour son Rival!* Éh! mondieu oui : le premier n'est qu'un songe agréable; mais le second est la réalité. L'on voit que ces deux Amans ne se nuisent pas.

Au coin de la rue des *Déchargeurs,* était un riche Confrère de Mr *Cocus,* nomé *Lenfilade;* garson d'environ vingt-six ans; modeste, exemplaire en aparence, mais ami du plaisir, & surtout de la liberté. Il vit DÉLIÉE : adieu la répugnance pour le lién conjugal : malheureusement (pour lui, s'entend) il fut trop longtemps à luter contre son ancién préjugé; SOTENTOUT l'avait prévenu. M.lle DE-GALANVILE parut flatée de son homage; & pour en tirer le parti qu'elle voulait, ce fut le rôle d'inocente qu'elle se proposa de jouer avec cet Hipocrite : come elle avait de l'esprit, elle montra l'ingénuité la plus touchante, & laissa présumer qu'elle aurait été ravie que ses Parens eussent préféré ce nouvel Adorateur. Ces dispositions obligeantes, & le mérite de la Jeune-persone charmèrent *Lenfilade* autant que la beauté : ses regrets furent si sincères, qu'il voulut aler cacher son desespoir & s'éloigner : mais DÉLIÉE sut le retenir par mille égards, & sur-tout en le chargeant de lui rendre compte des Pièces-de-Théâtre, du Roman du jour & des Nouvelles publiques. (Avec celui-ci, la belle COCUS était une Vestale.)

Je ne parlerai pas des Voisins, dont l'homage roûlant & journalier était une habitude : à-proprement parler, DÉLIÉE jusqu'à son mariage, n'eut pour composer sa petite cour, que les quatre Amans sur lesquels je viéns de m'étendre, & un cinquième dont je vais parler. Un Home come-il-faut, d'environ trente ans, avait remarqué la Belle; il eut bientôt trouvé moyén de s'introduire dans la maison d'un Marchand, dont le comerce l'ouvre à tout le monde : il fit sa cour à Mame *Cocus,* & parla de DÉLIÉE : la Maman fit entendre, que dans une Famille honête, il n'était jamais question des Filles; qu'il ne convenait qu'aux Mères de ces Infortunées qui languissent dans la bassesse, de prêter l'oreille à de semblables propositions. Il était impossible de ne pas sentir toute la force de cete réponse; aussi le Galant se détermina-t-il à ne rién entreprendre avant le mariage de DÉLIÉE; mais pour se ménager la Mère & la Fille, il fit présent d'une jolie maison, qui avait extrêmement plu à la Maman, dans une partie qu'il y avait fait faire : un présent de vingt mille écus ne se refuse jamais. On conaîtra cet Home généreus dans la *Seconde Partie*.

Je n'entreprendrai pas d'exprimer avec quelle adresse la belle COCUS favorisait tous ses Adorateurs, chacun de la manière dont il devait l'être; avec quel art elle entretenait leur bone intelligence : SOTENTOUT, qui doit être l'heureus Mari, n'a que des rigueurs; à *Friponet,* elle done des espérances; *Cuculis* a les petites douceurs; & *Lenfilade,* les beaux sentimens. M.lle COCUS veut que SOTENTOUT soit content de son lot; elle entreprend de justifier sa conduite à son égard; & de la lui faire goûter.

— Vous savéz, Monsieur, lui dit-elle un jour, que nous devons être unis; vous n'êtes pas à vous apercevoir que vous avéz plus d'un Rival; si je ne mettais pas une certaine politique dans mes procédés, ceux qui sont aujourd'hui mes Amans, deviéndraient dans la suite, & pour vous, & pour moi, des énemis dangereus. Quelle plus forte preuve puis-je vous doner de mes vrais sentimens, & du cas que je fais de vous, que de consentir aux vues de mes Parens à votre égard? Ainsi, Monsieur, j'espère de votre bon caractère, que vous prendréz bién tout ce qui m'échape de desobligeant en aparence : mes prétendues railleries sont moins pour vous tourner en ridicule, que pour vous empêcher d'être jalous.

Friponet est méchant; *Cuculis,* tout enfant qu'il est, peut devenir à craindre; M.r *Lenfilade* n'est pas fort amoureus, mais il voudrait m'épouser par convenance. Je ne vous parle pas de tous nos *Alentours,* qui viènent ici papilloner; s'il falait se fâcher pour leurs propos, leurs petites libertés, on ne finirait pas; une Fille sensée soufre tout cela pour éviter le ridicule, & ne pas se doner le vernis d'une Bégueule : un Sot s'en fâche; un Amant raisonable en rit, parce qu'il sait bién que si l'on s'apercevait qu'il y prît garde, on ferait cent fois davantage... Je ne vous cacherai pas qu'il en fut un plus à redouter; il aimait tendrement; il plaisait à ma Mère; mais il est mort, en me laissant pour preuve inmortelle de sa tendresse cete jolie maison que nous avons à *Ménilmontant.* (Il ne l'était pas, Mame *Cocus* avait instruit sa Fille sur cet article.) Ainsi quelque chose que vous puissiéz voir, continua la Belle, évitéz de vous livrer à l'odieuse jalousie :

> Un Jalous corompt tout, la gaîté n'est pour lui
> Que pure indiférence, ou peut-être un oubli,
> Le silence un afront, l'esprit un artifice;
> Enfin, tout ce qu'il voit, il le voit come un vice;
> Et sa farouche humeur ressemble à ce miroir
> Qui déguise les traits de quî chèrche à s'y voir.

PLACIDE-NICAISE trouva que c'était bién dit, & le raisonement de sa Future sans replique; il promit de tout suporter avec une resignation digne de servir de modèle aux Maris badauds présens & à-venir.

La semaine suivante, un jour de boutique fermée,

que l'on était à la maison-de-campagne avec une Société nombreuse (& le Donateur secret) Ma^{me} *Cocus* crut pouvoir laisser sa Fille sous la garde de son Prétendu, tandis qu'elle ferait sa partie de *wist :* DÉLIÉE voulut aussi profiter de sa liberté, pour voir jusqu'où PLACIDE-NICAISE porterait la bonhomie. La Jeunesse courait dans le jardin; on folâtre, on se lasse, & l'on finit par s'asseoir sur le gason. *Cuculis* se mit aux piéds de sa jeune Maitresse; *Friponet* la tenait panchée dans ses bras; un petit Voisin la lutinait de l'autre côté; le Donateur qui survint, ne s'oublia pas; PLACIDE les regardait. On proposa de jouer au *Piéd-de-bœuf :* ce fut à quî se laisserait prendre davantage par DÉLIÉE, ou la prendrait elle-même; mais la Belle n'en voulait qu'à SOTENTOUT. On prescrivit les pénitences : celles du Prétendu furent pénibles & ridicules; on l'envoyait fort loin; on lui fesait faire des culbutes come celles des Sauteurs Anglais de nos Baladins. La dernière de ces gentillesses fut la plus singulière; come il avait beaucoup de gages, on arêta qu'il ne ferait qu'une seule pénitence, qui durerait tout le temps de celles des autres : ce fut de servir de bête-de-some à DÉLIÉE, qui chevaucherait sur son dos, tandis que fermement apuyé sur quatre pates, il suporterait ce charmant fardeau : Tel autrefois Aristote (dit-on)... mais taisons-nous pour l'honeur de la *Péripatétique*. Les expiations des autres Jeunes-gens, furent de prendre des baisers à la Belle, de diférentes manières spécifiées; & celles de Mlle DE-GALANVILE, de découvrir à-demi quelques apas. Pendant ce temps-là, PLACIDE-NICAISE gémissait sous la charge, qu'aggravait chaque *Embrasseur;* & ne voyait rién de ce qui se passait.

Lorsque cet amusement fut fini (parceque Ma^me^ *Cocus* rapela sa Fille) DÉLIÉE acôta modestement sa Maman. Mais le soir à la brune, quand il fut question de remonter en voiture, la Jeune-persone eut l'adresse de laisser prendre les premières tant par les Vieillards que par les *Sotentout,* & monta dans la dernière avec sa Maman & la Jeunesse choisie; c'est-à-dire, NICAISE, *Friponet, Cuculis,* & le petit Voisin. Le premier & le dernier prirent le fond, afin que les Dames se mîssent sur leurs genoux. NICAISE devait avoir DÉLIÉE; mais le Voisin retapé qui s'en douta, le fit adroitement changer de place; de-sorte que Ma^me^ *Cocus* lui dona sa Fille, & se mit elle-même sur le pauvre PLACIDE, qu'elle manqua d'étoufer. Par cet arangement, les genoux de *Friponet* étaient entrelacés dans ceux de DÉLIÉE : come on n'y voit goute, & que l'on garde le silence, à-cause du bruit de la voiture qui roûle sur le pavé, l'erreur se prolonge; Ma^me^ *Cocus* se croit sur le Voisin (*Fièrpet* est son nom), & DÉLIÉE *vison-visus* de son cher *Cuculis :* en-conséquence, elle soufrit les entreprises d'une main téméraire : mais elle ne put comander à son indignation, lorsqu'elle s'aperçut que son Siège-vivant cherchait à s'émanciper de la même façon : elle alait le réprimer, quand *Friponet* la prévint, & le fit d'une manière si douloureuse, que *Fièrpet* s'en plaignit. Madame *Cocus* découvrit alors son erreur; elle fit changer de place. Dans sa nouvelle position, DÉLIÉE se reconut; ce fut un beau champ pour sa coquèterie; elle favorisa tous ses Amans, & fit des contens sans faire de Jalous, si ce n'est le rusé *Friponet*, qui s'en aperçut : il ocupait une main de la Belle ; il lui prit envie de savoir ce que fesait l'autre ; il la trouva chés Fièrpet, tandis que la bouche donait un baiser à *Cuculis*. Une découverte de cete importance diminua les regrets qu'il avait de n'être pas l'heureus Épous, & redoubla ses espérances pour les faveurs.

XI.ME CHAPITRE.

Acords.

Ma^me^ *Cocus-de-Galanvile* conaissait la passion de *Friponet* pour DÉLIÉE; mais elle feignait de l'ignorer; & la traversait pour deux raisons. La première, parce qu'elle le voulait pour elle-même; la seconde, parce qu'il lui falait un Gendre sot & riche, qu'elle & sa Fille pussent mener par le néz; la dernière, en toutes circonstances; la première, en cas de veuvage & de *convolement* à d'autres noces. Elle pressa donc le mariage de DÉLIÉE avec PLACIDE-NICAISE SOTENTOUT. Le jour est pris pour le Contrat; les articles viènent d'en être arêtés à l'issue d'un grand repas, qui fut doné chés Mr *Cocus*, aux Composans & Aliés des quatre Familles *Cocus, Galanvile, Sotentout*, & *Sotiveau-du-Dégourdi*. Je crois qu'il ne sera pas inutile de mètre sous les ieux du Lecteur un Brouillon de ces Articles, esquissé par Ma^me^ *Cocus-de-Galanvile*, qui prétendait qu'il servît de modèle, en dépit des représentations des Gardes-notes, & malgré l'irrégularité de la forme.

PARDEVANT GRIPÉCUS & GROSINTÉRÊTS, son

Confrère, Conseillers-du-Roi-Notaires au Châtelet de Paris, furent présens en leurs persones Discrète & Vertueuse Dame SOFIE-TRIOMFANTE-PRÉMATURÉE-DE-GALANVILLE; *Honorable Home* JEAN-JOSEF COCUS; *& Demoiselle* VICTOIRE-DÉLIÉE; *leur Fille, née depuis le légitime mariage d'iceux; d'une part :*

Et Discrète & Vertueuse Dame AGNÈS-PUDENTINE SOTIVEAU-DU-DÉGOURDI; *Honorable Home* GILES-NICAISE SOTENTOUT; *&* PLACIDE-NICAISE, *(&c.) leur Fils, légitimé par mariage subséquent; d'autre part :*

Lesquels, assistés de toutes leurs Familles comunes, se sont acordés d'unir & conjoindre, par bon & légitime mariage, en face de notre Mère la Sainte Église, leurs susdits Fille & Fils, suivant les privilèges & réserves portés par la Coutume de cete bone Ville de Paris : Et ont stipulé que la Future, Demoiselle VICTOIRE-DÉLIÉE COCUS-DE-GALANVILLE, *jouira durant la vie du Futur, honête Jeune-home* PLACIDE-NICAISE SOTENTOUT, *de tous les droits, franchises, prééminences, gains, émolumens ci-dessous mentionés; & après le prédécès d'icelui Futur, de son Douaire & Préciput, de ses reprises, &c, &c, &c.*

I.er ARTICLE. *Poura ladite Future faire lit à-part, dès le lendemain de ses noces, & se retirer, quand bon lui semblera, dans son boudoir, qui doit être un asile sacré, dans lequel le susdit Futur promet de n'entrer jamais que mandé.*

II. *Sera libre la Future de faire toutes parties-de-plaisir qui lui conviéndront, sans que le Futur puisse s'immiscer d'en être, sous tels causes & prétextes que ce soit :* Item, *poura ladite Future recevoir dans son boudoir quî bon lui semblera, pour l'entretenir en particulier; & s'oblige ledit Futur à ne s'en pas scandaliser.*

III. *La Future gouvernera l'intérieur de la maison à sa fantaisie & sans rendre compte, même par manière de conversation : elle décidera de tout ce qui regarde la conduite journalière, come invitations, visites, les Persones à voir, celles à congédier, les habits à mètre, les mêts à servir, les livres à lire, les sentimens à prendre, &c, &c, &c : le Futur réglera seulement le travail à faire dans son comerce par ses Garsons & par lui.*

IV. *Le Futur ne poura s'aproprier la moindre chose de ce que la Future aura gagné, soit au jeu, soit en présens reçus; ce seront choses sacrées, entièrement dévolues aux amusemens de ladite Future; mais le Futur entrera dans toutes ses pertes, & les réparera.*

V. *Dans le cas où la Future, par sa bone-conduite, la gracieuseté de ses manières, contribuerait tellement à la prospérité des afaires, qu'il aperrerait que le bon-ordre où elles se trouvent lui serait entièrement dû, elle pourra prendre les deux-tièrs du revenu, pour en disposer à sa volonté.*

VI. *La Future présidera de droit tant aux fêtes, aux repas, qu'aux afaires, & dira toujours, Ma maison, mes marchandises, mon comerce, mon état; elle poura même dire, en vertu de sa propriété suseraine, en parlant du couvre-chèf du Futur, & de ses hautes-chausses, Mon chapeau, ma culote; atendu l'usage, & qu'aujourd'hui les Notairesses, les Procureuses, les Avocates disent, mon Étude, mes Rôles, mon Conseil, mon Avis, mon Factum, & sur-tout mon Clerc, &c;*

étant du bon ton, dans tous les États, (hors le Souverain & la vile Populace) que le Mari soit un zéro; vu que chés les Grands & chés les Riches (c'est aujourd'hui la même chose) on dit Madame est servie, quoique le Mari présent; or le Futur saura, qu'il faut imiter les Grands : En vertu de quoi la Future aura le pas en tout, & l'on ne fera mention du Mari que par formalité, dans les circonstances où nos Loix gotiques l'ordonent.

VII. *Come il pourait ariver que la Future précédât (ce qu'à Dieu ne plaise!) il est de la justice, non-seulement à Paris, mais chés tous les Peuples, que les Parens de la Fille retirent tout ce qui leur apartiént, & que la Famille du Mari les paie de la peine d'avoir élevé celle qui devait perpétuer leur nom; en-consequence, on spécifiera jusqu'aux moindres bagatelles, donées ou même à-doner : En-outre, le Futur avantagera la Future d'une some équivalente au tièrs de ses biéns, qui sera considérée come le prix de ses faveurs : car à Paris, en Perse, à la Chine, &c, &c, on doit acheter & payer les Femmes : Et come une Femme de Paris, par le goût, les sentimens, l'esprit, la liberté, l'influence qu'elle a dans toutes les afaires publiques & particulières, vaut infiniment plus qu'une Chinoise, une Tunquinoise, une Tartaresse, une Arabesse, &c, &c, on doit aussi la payer d'autant plus chèr* (28).

Ainsi fait & passé, &c. mil sept cens... Signé, &c.

Les Gardes-notes dressèrent le Contrat à l'ordinaire; & pour apaiser Ma[me] *Cocus-de-Galanvile,* ils lui conseillèrent de faire un sousseing-privé de son modèle : ce qui fut exécuté : les Articles en furent consentis à la pluralité des voix; ne se trouvant pas un Parisién qui voulût prendre sur lui de plaider une cause qui l'aurait fait regarder come grossier envers les Dames. (Je puis bién assurer qu'à Beaune ces Articles n'eussent jamais passé). *Friponet,* le seul *Friponet,* natif d'une Province où les Homes brutes encore, ne se laissent pas mener, fut révolté de tant de cagnardise; il ne dit rién, mais il sortit un moment, écrivit en petit caractère contrefait, & chargea le Savoyard du coin de porter à l'Assemblée les Vers suivans :

Je ne voudrais point, moi, d'une maison bruyante,
Où Paris en détail s'amène & se présente;...
D'une maison enfin, où loin de s'en voir maître,
Le Mari subjugué n'a pas droit de paraître,
Et sans cesse entend dire, avec un ris moqueur,
Que l'on va chés Madame, & non pas chés Monsieur.
Oui, sans-doute à-présent, par un abus extrême,
Un Épous est un être étranger chés lui-même :
Si le soir, par hasard, lorsqu'il viént de rentrer,
Chés sa Femme un moment il ôse se montrer,
On demande tout-bas, Quel Home ce peut être.
S'il se trouve quelqu'un qui le fasse conaître,
On se lève; & Madame, avec un air transi,
Dit, — Ne vous levéz pas, Messieurs, c'est mon Mari :
Il s'en ira biéntôt, car jamais il ne soupe —.
Alors le sérïeus gâgne toute la troupe,
Tous d'un ennui marqué semblent envelopés;
Le silence est rompu par quelques mots coupés.
L'Home qui voit le froid que sa présence inspire,
Et qui juge aisément qu'on veut qu'il se retire,
S'esquive, ouvre la porte, en déplorant son sort,
Et l'on voit la gaîté, qui rentre quand il sort.

Apostille. *Messieurs de l'Assemblée peuvent aler aux* Italiéns, *tout proche d'ici; l'on y done la* COQUÈTE-FIXÉE, *d'où j'ai tiré cete leçon.*

Signé, *TURCOMAN FERMENTOUT.*

Ma[me] *De-Galanvile* devint furieuse à cete lecture, & paya le Porteur par un souflet : elle aurait doné... tout, pour conaître l'Auteur, mais elle n'y put réussir. Revenons à nos Acords.

Tandis qu'on les met au net, sans ôser changer un *ïota,* Ma[me] *De-Galanvile* en fait d'autres avec le beau *Friponet.* Elle avait quité le salon sous prétexte d'ordres à doner, en disant qu'elle reviéndrait pour la signature. DÉLIÉE, qui sans-cesse alait & venait, était trop fine pour ne pas avoir l'œil & l'oreille à tout : elle vit sa Maman s'enfermer avec le Garson-marchand, & se mit en état d'entendre ce qui suit :

— Vous m'aiméz (disait le Jeune-home) & vous me privéz du seul bonheur auquel je sois sensible!

— Pour un Garson d'esprit, vous raisonéz bién gauche!

— En-éfet, c'est être gauche, que de desirer la plus jolie Fille de Paris, & cent mille francs de dot, avec un état honorable dans le monde!

— Oui, c'est être fou, quand on peut espérer mieux. Je vaux ma Fille, je crois, dans un sens; & je la surpasse sous un autre point-de-vue : sachéz donc que je veux faire pour vous des choses qui vous étoneront. Étourdi! M.[r] *De-Galanvile* n'a pas six mois à vivre; sa moindre maladie est une disposition apoplectique; les deux dernières ataques ont été très-dangereuses, & l'on m'assure qu'il ne suportera pas la troisième. Éh-bién, m'entendéz-vous?

— Ce sont des *Écoute-s'il-pleut,* cela, Madame; M.r *Cocus* peut m'enterrer.

— C'est-là ce qu'on apelle se refuser à l'évidence.

— Éh-bién soit : mais...

— Je vous entens : il faut prouver que je vaux mieux que ma Fille; ce n'est pas la dificulté. Je suis moins jeune, & parconséquent plus rassise; je ne suis plus si belle, & parconséquent je serai plus tendre; moins coquète, plus fidelle. Je suis plus riche, par les précautions que j'ai su prendre : Mon enfant, celui qu'épouse DÉLIÉE, peut se flater qu'il aura fort à soufrir, & que peut-être... Car presque toutes les jeunes Femmes, encore sans expérience, belles ou laides, font passer leur Mari par-là. Mais moi, qui t'aime, qui te chéris, qui sais trop bién, qu'au fond, les plaisirs défendus ne valent pas les transes, les peines qu'ils nous coûtent, & les desagrémens qu'ils nous font éprouver de la part de nos Galans, je serai constante, tu peux y compter; nous coulerons des jours *filés d'or et de soie :* ce qui me manque du côté de la fraîcheur d'une première jeunesse, sera supléé par les sentimens, par l'art, par l'expérience. Mon chèr *Friponet,* il faut un cœur come le mién pour te bién aimer.

Elle se pancha vers son visage. Le Jeune-garson-marchand, qui se flatait encore de la toucher en faveur de son goût pour DÉLIÉE, répondit quoique nonchalament aux avances qu'on lui fesait : mais bientôt les caresses de la Dame, l'élégance de sa parure; les sens de *Friponet,* sa jeunesse, un tempérament dans sa force... *Ne parléz pas longtemps avec une Femme,* dit le Talmud; *car elle provoque la passion. Friponet,* pour n'avoir pas suivi ce précepte, alait doner dans le pot-au-noir, & mètre une nouvelle branche au bois ombrageus dont était majestuesement panachée la forte tête du pacifique Mr *Cocus-de-Galanvile.* (Je demande pardon de cete belle frase ; mais elle est ma première de ce matin, & je m'endormis hièr, en lisant un célèbre Académiste : or nous autres Beaunois nous somes très-sujets aux réminiscences). DÉLIÉE sauva l'honeur paternel, en lançant dans le boudoir une de ces coquilles nomées *pucelage,* qu'elle avait arachée le matin des breloques de la montre de Mr *Cocus :* A cete vue les Coupables se crurent découverts ; on n'aime pas être surpris dans ces momens-là ; tous-deux fuirent. Pour DÉLIÉE, elle riait de tout son cœur, se promètant bién d'enlever à sa Maman le complaisant *Friponet,* & d'empêcher qu'il ne diminuât son héritage.

XII.ME CHAPITRE.

Fiançailles.

DEPUIS que DÉLIÉE sait les petits projets de sa Maman, & qu'elle a résolu de les faire échouer, elle contraint son panchant pour *Cuculis,* & fait des agaceries à *Friponet :* le Francomtois s'éforce d'y répondre; mais ils ne peuvent se voir seul-à-seule un-moment; *Sofie-Triomfante Prématurée De-Galanvile* n'est pas moins avisée que sa Fille, & de-plus, elle a l'expérience. Cependant les préparatifs du mariage vont leur train : aussi n'est-ce pas l'intention de DÉLIÉE de le rompre; elle prétend bién devenir la femme PLACIDE-NICAISE; mais outre les conditions tacites, elle exige ouvertement de ne pas se nomer madame SOTENTOUT : elle a su que son Futur devait avoir dans les biéns qu'on lui donait, une belle maison, rue du *Cœur-volant;* elle propose, & obtiént, qu'elle s'apèlera madame DU-COEURVOLANT; libre à son Mari de porter le nom des SOTENTOUT, auquel il est ataché.

L'on est au jour des Fiançailles. Madame *Cocus,* à la veille du mariage, crut pouvoir se relâcher de son extrême vigilance; mais quand elle l'aurait continuée, sa chère Fille n'en serait pas moins venue-à-bout de son dessein.

Il faut savoir, que pour plus de comodité, Ma^me^ *Cocus* venait de prendre une chambre dans un quartier perdu, afin de s'y recueillir une partie des Fêtes & Dimanches avec son chèr *Friponet*. Celui-ci, tout honteus & tout comblé de cete faveur, ne pouvait plus ni s'en défendre, ni se plaindre du mariage. DÉLIÉE sut tout le petit manége de sa Maman, (& l'on sent quel éfet de pareils exemples doivent produire!) une Espione afidée lui rendit un compte satisfesant du local; l'on avait vu Ma^me^ *Cocus* enfiler une petite rue de la Cité, descendre devant une maison de chetive aparence; on l'avait suivie dans l'escalier; c'était au troisième; le Tapissier avait aporté de très-beaux meubles, & sur-tout des chaises-longues & des sofas comodes. DÉLIÉE songea d'abord à s'emparer de la cléf du galant taudis; elle la surprit adroitement, & s'en fit faire une double, par le moyén de sa Femme de-chambre. Enfin, le jour des Fiançailles, veille de son union avec SOTENTOUT, profitant de l'embaras & du trouble joyeus qui règnent dans la maison, DÉLIÉE fait dire à *Friponet*, come de la part de la Maman, de se trouver pour la première fois, rue *Cocatrice*, à trois heures. *Friponet* fut exact. A la même heure, en sortant de table, DÉLIÉE les larmes aux ieux fut demander à ses chèrs Parens leur bénédiction; ensuite elle les pria de lui permètre de s'aler recueillir quelques heures à l'Église, en atendant la Famille SOTENTOUT. Un fiacre amené par l'Espione (sa Femme-de-chambre) était prêt au coin de la rue *Beaurepaire*.

— Où alons-nous, la belle Enfant, dit cavalièrement le maroufle de Cocher?

— Rue *Cocatrice*.

— Mon carosse n'y tournera jamais.

— On vous donera pour boire.

Le Coquin fouète, en souriant : ses dificultés n'avaient pour motif que de contempler plus longtemps le joli minois, dont l'émotion paraissait anoncer un fauxbond à la sagesse. On arive à la porte : le Cocher done la main pour descendre, & porte la Belle jusqu'au milieu d'une alée très-obscure, où il eut l'audace de la vouloir embrasser. DÉLIÉE s'échape; mais le Maraud la ratrape dans l'escalier, & s'émancipe bién davantage. Crier dans une maison inconnue, c'était s'exposer à mille desagrémens. Elle se défend avec courage; le Scélérat enhardi par son silence, & se confirmant dans l'idée que c'est une démarche de contrebande, ne ménage rién. Un Cocher brutal & dégoûtant alait triomfer de la mignone DÉLIÉE, sur les marches dures & raboteuses d'un escalier ténébreus (29)! Par-bonheur, une porte s'ouvre; l'Assaillant éfrayé lâche sa Proie, regagne son carosse et décampe. Mais il n'ala pas loin : sûr que si la Jeune-personne est honête, elle aura fait du bruit, & qu'au-contraire, elle aura filé-doux si elle a quelque chose à mènager, il reviént à piéd sur ses pas, monte au premier, frape, & demande si l'on n'a pas vu une jeune Demoiselle, qu'il dépeint. On dit qu'elle viént de monter rapidement. C'est tout ce qu'il veut savoir : il l'atend. Laissons-le dans la rue, & revenons à DÉLIÉE.

Elle ouvre en palpitant la porte de la chambre. Quelle fut la surprise de *Friponet!* Il rougit, il pâlit.

— Éh! quoi! c'est vous, Mademoiselle!

— Moi-même, Monsieur : je suis instruite; mais vous n'avéz point de reproches à redouter : au-contraire, je viéns prendre des mesures avec vous. Maman vous aime; vous m'aiméz; je vous aime aussi : laquelle préféréz-vous?

— Pouvéz-vous le demander, cruelle!

— Si c'est moi, j'exige que vous rompiéz avec Madame *De-Galanvile* dès aujourd'hui.

— Oui-da! mais un autre n'en va pas moins...

— Mondieu, vous en revenéz toujours-là! Je vous aime; n'est-ce pas vous dire que je ne saurais vous épouser?

— Je vous reconais à ce langage?

— Quoi! vous voudriéz que j'exposasse un Home que je considère, aux trahisons, aux perfidies qui sont le lot de tous les Maris? y penséz-vous sérieusement, *Friponet,* lorsque vous vous plaignéz de mes procédés?

— Mademoiselle, les choses que vous me dites ne font rién à ma fortune : d'après ce que je sais, vous me permètréz de n'insister que là-dessus : Pour me dédomager, il me faudrait des gages...

— Mais, répond DÉLIÉE, en souriant, je viéns pour cela. Parléz.

Il ne parla pas, mais il agit; & l'on dit à Beaune, que les actions valent mieux que des paroles. Un reste de pudeur combatait dans le cœur de DÉLIÉE : la première fois qu'une Fille en viént-là, toujours elle fait assés bién les honeurs de son expirante virginité.

Mais le Comtois ne fut pas retardé par les petites grimaces; il saisit l'ocasion aux cheveux; & la jolie *De-Galanvile* laissa cueillir la plus belle des roses... (Je dois avertir mes Lecteurs que le Citoyén de Dôle ne la méritait pas : dès qu'il eut ravi le trésor dont il était si curieus, il se promit de tromper, & de faire sa fortune aux dépens de la Mère & de la Fille; un Bourguignon de Beaune, ou de toute autre Ville du Duché, serait incapable de cete conduite insidieuse; mais dans la Comté c'est autre chose; aussi le Comtois est parmi les autres Bourguignons, ce qu'est le Renard entre les animaux). Voila donc Mlle DÉLIÉE instruite de ce qu'en vaut l'aune : le jeu ne lui déplaît pas; elle prend des mesures... hélas! trop fatales! ... avec *Friponet,* pour continuer de se voir le plus souvent qu'il sera possible. Ensuite, l'on se sépara : *Friponet* reste, & DÉLIÉE part.

A-peine elle est dans la rue *des Marmouzets,* qu'elle rencontre un Fiacre; c'était le même qui l'avait amenée; mais aulieu de chapeau, le Coquin avait un bonet de poil; sa redingote *versatile* qu'il n'a fait que retourner, est jaunâtre, aulieu de vert-sale qu'elle était auparavant. DÉLIÉE qui ne l'avait guère envisagé, ne le reconut pas; elle se jète dans la voiture, dont la portière était ouverte :

— Rue *Tireboudin...* non, non, rue *Beaurepaire,* dit-elle précipitament.

Et l'on part. Mais le fin Matois n'a garde de prendre la route qu'on lui prescrit; il observe qu'on a levé les portières opaques; il dirige sa course vers le fauxbourg *Saintmarceau,* s'arête au fond d'un cul-de-sac très-solitaire, prend DÉLIÉE, que sa calèche abaissée empêche de rién apercevoir, & se précipite avec elle dans une espèce de sale basse, qui n'a de jour que par la porte, qu'il ferme aussitôt sur lui. La belle COCUS reconut trop tard dans quelles mains elle est tombée; elle trembla, non-seulement pour son honeur, qui viént d'être furieusement ébrêché, mais pour sa vie; & cete dernière crainte fut sans-comparaison la plus forte.

— Mon Ami, dit-elle au Cocher, je sens bién qu'il faut me rendre à vos desirs; j'y consentirai, pourvu que vous me remeniéz promptement; car l'on m'atend chés nous; vous me perdéz, si vous diféréz.

— Je m'en suis douté, répond le Maraud, en avançant toujours...

Un violent coup-de-piéd enfonce au même instant les ais mal joints de la porte à-demi-pourie, & *Friponet* furieus tombe come la foudre dans le galetas. A cete aparution terrible; à l'aspect étincelant d'une épée dégaînée, le Fiacre mourant de frayeur embrasse les genoux du Héros. *Friponet* lui demande, s'il a conduit en cet endroit la jeune Dame de son gré. Le Malheureus avoue que non, & découvre sa manœuvre. Pour-lors *Friponet* se calme; il ordone fièrement au Cocher de les remener. Le Presqu'heureus obéit, en enrageant. DÉLIÉE descendit vis-à-vis la rue *Beaurepaire;* pour *Friponet,* lorsqu'il la vit éloignée, il dit au Maroufle de quiter son siège, lui comanda froidement de tourner le dos, & de recevoir, sans jeter un cri, cinquante coups de cane, qu'il lui aplique, au grand étonement de toute l'assistance : quelques-uns des Spectateurs voulaient s'intéresser pour le Patient; mais on l'entendit avec admiration s'écrier,

— Éh! mes Amis, ne le dérangéz pas; c'est pour mon bién ce qu'il en fait.

Ce Coquin craignait l'alternative que *Friponet* lui avait proposée à l'oreille avant de fraper.

En rentrant, DÉLIÉE trouva les quatre Familles rassemblées, & sa Maman fort inquiète à son sujet. Son trouble, les restes de l'émotion que venaient de lui doner trois assauts, animaient son visage d'un vermillon éblouissant : elle enchanta tout le monde par son air de modestie; & si jamais sort parut digne d'être envié, ce fut en ce moment celui de PLACIDE-NICAISE SOTENTOUT. Aussi (qui l'aurait pu croire!) pour la première fois il fit des Vers harmonieus (30).

Quelle merveille se prépare! (*s'écrie-t-il*)
De l'éclat du plus riche azur
La voûte céleste se pare;
L'air que je respire est plus pur;
Les arbres, les fleurs, la verdure
Tout s'embellit dans la Nature :
Un sentiment délicieus
Enivre & pénètre mon âme;
Quelle volupté! quelle flâme!
Suis-je donc au séjour des Dieux!

— Oui, mon chèr Fils, s'écrie Ma[me] *Cocus,* & je m'en aperçois à tes Vers.

Elle l'embrasse avec transport (car cete Dame aimait la Poésie). SOTENTOUT rêvait : monté sur Pégase, il plâne sur la double-cime, & continue :

Une figure ravissante;
Un teint qu'anime la pudeur;
Une taille aisée & charmante;
Un air où régne la candeur;
Un esprit doué de justesse;
Un cœur plein de délicatesse
Forment un tout...

— C'est fort beau, mon Fils, intérompit Mr *Sotentout* père; je vois que tu as de la rime & de la raison; (& c'est ce qui a ruiné mon Père) : mais il ne s'agit pas ici de *poétiser,* il faut songer à nos épousailles : va faire l'amour à ta Maitresse, pendant que nous alons parler d'afaires.

Tout le monde, et sur-tout Ma[me] *Cocus,* fut indigné de cete interruption; on dit force injures au vieux *Sotentout;* & PLACIDE-NICAISE lui-même eut le regard fièr pour la première & l'unique fois de sa vie : mais l'entousiasme cesse; il descend du Pinde, & passe dans la chambre de DÉLIÉE, où le petit Amour prit la place d'Apollon. L'air agaçant & toutchifoné de la Belle excitait les desirs; NICAISE éprouva leur douce ivresse; il voulut hasarder quelques libertés : mais ce n'est pas ici le beau *Friponet,* qui séduit, s'insinue & gagne; ou le brutal Cocher qui ravit, enlève, arache les faveurs : DÉLIÉE se joue en se défendant, & ne soufre que ce qui lui remémorie les agréables momens qu'elle viént de passer. Enfin, on rapelle les deux Prétendus; ils signent leur Contrat, & l'on part pour aler fiancer. *Friponet* voulut être témoin de la cérémonie : on voyait sur son front un nuage que le plaisir n'avait pu dissiper, quoiqu'il jetât sur DÉLIÉE un regard de Propriétaire. Au retour, il y eut un souper de Famille, avant lequel *Friponet* dit à Ma[me] *Cocus* qu'il alait se jeter dans le premier pot-de-chambre, pour Versailles, afin de ne pas assister à des noces qui lui font trop mal au cœur, & de suspendre ses chagrins par la vue d'une Cour brillante. La bone Dame lui souhaita bon voyage, & garnit sa bourse, en lui recomandant d'être *bién sage*. Quant à la belle DÉLIÉE, elle paraît inquiète au milieu de la joie bruyante ; cela convient ; mais la convenance n'était pas son unique motif ; *Cuculis* est devant ses ieux ; il a l'air triste, quoiqu'il ignore ce que sa belle Maitresse a fait, & ce qu'elle médite ; elle se reproche ses torts, sans avoir la force de ne vouloir plus en avoir. Après le souper, l'on bavarda ; mais Ma[me] *Cocus* enmena DÉLIÉE, & la fit coucher de bone-heure, à-cause de la fatigue du lendemain.

Elle était au lit depuis une demi-heure ; & le someil, de ses doigts veloutés, començait à clore les ieux enchanteurs de la Belle, quand on entra sans bruit dans la chambre qui recèle tant d'apas : on est auprès du lit ; une main délicate a pris celle de DÉLIÉE : la Jeune-persone retire la siène avec quelque frayeur. Mais bientôt elle se rassure, & pense que c'est *Friponet*, qui pressé par sa tendresse, avance d'un jour le rendéz-vous convenu.

— Coment avéz-vous fait pour entrer, dit-elle tout bas ?

— Je me suis aperçu que Madame a laissé la cléf à votre porte, répond une voix très-douce.

DÉLIÉE surprise, touche le menton de celui qui lui parle, & reconaît *Cuculis*.

— Éh! que me veux-tu, mon charmant Ami, lui dit-elle en l'embrassant?... Mais, tu pleures!

— Oui, Mademoiselle, je pleure de ce que vous aléz être mariée demain avec ce vilain SOTENTOUT. J'avais tant de plaisir à vous voir, à jouer avec vous, que la maison me semblait un Paradis... Mais, à-présent... Coment votre Maman peut-elle consentir que vous aliéz demeurer avec les *Sotentout!*

— Console-toi, mon Amour, & viéns... Maman a ses raisons, ajouta-t-elle, qui sont bones.

— Pour elle; car je vois bién come elle fait à cet aigrefin de *Friponet :* elle l'aime.

— Et moi, je te chéris, envies-tu son sort?

— Oh! jamais.

Un baiser suivit; & l'Enfant qui voulait parler encore ne peut trouver l'expression. DÉLIÉE le presse contre son sein... c'est le cœur qui parle; les sens, aulieu de comander come tantôt, ne font ici qu'obéir... Vouléz-vous un tableau, cher Lecteur? Prenéz celui de *Psiché* caressant l'*Amour,* & trouvant dans ce petit Dieu, non plus un Enfant, mais un Galant acompli. Le jeune Amant de DÉLIÉE célébra son bonheur par une Pièce assés jolie, quoiqu'ingénieuse, dont je raporterai les principaux traits dans mon Chapitre des *Notes.*

XIII.ME CHAPITRE.

Mariage.

NOUS en somes au grand jour. La pendule marque six heures : il y en a deux que l'heureus *Cuculis* a fait retraite : un bienfesant & profond someil rafraîchissait les apas fatigués de M.lle DÉLIÉE, quand Maman *Cocus* vint ouvrir avec fracas les doubles rideaux de la jolie Dormeuse. La Dame, en éveillant sa Fille, aperçoit quelques traces légères des desordres de l'Amour.

— *Que veut dire...*

L'étonement lui coupe la parole. DÉLIÉE entr'ouvre la paupière, se recouvre, & dit encore assoupie :

— *Mon chèr Cuculis!*

Ce mot rassura la Maman, qui se rapela qu'elle avait laissé la cléf; elle imagina que l'Enfant était venu faire ses adieux, & qu'ils avaient été tendres : elle fut charmée que sa négligence n'eût pas eu d'autres suites. Mame *Cocus* acheva d'éveiller sa Fille, la fit mètre au bain, & profita de ce moment, pour lui doner les Avis que sa prudence lui suggéra.

— Ma chère Enfant, tu vas être mariée; & je te dois

des Instructions sur ta conduite à venir. Ce soir, tu quiteras l'état de Fille, pour passer à celui de Femme : dans ce dernier, l'on est sujète à mille choses, dont j'ai négligé de t'instruire, parcequ'elles n'étaient pas encore nécessaires. Les premières ne regardent que le corps : une Femme mariée doit être aussi scrupuleuse sur la propreté qu'un bon Musulman, qui ne manque jamais de s'*abluer* après la moindre action réputée impure : en-éfet, si le *scheissen,* le *bruntsen* & le *einhingehn* ne salissent pas l'âme, come le prétend l'Indién vénérateur du Gange, ils souillent certainement le corps. Une Fille doit être toute pudeur; une Femme mariée, toujours apétissante, toute atraits, toute charmes. Le *Talmud,* qui est le Livre des Mœurs chés les Juifs, dit que la Femme est pour l'Home, come le poisson que ce dernier achète, & qu'il peut la mètre à toutes sauces pour son plus grand plaisir. Cete façon de penser est digne d'un Peuple originaire d'Asie, d'Homes qui remercient Dieu chaque jour de les avoir fait naître mâles & non femelles : cependant elle nous enseigne une vérité; c'est que la Femme peut *se mètre elle-même à toutes sauces,* pour subjuguer son Mari : n'épargnéz rién pour vous rendre Maitresse : le seul moyén, c'est de plaire, c'est de charmer *tous* les Homes, & de les forcer de tomber à vos piéds : plus votre Mari vous verra de conquêtes; plus il craindra votre infidélité; plus il vous estimera : Or telle est la sotise des Homes, que la manière de vous mètre, l'élégance, le goût de votre parure, les charmeront plus que les qualités du cœur; mais ne négligéz pas les talens de l'esprit; les Homes les veulent en second.

Il nous faut de l'art, ma chère Fille, il nous en faut beaucoup; il doit assaisoner nos moindres actions; les diversifier, les proportioner aux Persones, aux circonstances : Par exemple, ce soir, ta raison, ta gaîté, feront place à l'enfantillage, à l'imbécillité; tu paraîtras craintive, alarmée; il faudra pleurer, se cacher; & lorsque tu seras seule avec ton Mari, défendre piéd-à-piéd tous tes apas. Nous avons, pour en user ainsi, plus d'une raison : D'abord, cela fait sortir davantage une pudeur que tout éfarouche, & l'inocence entière qui l'acompagne : ensuite, durant ces petites façons, le Mari qui nous caresse, nous suplie, s'enflâme davantage : ce n'est rién que cela; dans cete crise, il descend à mille soumissions; il nous fait mille promesses flateuses : nous prenons pour y répondre, un ton qu'il faut avoir soin de garder, afin qu'il conserve le sién assés longtemps pour s'y habituer. Les Homes des grandes Villes sont si lâches, pour la plupart, qu'ils aiment mieux nous céder l'empire, que de se doner la fermeté nécessaire pour le reprendre : observéz, ici, ma Fille, la sagesse de toutes les momeries que l'on fait faire aux Homes pour nous obtenir; elles furent autrefois imaginées par les Vieilles, que l'expérience avait instruites, & qui conaissaient l'influence que cela devait avoir sur tout le reste de la vie; aussi voit-on qu'où ces momeries n'existent pas, come chés les Sauvages, en Turquie, à la Chine, &c, les Femmes n'ont que très-peu de crédit; dans ce dernier Pays sur-tout, l'on défend tout comerce entre les Amans, avant que la Déesse *Quonin* (31) les ait unis, depeur que la gravité chinoise ne soit avilie par la déférence que l'Amour ne manque jamais d'inspirer aux Homes pour leurs Maitresses.

Par une suite de leurs vues sages, les Femmes des Pays *où l'on pense,* se sont emparées de toute la représentation; à l'exception du Roi, tous les maris *come-il-faut* de France & d'Angleterre sont chés leurs Femmes. Là-dessus, ma Fille, tu te conformeras aux Exemples que je t'ai donés; ta Bellemère t'apuiera, loin de te contredire, & soutiéndra la cause de notre sexe contre son propre Fils.

Mais tout cela ne sufit pas encore pour être heureuse en mènage; il faut avoir de la prudence, de la décence dans sa conduite. On sait bién qu'une Femme aimable ne peut pas toujours adorer un benêt de Mari; qu'elle n'est pas de marbre, & que les jolis Homes qui lui en content, qui la desennuient, méritent quelque reconaissance : mais il est mille écueils à éviter; une femme qui s'afiche & se done une mauvaise réputation, est coupable envers son sexe; elle mérite d'être avilie par les Homes, abandonée des Femmes, & traitée come le furent les belles Égiptiènes par le Roi *Féron,* d'après un Oracle de *Butis.*

— J'ignore ce trait, Maman?

— Je vais vous l'aprendre. Ce Roi politique & barbare, voyant l'impudence de ses Sujètes, feignit d'être privé de la vue; il publia que l'Oracle avait déclaré qu'il serait guéri par l'urine d'une Femme qui n'aurait favorisé que son Mari, & qui l'aporterait elle-même. Dans les trois Égiptes, la Haute, la Moyène & la Basse, il ne se trouva que la Femme d'un Jardinier qui ôsât se présenter, sa liqueur à la main. Le Roi l'épousa, dit l'historien *Hérodote;* ensuite, ayant par finesse, tiré le secret des Femmes de ses Courtisans, il ordona qu'on les enfermât toutes dans une seule Ville, & les y fit brûler. Nous n'avons plus de Roi *Féron,* mais il est d'autres inconvéniens à redouter : Pour les éviter, fuyéz, éconduiséz, les Avantageus, les Babillards, les Sournois, les Petis-maîtres, & sur-tout l'espèce des Persifleurs : comandéz toujours en souveraine aux Amans come au Mari ; l'estime, la déférence que ces Messieurs ont pour nous, se mesurent, non sur ce que nous méritons, mais sur ce qu'ils savent que nous exigerons d'eux. Ne donéz jamais aucun Gage reconaissable; point de Portraits, & sur-tout point de Lètres : n'ayéz pas de Confidens, ni même de Comissionaires. N'adoptéz persone ; qu'on ne voie pas toujours à vos côtés un éternel Sigisbée, qui semble se faire un droit de son importunité.

Voila, ma chère Enfant, les Avis que te done une Mère éclairée; regarde-les come ta première dot. Sois donc heureuse & sage; ces deux choses ne peuvent se séparer; mais songe bién que pour être heureuse, il en faut trois autres, *Autorité, Réputation, Plaisirs :* sans *autorité,* l'on ne peut rién ; sans *réputation,* on ne jouit de rién ; sans les *plaisirs,* qu'est-ce que la vie !

Ma[me] *Cocus* embrassa DÉLIÉE en achevant ces mots, la fit sortir du bain, & sona.

Bidète, la Femme-de-chambre de Mademoiselle, parut aussi-tôt, munie de tout ce qu'il falait pour la coîfer. Cete Fille se préparait depuis un mois, aux dépens des têtes de deux ou trois petites Filles, qu'elle avait martirisées en s'essayant sur leurs chevelures de toutes les manières : DÉLIÉE a choisi celle qui lui conviént ; & *Bidète* qui bute à se surpasser, fit un chéf-d'œuvre d'adresse & de grâce. A-peine il fut achevé, que les Parens arivèrent : on acâbla la Belle de complimens, de fadeurs & d'expressions *fourchues*. Le Prétendu, noyé d'essences, tout luisant de pomades de senteurs (à-cause de son fumet naturel) coîfé du *dernier goût*, ayant une idée de rouge, en beaux gants blancs, &c, &c, parut biéntôt, conduit par sa chère Mère : il n'ôsait presque se remuer, crainte de déranger sa frisure, & ne pouvait embrasser, à-cause de sa pomade & du rouge : il se tint droit *come un piquet*, & ne se permit de rire qu'en serrant les lèvres. A onze heures, l'on se rendit à l'Église. Le mariage se fit à l'ordinaire ; si ce n'est que DÉLIÉE, dispensée par sa Maman des formalités bourgeoises, articula le *oui* tout-d'un-coup ; & que PLACIDE-NICAISE au-contraire, avait dit, *come il plaira à ma chère Mère*, ce qui fit rire toute l'Assemblée, & rougir prodigieusement Ma^me^ *Agnès-Pudentine Sotiveau*. Après la cérémonie, PLACIDE & DÉLIÉE revinrent dans la même voiture, avec Ma^me^ *Cocus* & Ma^me^ *Sotentout* ; ensuite on dîna ; l'on bavarda, l'on joua, l'on dansa même, quoique cete mode començât à passer parmi les Marchands de Drap, qui sont les Ducs-&-Pairs de la *Gent-mercatile*.

La Mariée venait d'ouvrir le Bal par un menuet avec son Beaupère Mr *Sotentout* : mais à-peine ils eurent fait deux tours, que vingt ou trente voix discordantes glapirent de la Pièce voisine, un très-disgracieus prélude. Tout le monde s'écria : *C'est l'Épitalame*. La Mariée continua son menuet, & le finit. Aussitôt la musique instrumentale et vocale part, & l'on distribue toutes mouillées aux Convives des feuilles, où sont imprimées ces Paroles :

ÉPITALAME

des heureus Épous M. PLACIDE-NICAISE SOTENTOUT, *& mademoiselle* VICTOIRE-DÉLIÉE COCUS-*DE-GALANVILE :* Composé par le sieur Boutrimé, Poète banal pour ces sortes d'Ouvrages, rue *Bétisi.* (Le Savetier du coin indiquera la demeure.)

CHŒUR.

CHANTONS l'Himèn, chantons l'Amour;
Chantons, célébrons ce beau jour.

Un PARANIMFE.

SOTENTOUT épouse DÉLIÉE;
C'est un bon tour, c'est un bon tour!
La Belle est enfin atrapée
Ét par l'Himèn & par l'Amour.

CHŒUR.

C'est un bon tour, c'est un bon tour!

Silence, & changement de Sinfonie. Le Chœur *chante :*
Vivéz, vivéz, heureus Épous.

Un PARANIMFE.

Jouisséz des douceurs du nœud qui vous rassemble,
Quand l'Himèn & l'Amour sont bién d'acord ensemble,
Que les nœuds qu'ils forment sont doux!

CHŒUR.

Vivéz, vivéz, heureus Épous.

Alceste, 1 Acte, 6 Scène.

Un HOME.

La beauté la plus sévère
Prend pitié d'un long tourment,
Et l'Amant qui persévère
Deviént un heureus Amant;
Tout est doux, & rién ne coûte
Pour un cœur qu'on veut toucher :
L'Onde se fait une route
En s'éforçant d'en chercher;
L'eau qui tombe goute à goute
Perce le plus dur rocher.

Atis, 4 Acte, 5 Scène

Une FEMME.

D'une constance extrême,
Un ruisseau suit son cours;
Il en sera de même
Du chois de mes Amours,
Et du moment que j'aime,
C'est pour aimer toujours.

Un HOME.

Jamais un cœur volage
Ne trouve un heureus sort;
Il n'a point l'avantage
D'être longtemps au port
Il chèrche encor l'orage,
Au moment qu'il en sort.

Même Pièce, Acte & Scène.

LE CORIFEE.

Come *Vénus* l'Épouse est belle;
Beau come Amour sera l'Enfant

Qui va devoir le jour à leur embrassement :
Hâtéz, jeunes Épous, cete fête nouvelle;
Qu'on juge votre ardeur fidelle
Sur votre tendre empressement.

Jeune Mari, l'Épouse est belle,
Plus beau qu'Amour faites l'Enfant. »

Air, 1 couplet de la 4 Scène, du 2 Acte d'Armide.

CHŒUR.

Chantons l'Himèn, chantons l'Amour,
Chantons, célébrons ce beau jour.

L'Imprimé contenait encore d'autres couplets, mais on en réserva l'exécution pour le souper. Après le Concert, on reprit les menuets : en quitant son Beaupère, la Mariée prit son Mari : PLACIDE- NICAISE SOTENTOUT prit sa Bellemère : Ma^me^ *Cocus* prit l'Oncle maternel de son Gendre, Mr *Bavetin-de-la-Fourgonaie,* Mari de Ma^me^ *Inocentine Sotiveau,* Sœur d'*Agnès-Pudentine :* M.^r^ *De-la-Fourgonaie* prit Ma^me^ *Mouchète-de-Relevée,* Grand'tante de DÉLIÉE : Ma^me^ *Mouchète* prit Mr *Cocus :* Mr *Cocus* prit Ma^me^ *Agnès-Pudentine,* Mère du Marié : Ma^me^ *Agnès-Pudentine* prit Mr *Cornu,* Grand-oncle de la Mariée : Mr *Cornu* prit Ma^me^ *Inocentine Sotiveau :* Ma^me^ *Inocentine* prit Mr *Fortbois,* Cousin-germain du Marié : Mr *Fortbois* prit Ma^me^ *D'Exigeanvile,* Cousine de la Mariée : Ma^me^ *D'Exigeanvile* prit Mr *Cochonet-de-Veautras,* Cousin-issu-de-germain du Marié : Mr *Cochonet* prit Ma^me^ *Percée-de-l'Atrapète,* Cousine-issue-de-germaine de la Mariée : Ma^me^ *Percée* prit Mr *Asinat-Dupentout,* Petit-cousin du Marié : Mr *Asinat-Dupentout* prit Ma^me^ *Sucegalant-*

du-Trébuchet, Petite-cousine de la Mariée : Ma[me] *Sucegalant-du-Trébuchet* prit Mr *Miché-de-la-Dévalisière,* Petit-petit-cousin du Marié : Mr *Miché-dela-Dévalisière* prit Ma[me] *Aisée-Facile De-la-Riposte,* Aliée des deux Familles : Ensuite la Jeunesse comença les contredanses ; & s'en dona *dieu-sait-come!* tandis que la Vieillesse & la Maturité furent *sagement* se mètre au jeu.

Lorsqu'il fut tard, la Jeunesse eut faim, & fit apercevoir les Joueurs, qui n'y songeaient guères, qu'ils avaient faim aussi. Les tables se dressèrent, le souper fut servi. L'on comptait soixante-dix-huit jeunes Convives, tant Filles que Garsons, qui, les unes portant les autres, mangèrent come quatre : Or en multipliant 78 par 4, on a 312 : remarque ingénieuse que fit tout-haut PLACIDE-NICAISE SOTENTOUT. On sourit à cete saillie : aussitôt le Calculateur, qui comence à se conaître en Aritmétique, & même en Algèbre, écrivit sa découverte de la manière suivante, $78 \times 4 = 312$; ce que toute la Compagnie trouva merveilleus, même avant qu'on l'eût expliqué.

L'on admirait le génie du Jeune-marié SOTENTOUT ; & sa chère Mère en donait toute la gloire à l'Amour, quand un grand Home maigre & cerclé dans toute sa longueur, acompagné d'un petit Sapajou non moins sec, & noir come un Hottentot, aparurent à l'entrée de la sale, pour demander un moment d'atention. Les Jeunes-filles, en voyant les deux Spectres, poussèrent un cri de frayeur enfantine, suivi d'éclats-de-rire moqueurs. Mais à la requête de Ma[me] *Cocus-de-Galanvile,* l'on fit silence. Aussitôt un Orquestre caché done le premier coup-d'archet, & le salon mugit en répercutant mille sons aigüs ou ronflans. C'était la queûe de l'Épitalame, promise pour le soir. Les Auteurs (car l'usage est aujourd'hui de les demander pour les moindres Sornètes) les Auteurs étaient *Boutrimé* le Poète, de la rue *Bétisi*, déja nomé, pour les paroles; & Mr *Bruyantisonofredondin*, pour la Musique. (L'on s'est aperçu, par les citations, que le Poète avait pillé des couplets entiers de *Quinaut;* & que le Musicien s'était encore moins gêné avec Lulli.)

CHŒUR.

Chantons l'éclatante victoire
De SOTENTOUT sur ses Rivaux;
Biéntôt de plus nobles travaux
Au somet porteront sa gloire.

Un PARANIMFE.

Quel bonheur règne dans mon âme!
Amour as-tu jamais
Lancé de si beaux traits?
Des mains de la Beauté tu courones ma flâme;
Amour, as-tu jamais
Lancé de si beaux traits?

(Chœur) Chantons l'éclatante victoire &c.

Air, dans la 5 Scène du 1 Acte de Castor-&-Pollux.

LE CORIFEE.

O Dieux, qui des Épous serréz le doux lïén,
Junon, Tellus, Himèn, Venus, Préma, Thalasse,
Subigus, Partunda, Dom'duca, Jugatin,
Déesse *Virginénse*, & toi, le *Dieu-mutin*,

Venéz, que par vos soins le Mari se surpasse,
Sinon j'apèlerai la Chinoise *Quonin.*

DUO.

L'heureus suport! (32)
La bone afaire!
Ah qu'on va faire
Bién d'honêtes-gens à Paris
Par les riches habits!
Qu Qu'après cela
Quelqu'un nous dise :
Marchand-de-drap
Se mécanise
En frayant avec un Tailleur;
Il n'est rién de meilleur.

SOLO.

Oui, l'état qui nous fait tenir parmi les Homes
Le rang de Silfes ou de Gnomes,
Est de tous le plus glorïeus :
Oh! qu'il ferait beau voir en Vendeuses-de-pomes
Tant de Beautés à l'air précïeus!
L'habit nous fait ce que nous somes.

Airs, 4 Scène du 3 Acte de Faéton.

Ces trois derniers Couplets n'eurent pas l'aprobation générale; ils révoltèrent tous les Marchands-de-drap, qui formaient le gros de l'Assemblée; Ma^me^ *Sotentout* elle-même les desaprouva : mais enfin, il falut bién les digérer, & se taire, car Mr *Sotentout* ne cessait de répéter, que le *Taneur* n'était pas plus noble que le *Cordonier;* & l'on sent combién de pareilles comparaisons devaient blesser les illustres Membres & Membresses (come on dit à Beaune) du premier des *Six-corps*. Quand on fut un peu calmé, PLACIDE-NICAISE pria *Bruyantisono* de faire exécuter l'Ode qu'il avait faite pour DÉLIÉE (*raportée page 112*) sur l'air du *Malheureus Lisandre*. Le Musicién représenta l'ignobilité d'un pareil chant : PLACIDE insista : Pour-lors *Bruyantisonofredondin* dépité, fit chanter un couplet par la plus mauvaise voix, & jouer l'autre par le *Marsias* de sa troupe, alternativement come les Chantres du *Pont-neuf* : Tout le monde riait beaucoup, & PLACIDE-NICAISE trouvait l'exécution admirable, quand on entendit chanter dans la cour ce petit couplet :

Un tel Himèn est le champ de Citère,
Le Propriétaire
Pense moissoner,
Et ne fait que glaner.

Ce qui fut regardé come une mauvaise plaisanterie de quelqu'Amant rebuté. Durant ce charivari, Ma^me^ *Cocus-de-Galanvile* fit disparaître la Mariée. Un instant après Ma^me^ *Agnès-Pudentine* tira le Marié par la manche, pour l'en faire apercevoir. Mais à-peine avait-il eu le temps de manger, tant il avait doné d'atention à ses *Célébreurs;* il la pria de le laisser encore un moment. Enfin, il part, après avoir très-poliment souhaité le bon-soir & bone-nuit à toute la Compagnie; incongruité qui lui valut un souflet de la part de sa chère Mère. Dès qu'il parut à la porte de la chambre nuptiale, DÉLIÉE fit un cri, se jeta dans les bras de sa Maman, qu'elle embrassait, en la priant de la défendre, ou de l'enmener avec elle. PLACIDE-NICAISE, que sa chère Mère avait mis au-fait de tout cela, (sauf l'article du bonsoir, auquel malheureusement elle n'avait pas songé) se mit à rire au néz de sa Nouvelle-épouse, en lui disant :

— Pour le coup, je vous tiéns, petite Revêche, & vous ne sauriéz plus vous en dédire.

En-même-temps il s'empare des deux mains de la Façonnière, tandis que la Femme-de-chambre ôte la jolie chaussure; Ma^me^ *Cocus* le colier; Ma^me^ *Sotentout* la robe; Ma^me^ *Inocentine* la jupe; &c. La Belle se trouvant presqu'*in naturalibus,* c'est à dire, en chemise, sa Maman l'embrasse, toutes les autres se retirent, & Ma^me^ *Cocus* la porte dans la couche nuptiale, en la priant de s'aider un-peu; ce que la Belle ne manqua pas de faire. Dès qu'elle fut entre deux draps, la Maman s'échape & l'enferme à double-tour. Ce fut alors qu'on entendit un beau train! la moitié de l'Assemblée vint à la porte; mais le bruit se soutint si longtemps, qu'on fut obligé de se retirer sans en atendre la fin : Ma^me^ *Cocus* triomfait. Elle court à sa chambre-aux-écoutes; elle aperçoit DÉLIÉE qui continue de se défendre come une petite tigresse; le pauvre Mari suait à grosses-goutes, sans pouvoir soumètre sa Conquête. Enfin, épuisé de fatigues, & non de plaisirs, il fut obligé de se jeter sur celui des deux lits jumeaux que DÉLIÉE n'ocupait pas. Dès qu'il fut assoupi, la Nouvelle-Épouse mit piéd-à-terre, découvrit la cuvète du bain, cachée dans le fond de l'alcove & soufla les lumières. Ma^me^ *Cocus* ne sut ce que cela voulait dire.

— *Aurait-elle dessein de s'enfermer dans cete cu-*

vète?... Éh! que je suis simple! ne sais-je pas bién... Mais,... si c'était... Le tour serait unique... je ne m'en serais pas avisée!

La Dame, en proie à mille soupçons, fait apeler *Cuculis*. L'Enfant, lui dit-on, est dans un profond someil. Elle pense à *Friponet*. Il est à Versailles. Elle reviént dans sa chambre, & prête l'oreille au défaut des ieux. Des soupirs étoufés!

— *Serait-ce le Mari?*

Elle le pense; croyons-le aussi, & come les Corses, à l'égard des Moines qui s'enferment avec leurs Femmes, suposons toujours le bién: Disons que DÉLIÉE, de complexion très-amoureuse, mais dificile, pouvait ne vouloir céder que durant une obscurité parfaite, qui lui dérobât la rebutante figure de SOTENTOUT.

FIN de la Première Partie.

*NOTES**

(1) *Voyéz* les NOTES qui terminent la *Seconde Partie*.

(2) *Pectus Abderitanum*, cœur Abdéritain, signifiait *un lâche, une brute*.

(3) Sans remonter si haut, actuèlement les Femmes Hottentotes ont le droit exclusif de nomer leurs Enfans, du nom de l'animal qu'elles préfèrent. Là, DÉLIÉE se fût nomée RENARDINE, ou pis.

(4) Tout Beaunois que je suis, je n'entens pas tourner en ridicule la conaissance des langues; c'est peut-être ce que nos Dames peuvent aprendre de mieux, après le mènage.

(5) Le mot *Foi* n'a pas de pluriel en France, si ce n'est à Beaune,

* Ces notes — *titre rajouté* — se trouvent, dans l'édition originale, au bas des pages concernées. (*Note de l'Éditeur*).

depuis qu'un de ses Habitans Maître-de-pension, en voyant sur une Enseigne, *A-la-Bone-foi*, paya pour bon tout ce que le Marchand voulut. S'étant aperçu qu'il était dupe, il retourna chés le Vendeur pour se plaindre; celui-ci lui répondit qu'il avait deux *bones-foi-s*, celle de son Enseigne, & celle de sa Boutique. En-conséquence, le Grammatiste dona, dans sa première leçon, un *pluriel-pratique* à ce mot. Il y a sur l'Enseigne *A-la-Bone-foi*, une autre Beaunoise, mais très-plate; un de mes Compatriotes, crut, dit-on, qu'on vendait du *foie* dans cette boutique, & fut en demander, &c. On lui vendit un *fouèt* deux *fois* plus qu'il ne valait.

(6) La Sœur aînée avait épousé M. *Bavetin*, marchand de Drap, & se nomait *Inocentine*.

(7) Ces noms multipliés ne doivent pas paraître ridicules; l'usage d'en doner beaucoup est comun en *Espagne*, & sur-tout à *Siam*, où un Prince se nomait *Pra-Pro-Noomé-Thélé-Seri*; & une Ville, *Tsao-Nocora-louang*.

(8) Anglais, d'une éfrayante grosseur, mort à 29 ans, dont on voit l'estampe sur les Quais.

(9) Toutes les corrections où l'on bat, sont un éfet de l'indolence des Maîtres, qui s'exemptent par ce moyén facile, de soins plus humains, conformes à la raison.

(10) Horrible calomnie que cete Inscription imaginaire, produite par des mots intermédiaires malheureusement effacés : on peut envoyer des Experts sur les lieux.

(11) On nome ainsi dans les Indes, à la Chine, &c, les Femmes non-légitimes.

(12) La Femme y est maitresse absolue dans la maison, & le Mari ne peut disposer de rien; s'il est mécontent de son Épouse, il n'ôse le témoigner, parce qu'alors la Femme a droit de tout emporter, & de se marier à un autre : les Enfans suivent la Mère, & regardent son nouveau Mari come leur Père propre. Par cet usage, un Home se trouve tout-à-coup sans Femme, sans Enfans, sans ménage. Bien-plus, si l'Épous a trahi la foi conjugale, la Femme à la tête d'une troupe fémèle, l'assiège, le maltraite, ravage ses terres, &c. L'on assure que les mœurs de ces Insulaires éloignent les Jeunes-gens du mariage, & favorisent la dépravation du goût.

(13) Ce trait, qu'il est un-peu Beaunois de raporter, est

réellement d'un Maître-Imprimeur de Paris, nommé *Claude*... (Je tais l'autre nom, à cause de sa Postérité).

(14) J'avertis que les Mères Parisiènes ne tiènent pas formellement ce langage : elles ne parlent ainsi que par leurs exemples. (*Note Beaunoise*, puisque les exemples sont plus éficaces que les paroles.)

(15) Madame *Cocus*, Femme d'esprit, pense conséquamment; mais pour l'ordinaire, les Femmes de Paris, avec les mêmes vues, agissent d'une manière toute oposée.

(16) Les Homes ne disent pas non-plus cela tout crûment; mais ils se conduisent come si cela devait être.

(17) On prétend que l'origine de cet usage est Beaunoise, & qu'autrefois à Beaune, lorsque quelqu'un avait fait une *feuillète*, ou une *queue*, (ce qui est le *nec plus ultra* du génie dans cete Ville) il alait les montrer aux Charetiers qui les voiturent dans toute la Province, & leur fesait présent de l'échantillon, en les engageant à vanter son ouvrage dans la Haute & dans la Basse-Bourgogne, afin, &c. Mais il arivait souvent que le Charetier fesait tout le contraire, & se gaussait du Sot, en gardant son présent. Pour revenir à la Littérature, on pourait dire que les Anonces se font très-malhonêtement : Peut-on déchirer un Auteur, qui porte bonement son Livre, dans la vue d'en favoriser le débit? Non sansdoute; aussi le Journaliste feint-il que l'Ouvrage lui viént d'ailleurs, & qu'il en parle fortuitement. *Mais j'écris pour le Public*, dit l'Aristarque, *& je le préserve d'un mauvais achat*. Excélente réponse, si vous étiéz infaillibles, ou seulement impartials; mais vous n'êtes ni l'un, ni l'autre.

(18) *Nota*, qu'à Paris, l'autorité d'un Filosofe Anglais, est aussi respectée que celle du Pape dans les Pays *Ultramontains*. A Beaune, on n'a pas encore entendu parler de Filosofie Anglaise, mais ç'a viéndra.

(19) Quelle diférence entre la modestie, la décence d'une Parisiène, & l'impudence d'une Madagascariène! celle-ci ne se déterminerait jamais à épouser un Mari qui se présente, si elle n'avait éprouvé ses forces un certain nombre de fois, afin, par ces épreuves réitérées, de savoir come elle sera traitée dans la suite : elle éprouve ainsi, jusqu'à ce qu'elle trouve ce qui lui conviént : l'on dit qu'elle ne trouve qu'après bién des essais.

(20) Je ne prétens pas ridiculiser la poudre rousse & nos toupets :

les Négresses du Royaume de Benin, qui certainement ont du goût, ajustent leurs cheveux en crête-de-coq, sur le somet de la tête, & les enduisent d'huile de palmier qui le rend jaunes; or une coutume qui règne sous deux zones, la *tempérée* & la *torride,* doit être bone. A Beaune, on ne conclut pas autrement.

(21) Elle n'est pas du sieur *André,* mais d'un Esprité qui s'est caché sous le masque poudreus de ce *Technicome.*

(22) Chés *Couturier* Fils, Quai des Augustins.

(23) *Fricat,* du verbe *Fricare,* signifie *grater en chatouillant* ou *pour faire rire, Asinus* veut dire une *Bête asine,* un *Ane.* C'est aujourd'hui le nom générique pour designer bién du monde.

(24) Signe hiéroglifique ou jéroglifique en lètres.

(25) On ne sait trop pourquoi, stile lapidaire? c'est probablement parceque sans être assujétie ni à la mesure, ni à la rime, chaque ligne fait un sens.

(26) (*Note de* SOTENTOUT.) On peut, dans une Société, s'amuser avec cete invention; on dirait ainsi des choses très-singulières les uns sur les autres, sans qu'on pût se fâcher; car il est un milion de manières de bién faire ce Logogrife, qui sont à la portée de tout le monde, tel sot qu'on soit : par-exemple, en ne le composant que de noms d'animaux, qui exprimeront les défauts ou les qualités du *Logogrifé*; ou de substantifs avec le même objet; ou d'adjectifs qui auront un sens critique ou plaisant : ce qui sera fort utile, soit à Beaune, soit ailleurs, durant les longues soirées d'hiver.

(27) L'oiseau-mouche.

(28) Madame *Cocus,* prétendait un jour que la France devait être renomée chés les Étrangers pour ses Femmes, come l'Arabie l'est pour ses Jumens, les États Barbaresques par leurs Brebis, & le Poitou par ses Vaches.

(29) Plus d'une fois ce malheur est arivé : *Voyéz* à la fin de cete *Partie* le petit Conte de la *Bégueule.*

(30) On s'est aperçu depuis que c'était un Plagiat. NICAISE est sot jusques dans les bones choses qu'il dit.

(31) Déesse du Mariage, à la Chine : elle est représentée tenant une Femme liée & voîlée d'une main, de l'autre un Home en pleine liberté. Il y a des Peuples dans l'Amérique-Septentrionale qui noment leurs Femmes *Quoniam*; peut-être sont-ils d'origine chinoise; que sait-on? l'on se ressemble d'aussi loin. Un savant a bién avancé que les Chinois étaient une colonie Égiptiène.

(32) Les trois Couplets suivans furent ajoutés par ordre de *Sotentout* père, à l'insu de M'ame *Cocus*, pour la daûber sur quelques propos indiscrets.

XIV.ᴹᴱ CHAPITRE.

Notes.

Il est des choses que j'ai omises dans le cours de cete *Première Partie,* soit parce qu'elles sortaient de mon sujet; soit parce qu'elles eussent détourné l'atention de dessus mes Héros; soit enfin, parce que de nature à former des *Notes,* elles auraient étoufé le texte & rendu mon Ouvrage semblable à l'Édition de la *Henriade* qu'imprime M.ʳ *De la Beaumelle.* Or je ne veux passer ni pour Savantas, ni pour Esprité. En-conséquence, je forme un Chapitre exprès de *rapsodies,* où l'on trouvera des morceaux disparates, & les Vers que je n'ai pas raportés en leur lieu. Mes Lecteurs sont bién avertis de lire ce Chapitre come un horsd'œuvre, & de jeter un coup-d'œil sur la fin du précédent, lorsqu'ils voudront passer à la *Seconde Partie.* Je me suis laissé dire, que le même Avis ne serait pas déplacé dans beaucoup d'Ouvrages modernes, que l'on estime, & le *Rodilardus* de la Littérature a bién ôsé prouver, dans le temps, que la Tragédie de l'*Orfelin-de-la-Chine* était pleine d'horsd'œuvres, dans le goût de ceux qu'on va lire.

I. UNE chose importante, & qu'il ne faut pas oublier sans-doute dans le *Mènage Parisién*, c'est de laisser à la Postérité des Sots, un esquisse des mœurs du Peuple, c'est-à-dire, de tout ce qui est au-dessous de la Bourgeoisie & des Marchands-de-drap. Ces mœurs, sans diférer essencièlement de celles que j'ai peintes, tranchent souvent dans la forme : or il pourait ariver que nos arière-Petits-neveux fussent trompés, & se moquassent de leurs Ancêtres plus qu'il ne conviéndrait.

La manière de faire l'amour de la Populace, c'est-à-dire, des Gueus, des Manœuvres, des Artisans de la Capitale, va de nuances en nuances jusqu'à la Bourgeoisie. Les premiers batent leurs Maitresses, qui le leur rendent bién : les Artisans les font riboter : les petits Marchands, les Tailleurs, les Pèruquiers comencent à singer la considération pour le Sexe : ceux d'audessus & les petits Bourgeois l'ont réellement : les gros Marchands tiènent de ces derniers, & comencent à prendre le mépris à-la-mode pour les Femmes (mépris que leurs mœurs, dit-on, méritent assés) mais ils ne le témoignent qu'à des Malheureuses, aux Femmes des basses-conditions, ou à leurs Égales qu'ils ont subjuguées; avec les autres, & les Femmes audessus d'eux, ils sont rampans, come il conviént. Le Fils du Marchand-de-drap, l'aprentif Notaire, Procureur, Avocat, Médecin, &c, ne gardent ordinairement cete façon de penser que jusqu'au mariage, après lequel chacun deviént bonhome.

Chés tout Marchand, la Femme conserve beaucoup d'importance; l'on en sent la raison : mais il est dans cet état des Corps où elle est tout, puisqu'elle a le titre, come les *Lingères,* les *Couturières;* d'autres où sans être titrée, elle peut tout, come chés les *Merciers-marchands-de-modes,* & les *Limonadiers;* la figure est sur-tout essencielle dans ce dernier état, & l'on peut répondre à l'Home de ce Corps qui prend une Femme jolie, spirituelle & peu sévère, qu'il réussira; le Mari n'étant absolument rién que le premier Garson. Si du Marchand, nous redescendons aux Métiers, c'est autre chose; la Femme n'est ici que par l'apui que lui prêtent les mœurs publiques, par son courage, & par sa force corporelle. La plupart des Artisans sont Provinciaux (par la raison que les Enfans de cete classe nés à Paris, tâchent ordinairement de monter plus haut que leurs Pères, ou tout au moins de prendre des états plus doux) : en-conséquence, ces Homes, quoiqu'adoucis par leur séjour à la Capitale, ne laissent pas de conserver quelque chose de leur rudesse provinciale, & de vouloir ordoner, suivant le préjugé de leur grossière éducation : alors on voit un conflit du Fisic contre le Moral; le Mari fait parler ses droits naturels; la Femme cite ses Comères & ses Voisines, qui disposent, taillent, tranchent; elle envie leur bonheur, pleure, crie, se desespère ou fait rage, suivant les circonstances, sa force & la trempe de son esprit. Après l'Artisan aisé, viènent les Manœuvres, les Journaliers, les Crocheteurs, &c, ou les Gens-de-métier qui sont dans la misère : le mènage de ceux-ci n'a pas plus de consistance qu'une Mèr orageuse; tantôt (quand la disète se fait sentir) ils s'injurient & se gourment; tantôt (lorsque la monaie viént les ranimer) ils se régalent à leur manière, & *ribotent* ensemble. Un Esprité les peint ainsi :

« Le Peuple, dit-il, est une portion d'Homes qu'une égalité de bassesse dans la condition réunit : ils se querellent, ils se batent, se tendent la main, se rendent service, & se desservent tout-à-la-fois. Un moment voit renaître & mourir leur amitié. Ils se racomodent & se brouillent sans s'entendre... Les Gens-mariés d'entre le Peuple se parlent toujours come s'ils alaient se batre. Cela les acoutume à une rudesse de manières qui ne fait pas grand éfet quand elle est sérieuse, & qu'il y entre de la colère. Une Femme ne s'alarme pas de s'entendre dire un bon gros mot; elle y est faite en temps de paix come en temps de guerre. Le Mari de son côté n'est point surpris d'une replique brutale; ses oreilles n'y trouvent rién d'étrange. Le coup-de-poing avertit seulement que la crainte est sérieuse, & leur façon de parler en est toujours si voisine, que ce coup-de-poing ne fait pas un grand dérangement » ... Voila come s'exprimait M.r *de Marivaux,* dans son *Spectateur;* ajoutons que ces mœurs grossières étaient autrefois celles des Nobles : Pierre-de-Paci, dans le XIIIe siècle, croyant sa Femme infidelle, la batit au point de la blesser, & qu'elle mit au monde avant terme un Enfant mort. Mais c'en est assés là-dessus.

II. LES *Abdéritains* avaient l'esprit si faible, qu'ils le perdirent pour avoir vu représenter l'*Andromède* du tragique Euripide. Quelle force n'avons-nous pas nous autres, qui rions aux peintures terribles des

Corneilles, des Crébillons, des Voltaires; à la *Fèdre,* à l'*Ifigénie,* à l'*Atalie* de Racine!

1.

III. Si quelqu'un trouvait ridicule que je comence mon Ouvrage par nomer ma Patrie, &c : outre les réponses toutes naturelles que je pourais faire, que nous autres Sots, nous avons notre manière; qu'il est bon que nos Confrères les Sots conaissent la Patrie de l'Auteur de cet Ouvrage inmortel, & beaucoup d'autres, je dirai que je ne suis pas le premier :

Certain Sage, ou soi-disant tel,
Au fond du faubourg Saintmarcel
Sur les confins de la Barière,
En fort bon air sous un beau ciel,
Près d'un jardin salutaire
Logeant paisiblement en son petit châtel,

un jour en fit autant dans un Éloge-funèbre, & fut berné par un Esprité; ce qui prouve qu'il avait raison pour nous autres.

IV. L'on pourait me reprocher d'avoir ataqué les Habitans de toutes les Provinces du Royaume, *page* 17 & 18. Je l'ai fait par un bon motif, & dans la vue, tant de préserver les Bons des embuches des Méchans, que pour engager ceux-ci à se coriger, par la crainte du décri général : nous avons toujours un bon motif, nous autres Sots; il n'y a que les Esprités, qui font le mal pour le plaisir de malfaire; témoins... je n'ôse les citer, de-peur de leur doner un *motif* de me faire du mal. Si cela ne sufisait pas, je m'étaierais du sentiment de Dom *Vaissète,* qui done ainsi le caractère des diférentes Provinces :

« Les Picards sont francs & sincères, mais brusques & entêtés ; ils sont laborieus plus par nécessité que par tempérament. Les Habitans de l'Artois sont droits, mais jalous de leurs priviléges. Les Normands sont ingénieus, souples & insinuans ; mais ces bones qualités sont contrebalancées par leurs penchans à la colère & à la chicane. D'ailleurs ils ne passent pas pour être esclaves de leur parole, & lorsqu'un Home y manque, on dit : *c'est un Normand.* Les Bourguignons passent pour être un-peu grossiers ; mais on ajoute qu'ils sont bons & courageus. Les Habitans du Maine ont la réputation d'être rusés & intéressés ; les Tourangeots ont l'humeur pacifique & peu propre à la guerre. Les Bretons sont laborieus, braves, robustes, & ne manquent ni d'adresse ni de génie ; mais on les acuse d'aimer un-peu trop le vin. On remarque qu'il n'y a eu dans cete Province que peu de Gens célèbres dans les Lètres. Les Poitevins sont civils & obligeans, mais grands railleurs. On dit qu'ils aiment mieux la danse & le repos que la guerre & le comerce. Les Limousins passent pour industrieus, prudens & ménagers ; ils fournissent un grand nombre de Massons au reste du Royaume. Les Peuples de la Guiène ont la réputation d'être braves & spirituels, mais vains & intriguans. Les Gascons sont regardés come Gens-d'esprit, mais un peu fanfarons ; ce qu'ils tiènent des Espagnols, leurs Ancêtres & leurs Voisins. Les Languedociéns sont spirituels, vifs, actifs & industrieus, mais intéressés, & peu reconaissans. Les Provençaux ont de l'esprit, de la vivacité, & le génie poétique; mais ils sont avares, légers, inconstans, & le Peuple est un-peu grossier. Les Habitans du Daufiné sont civils & officieus, amis des cérémonies & des complimens : on les acuse d'avoir bone opinion d'eux-mêmes, d'aimer les procès, & de n'être pas des plus sincères du monde. Les Francomtois ont un sens droit & un jugement solide; mais on les taxe de dissimulation. Les Lorrains passent pour braves & laborieus; leurs Voisins leur reprochent d'être du caractère des Normands ».

V. JE présume que plus d'un Lecteur serait curieus de conaître la Pièce de Vers que SOTENTOUT fit au Colége, d'après la conversation de Ma[me] *Cocus* avec *Agnès-Pudentine,* & dont il est parlé *page* 84 : la voici :

Belle *Cocus,* vous avéz fait-là un drôle de tour!
Coment-donc! votre Mari a chaufé le four,
Ét d'autres dedans ont cuit!
Ah-bén, je trouve que c'est fort joli!
Ét celui-là vraiment n'est pas malheureus,
Qui sur votre petit cœur s'est rendu impérïeus.
Vous voyéz bén que j'ai votre secret entendu :
N'as-vous pas dit que Conjugal avait le cou tordu
Par le malin petit Amour,
Et qu'en parlant contre, vous fesiéz pour?
Ajoutant encore en souriant, qu'au-pardessus,
Il falait que d'éfet come de nom votre Mari fût *Cocus.*

VI. *PAGE* 117, j'ai promis une pièce meilleure que toutes celles qu'on a vues de mon Héros : c'est un *Conte Epigrammatique,* assés joli pour un Sot, quoiqu'un peu raboteus, ce qui viént peut-être de la mesure insolite; les Vers y étant de cinq & de huit sillabes.

CONTE ÉPIGRAMMATIQUE

A TOUT doner la Femme est prête
Au Premier-venu,
Et l'*honeur* tout-dru
Sautant le pas, paiye la dète
Qui dans ses vœux l'a satisfaite.

UN Tendron dodu,
Charmant & tout-nu
Voulait briller un jour de fête :
Falait un écu
Pour avoir un bonet honête,
Ét pas un fétu,
De six jours la some complète
A dix sous, la Mère indiscrète
Ayant retenu.
Certain Richard, toujours en quête
De l'*honeur* de quelque Fillète,
Qui le cas a su,
Tout-à-point venu,
Ofrit sa bourse à la Pauvrète
D'un air ingénu;
Puis, d'acord, mena sa Conquête
Chés MONCLAR *. Tandis qu'on aprête
Le bonet voulu,
Sur mile détails qu'on arête
Il fut discouru,
Une robe, du linge, emplète

* Marchande-de-Modes, rue *Sainthonoré*.

Non de superflu,
Come on voit, mais qu'on n'eût pas faite,
Sans l'objet par quî l'*honeur* pète.
Brèf, tout est conclu,
L'*honeur* est vendu;
Desormais l'aimable Poulète
Instruite, parée & coquète,
Dans son fil tendu
Doit prendre un Cocu,
Aler, venir, lever la crête.

TOUT fut entendu
D'un Gars résolu
Coît-à-part, qui l'oreille prête
Sans être aperçu.
Ét qui sortant de sa cachète
Fit cet Inpromptu :

« Parbleu! d'après pareille traite,
« Je suis convaincu
« Qu'en toute ocasïon, *la tête*
« *De la Bête*
« *Emporte le cu.*

VII. QUANT au Conte de la *Bégueule* que j'ai promis, l'Auteur de l'*Almanac des Muses* a été plus preste que moi à s'en emparer : ne pouvait-il pas remètre à l'anée suivante? il me le semble, puisqu'il ne publie les Pièces qu'après que tout le monde les a vues. Pour revenir, je renverrais volontiérs à son *Almanac,* si le Conte ne s'y trouvait si négligeament imprimé, qu'il y manque cinq à six Vers. Il s'agit de prouver que le Fiacre n'était pas un Adorateur si fort à dédaigner :

LA BÉGUEULE. (Conte.)

Dans ses écrits, un Sage Italién
Dit que le mieux est ènemi du bién :
Non qu'on ne puisse augmenter en prudence,
En bonté d'âme, en talens, en science ;
Cherchons le mieux sur ces chapitres là :
Partout ailleurs évitons la chimère.
Dans son état, heureus qui peut se plaire,
Vivre à sa place, & garder ce qu'il a !

La belle *Arsène* en est la preuve claire ;
Elle était jeune, elle avait dans Paris
Un tendre Épous empressé de complaire
A son caprice, & soufrant ses mépris.
L'Oncle, la Sœur, la Tante, le Beaupère,
Ne brillaient pas parmi les beaux Esprits :
Mais ils avaient un fort bon caractère.
Dans le logis, des Amis fréquentaient ;
Beaucoup d'aisance, une assés bone chère,
Les passe-temps que nos Gens conaissaient,
Jeux, Bals, Spectacle & Soupers agréables,
Rendaient ses jours à-peu-près tolérables :
Car vous savéz que le bonheur parfait
Est inconu : pour l'Home il n'est pas fait.

Madame *Arsène* était fort peu contente
De ses plaisirs ; son superbe dégoût,
Dans ses dédains, fuyait ou blâmait tout :
On l'apelait la belle Impertinente.
Or admiréz la faiblesse des Gens !
Plus elle était distraite, indiférente,
Plus ils tâchaient, par des soins complaisans,
D'aprivoiser son humeur méprisante,
Ét plus aussi notre Belle abusait
De tous les pas que vers Elle on fesait.

Pour son Amant encor plus intraitable,
Aimant à plaire & ne pouvant aimer,
Son cœur glacé se laissait consumer
Dans le chagrin de ne voir rién d'aimable.
D'elle à la fin chacun se retira ;
De Courtisans elle avait une liste :
Tout prit parti : seule elle demeura
Avec l'Orgueil, compagnon dur & triste ;
Boufi, mais sec, ènemi des ébats,
Il renfle l'âme & ne la nourrit pas.

(DÉLIÉE fut plus sage.)

2.

La Dégoûtée avait eu pour maraine
La Fée *Aline*. On sait que ces Esprits
Sont mitoyéns entre l'espèce humaine
Ét la divine, & monsieur Gabalis
Mit par écrit leur histoire certaine.
La Fée alait quelquefois au logis
De sa Filleule, & lui disait : *Arsène,*
Es-tu contente à la fleur de tes ans?
As-tu des goûts & des amusemens?
Tu dois mener une assés douce vie?
L'autre en deux mots répondait, je m'ennuie.
C'est un grand mal, dit la Fée, & je croi
Qu'un beau secret c'est d'être heureus chés soi
Arsène enfin conjura son *Aline*
De la tirer de son maudit Pays :
Je veux aler à la Sfère divine ;
Faites-moi voir votre beau Paradis ;
Je ne saurais suporter ma Famille,
Ni mes Amis : j'aime assés ce qui brille,
Le beau, le rare, & je ne puis jamais
Me trouver bién que dans votre Palais :
C'est un goût vif dont je me sens coîfée.

Très-volontiérs, dit l'indulgente Fée.
Tout aussitôt dans un char lumineus,
Vers l'Orient, la Belle est transportée;
Le char volait, & notre Dégoûtée,
Pour être en l'air, se croyait dans les Cieux.
Elle descend au séjour magnifique
De la Maraine. Un inmense portique
D'or ciselé dans un goût tout nouveau,
Lui parut riche & passablement beau :
Mais ce n'est rién, quand on voit le Château.
Pour les jardins, c'est un miracle unique;
Marli, Versaille, & leurs jolis jets-d'eau
N'ont rién auprès qui surprène & qui pique.
La Dédaigneuse, à cete œuvre angélique,
Sentit un peu de satisfaction.
Aline dit : Voila votre maison;
Je vous y laisse un pouvoir despotique;
Comandéz-y : toute ma Nation
Obéira sans la moindre replique;
J'ai quatre mots à dire en Amérique :
Il faut que j'aille y faire quelques tours :
En m'atendant, n'ayéz que d'heureus jours :
J'espère aumoins, dans ma douce retraite,
Vous retrouver l'âme un peu satisfaite.

Aline part. La Belle en liberté
Reste, & s'arange au Palais enchanté,
Comande en Reine, ou plutôt en Déesse;
De cent Beautés une foule s'empresse
A prévenir ses moindres volontés.
A-t-elle faim? cent plats sont aportés;
De vrai nectar la table était fournie,
Et tous les mêts sont de pure ambroisie :
Les vases sont du plus fin diamant.
Le repas fait, on la mène à l'instant
Dans les jardins; sur les bords des fontaines,

Sur les gazons respirer les haleines
Ét les parfums des fleurs & des Zéfirs;
Vingt chars brillans de rubis, de safirs,
Pour la porter se présentent d'eux-mêmes,
Come autrefois les trépiéds de Vulcain
Alaient au ciel par un ressort divin,
Ofrir leur siège aux Majestés suprêmes.
De mille Oiseaux les doux gasouillemens,
Sur ses accens, sur ses discours frivoles
Ont acordé leurs murmures charmans;
Les Pèroquets répétaient ses paroles,
Ét les écos les disaient après eux.
Telle Psiché, par le plus beau des Dieux
A ses Parens avec art enlevée,
Au seul Amour dignement réservée,
Dans un Palais des Mortels ignoré,
Aux élémens comandait à son gré.
Madame *Arsène* est encor mieux servie;
Plus d'agrémens environaient sa vie;
Plus de Beautés décoraient son séjour;
Elle avait tout : mais il manquait l'Amour.

On lui dona le soir une musique
Italïène, en genre cromatique,
Dont les acords & les accens nouveaux,
Feraient pâmer soixante Cardinaux.
Ces sons vainqueurs alaient au fond des âmes :
Mais elle vit, non sans émotion,
Que pour chanter, on n'avait que des Femmes :
Dans ce Palais, point de barbe au menton.
A quoi, dit-elle, a pensé ma Maraine?
Point d'Home ici! suis-je dans un Couvent?
Je trouve bon que l'on me serve en Reine :
Mais sans Sujets, la grandeur est du vent.
J'aime à règner, sur des Homes s'entend;
Ils sont tous nés pour ramper dans ma chaîne :

C'est leur destin, c'est leur premier devoir;
Je les méprise, & je veux en avoir.
Ainsi parlait la Recluse intraitable;
Ét cependant les Nimfes, sur le soir,
Avec respect ayant servi sa table,
On l'endormit au son des instrumens.
Le lendemain, mêmes enchantemens,
Mêmes festins, pareille sérénade,
Ét le plaisir fut un-peu moins piquant,
Le lendemain lui parut un peu fade.
Le lendemain fut triste & fatiguant.
Le lendemain lui fut insuportable.
Je me souviéns du temps trop peu durable,
Où je chantais dans mon heureus printemps,
Des lendemains plus doux & plus plaisans.
La Belle enfin chaque jour fêtoyée,
Fut tellement de sa gloire ennuyée,
Que détestant cet excès de bonheur,
Le Paradis lui fesait mal au cœur.
Se trouvant seule, elle avise une brèche
A certain mur, & semblable à la flèche
Qu'on voit partir de la corde d'un arc,
Madame saute, & vous franchit le parc.

Au même instant, palais, jardins, fontaines,
Ét diamans, émeraudes, rubis,
Tout disparaît à ses ieux ébaubis :
Elle ne voit que les stériles plaines
D'un grand desert & des rochérs afreus.
La Dame alors, s'arachant les cheveux,
Demande au ciel pardon de ses sotises.
La nuit venait, & déja ses mains grises
Sur la nature étendaient ses rideaux.
Les cris perçans de funèbres Oiseaux,
Les hurlemens des Ours & des Pantères
Font retentir les antres solitaires.

Quelle autre Fée, hélas! prendra le soin
De secourir ma fole Aventurière?

Dans sa détresse, elle aperçut de loin,
A la faveur d'un reste de lumière,
Au coin d'un bois, un vilain Charbonier,
Qui s'en alait, par un petit sentier,
Tout en siflant retrouver sa chaumière.
Quî que tu sois, lui dit la Beauté fière
Vois en pitié le malheur qui me suit :
Car je ne sais où coucher cete nuit.
Le noir Pataud, la voyant si bién mise,
Lui répondit : Quel étrange Démon
Vous fait aler, dans cet état de crise,
Pendant la nuit, à piéd, sans Compagnon?
Je suis encor très-loin de ma maison :
Ç'à! donéz-moi votre bras, ma Mignone;
Dans vos petons mètéz ces sabots neufs;
On recevra votre aimable Persone
Come on poura; j'ai du lard & des œufs :
Toute Française, à ce que j'imagine,
Sait, bién ou mal, faire un peu de cuisine;
Je n'ai qu'un lit : c'est assés pour nous-deux.
Disant ces mots, le Rustre vigoureus,
D'un gros baiser, sur sa bouche ébahie,
Ferme l'accès à toute repartie;
Et par avance, il veut être payé
Du nouveau gîte à la Belle octroyé.
Hélas! hélas! dit la Dame afligée,
Il faudra donc qu'ici je sois mangée
D'un Charbonier ou de la dent des loups!
Le desespoir, la honte, le couroux,
L'ont sufoquée, elle est évanouie :
Notre Galant la rendait à la vie...
La Fée arive, & peut-être un-peu tard;
Présente à tout, elle était à l'écart.

Vous voyéz bién, dit-elle à sa Filleule,
Que vous étiéz une franche Bégueule;
Ma chère Enfant, rién n'est plus périlleus
Que de quiter le bién pour être mieux.

LA leçon faite, on reconduit ma Belle
Dans son logis. Tout y changea pour elle
En peu de temps, parce qu'elle changea;
Il lui falait l'école charbonière;
Pour son profit, elle se corigea :
Sans avoir lu les beaux *Moyéns-de-plaire*
Du sieur Moncrif, & sans livre, elle plut;
Pour réüssir, *Arsène* le voulut.
Elle fut douce, atentive, polie,
Vive, prudente, & prit même en secret,
Pour Charbonier, un jeune Amant discret :
Ce fut alors une Femme acomplie.

L'on voit par cete Pièce, quelle est l'impertinence du Sexe; & que les Esprités considèrent l'inconduite des Femmes come une chose *dûe* & fort indiférente : aulieu que nous autres Sots, nous la regardons come *indûe* & très-desagréable. Pour nous concilier, il faudrait qu'il y eût en France des Mariages *sous-condition* come à la Chine : *voyéz* ci-dessous.

VIII. DES Vers du petit *Cuculis* à mon Héroïne (ou plutôt la siène) formeront un autre Article de ces *Notes :* on y trouvera le plus beau trait de prudence qui puisse être cité parmi nous; c'est que ce jeune Amant feint que la Réalité ne fut qu'un Songe : aulieu que les autres Galans Parisiéns & Français, nous donent souvent leurs Rêves pour des Bones-fortunes éfectives. Il intitule son petit Poème

LE BONHEUR EN SONGE.

PREMIER CHANT.

LA GROTE.

PLAISIRS, Illusïon, Tendresse :
Venéz, voléz & me suivéz toujours;
Que les Ris & les Jeux endorment la Sagesse :
Et vous DELFINE, au printemps de vos jours,
Liséz des Vers que la Jeunesse
M'inspire en faveur des Amours.

DANS l'espace heureus qui sépare
Le Palais de VÉNUS du Temple d'APOLLON,
Au bas d'un inmense valon
Où par mille détours le Méandre s'égare,
S'élèvent des Jardins charmans,
Chéris de FLORE & de POMONE;
On y cueille dans tous les temps
Les fruits les plus doux de l'Automne,
Les plus belles fleurs du Printemps...

(Je suprime le reste de la description.)

NON loin delà, ZIRFÉ des plus beaux dons de FLORE
Composait un bouquet charmant;
Ce n'était point pour un Amant,
Elle n'en avait point encore :
Nul Berger soumis à ses loix
Ne lui disait qu'elle était belle;
Dans l'onde seulement, miroir toujours fidèle,
ZIRFÉ l'avait vu quelquefois;
Elle ignorait encor l'usage
De son cœur & de ses atraits :
L'Amour qui la guète au passage,

Saisit l'instant & lui lance ses traits :
Elle s'étone, elle soupire ;
Sans crainte elle porte ses pas
Vers la grote où le Dieu l'atire.
En voyant ses jeunes apas
Les Amours viènent lui sourire ;
ZIRFÉ ne le soupçonait pas.
Les Ris & les Jeux la renversent
Sur un lit émaillé de fleurs,
Le Someil, & les Songes flateurs
Auprès de la Bergère acourent, se dispersent,
Et sèment leurs douces erreurs :
Celui-ci d'un air de conquête,
Aux genoux de ZIRFÉ montrant un Souverain,
D'une courone orne sa tête :
Celui-là s'endort sur son sein :
Un troisième prend sa musète ;
Un autre aulieu de sa houlète,
Lui met un sceptre dans la main.

TENDRE Délire, aimable Songe,
Êtes-vous faits pour tromper la Beauté ;
Pouriéz-vous n'être qu'un mensonge?
Dieux ! c'est à vous d'en faire une réalité.

SECOND CHANT.

L'AMANT.

Que vois-je AMOUR ! quelle Troupe rebelle
Acompagne DIANE & méprise tes loix !
Jeune ZELMIS, arête & reconais la voix
De l'aimable Dieu qui t'apèle :
Arête. Il fuit... AMOUR, venge tes droits.

ZIRFÉ dormait encor, tout paraissait tranquile,
Quand tout-à-coup un Cerf timide, épouvanté,
Dans la grote cherche un asile :

Sur les traces d'un Chién agile
Un jeune Prince vole, arive & voit ZIRFÉ.
Qu'en ce moment elle était belle!
Un de ses bras sous sa tête passé
Semblait cueillir des fleurs qui naissaient autour d'elle;
Habile à ménager l'intérêt des Plaisirs,
Quelquefois Zéfir d'un coup d'aile
Soulève une robe cruelle,
Fait à-peine entrevoir... & laisse des desirs.

QU'EUT pu faire ZELMIS témoin de tant de charmes?
Les vives, les tendres alarmes
Ont déja passé dans son cœur,
Il a biéntôt rendu les armes,
Mais sa timidité s'opose à son bonheur :
Il brûle, il n'ôse, il craint, d'être trop téméraire..
Que de momens il a perdus!
Mais enfin à pas suspendus,
Il aproche de la Bergère,
« Belle Nimfe (dit-il) aimable Déité,
« Trop heureus celui qui vous aime
« Si c'est un Dieu, votre beauté
« Est digne de ce rang suprème;
« Est-ce un Berger? s'il est aimé,
« Son bonheur l'égale aux Dieux mêmes.
« Ciel! que d'atraits! quel feu dans mon cœur alumé!
« AMOUR, c'est toi qui l'as fait naître...
« Les Dieux s'en ofensent peut-être...
« Non, ils condaneraient envain
« Ce transport, cet heureus délire;
« En écoutant l'AMOUR qui me l'inspire,
« J'obéis à leur Souverain...
« Cruel ZELMIS, que vas-tu faire?
« Jouïr de ses apas? es-tu sûr de son cœur?
« Respecte. ou crains l'Amant qui sait lui plaire,

« Crains sa vengeance ou sa douleur ».
Il dit : surpris de ce langage,
Les ieux baissés, s'éloignant à grands pas,
De leurs bandeaux se couvrant le visage,
Les Amours murmuraient tout bas.
Caché sous un charmant ombrage
Un groupe de Jeux & de Ris,
Pour jouïr avec avantage
De l'embaras du timide Zelmis,
Chèrche les fentes du feuillage,
Et par un sourire malin
Expriment le plaisir de le voir incertain.

(Je suprime ici la peinture du Plaisir & de sa cour.)

Rougis de tant de résistance,
Ingrat Zelmis, si c'est un crime de jouïr,
Sois criminel : Amour, prens sa défense?...
Caché sous un feuillage, à la voix du Plaisir,
Il sort, il court. Zirfé fuit éperdue;
L'Amour lui fait faire un faux-pas :
Elle tombe & rougit : son Amant qui l'a vue,
Vole, arive, & lui tend les bras :
Zirfé le voit : « Ma surprise est extrême...
« C'est lui (dit-elle) c'est lui-même »...
« Oui, dit Zelmis, avec emportement,
« Oui, belle Nimfe, je vous aime,
« Vous devéz vos plaisirs au plus parfait Amant :
« Oui, je t'adore, viéns, partage ma tendresse »...
Il dit, & plein d'une douce fureur,
Pressant avec son sein le sein de sa Maitresse,
Il ôse chèrcher le bonheur.
« Pourquoi te dérober à l'ardeur qui me presse?
« Partage plutôt mes transports,
« Ta beauté les rend légitimes,

« Et mon amour te fait des crimes
« De resister à mes éforts »...
« Laisse-moi, lui dit la Bergère,
« Je sens que tu forces mon cœur ;
« Je t'aime, je voudrais te plaire,
« Dieu charmant, ôse tout, mais rends-moi mon erreur ».
Aveu bién doux pour un cœur tendre !
ZELMIS est aimé ; c'est assés.
Hélas ! envain ZIRFÉ refuse de se rendre,
La PUDEUR fuit les ieux baissés...
Dieux ! que l'amour d'une belle Ingénue
Pour un Amant a de douceur !
Il voit son âme toute nue
Sur ses lèvres errer, & nomer son Vainqueur :
Les ieux fixés sur son Amante émue,
ZELMIS éprouve ce bonheur...

AINSI le folâtre ZÉFIR
Caresse le bouton qui renferme la rose,
De son soufle léger la fait épanouir,
Ét dès l'instant qu'elle est éclose,
Se fixe aumilieu d'elle, & semble l'embellir :
Sur ses feuilles souflant à-peine,
Il n'imprime de son haleine
Que ce qu'il faut pour ne pas les flétrir.
ZIRFÉ pousse encor un soupir :
Le Dieu des Songes l'abandone,
Son Amant n'est plus dans ses bras.
Fuyéz, MORFÉE, AMOUR l'ordone.
Et vous, heureus ZELMIS, ne vous éloignéz pas.

TROISIEME CHANT.

LA JOUISSANCE.

PLUS belle encor & plus vermeille
L'aimable ZIRFÉ se réveille.

« Ah! le beau rêve que j'ai fait!
« (Dit-elle) que j'étais ravie!
« Que mon bonheur serait parfait,
« Si les Dieux composaient ma vie
« De ces momens heureus où l'âme en liberté,
« Entre le Someil & les Songes
« Remplace par de beaux mensonges
« Les peines de la vérité!
« Mais si l'erreur a tant de charmes,
« Quelles sont les douceurs de la réalité!
« Il paraissait heureus, & répandait des larmes,
« Hélas! j'ôsais à-peine partager
« Les transports qu'il a fait paraître :
« Ce n'était pas un Dieu peut-être,
« Mais ce n'était point un Berger.
« Oui, dans les bras du plus aimable Maître
« Je sentais expirer mon cœur :
« Mais l'instant où je cessais d'être
« Était l'instant qui comblait mon bonheur;
« Plaisirs, Illusïon, aimable Rêverie,
« Ét toi, leur Père, toi, Someil,
« Ne fais qu'un songe de ma vie,
« Épargne-moi les peines du réveil ».

A ces mots, les Amours sourirent,
ZIRFÉ se tut, & les soupirs
Qui de sa bouche encor sortirent
Furent à son Amant portés par les ZÉFIRS.
Il l'entend, il hésite; il rougit, il avance :
Timide, chancelant, il ôse enfin cueillir
Un baiser... Dieux! il voit les Grâces qui se jouent
Sur le sein de la Belle, à son trouble aplaudir;
Leurs délicates mains dénouent
Un corset, par les mains de la Pudeur lacé;
Les Amours aux Grâces qu'ils louent,
Pour écarter les rubans de ZIRFÉ,

Prêtent leur art, leur goût & leur légèreté.
Ornant de fleurs le sein de son Amante,
ZELMIS, le cœur & les ieux enflâmés,
Ose porter sa main tremblante
Sur une gorge palpitante,
Ét dont les mouvemens, par l'Amour animés,
Repoussent la légère toile,
Dont la Pudeur encor eut soin de la couvrir...
Ministre aimable du Plaisir,
ZÉFIR arache, emporte & les fleurs & le voile.
Déja la robe de ZIRFÉ
Voltige au gré de son haleine :
De nouveaux desirs consumé,
ZELMIS ne se conaît qu'à-peine :
Du trône de la Volupté,
Asile secret du Délire,
Où le Plaisir sur-tout fait sentir son empire,
Partent les derniers traits dont son cœur est blessé :
Ému, tremblant, hors de lui-même,
Tout à l'Amour, tout au Plaisir,
Entre les bras de ce qu'il aime
Il tombe, il meurt, il revit pour mourir.
« Oui, dit ZELMIS, je touche au rang suprême.
« Je meurs... Peu contens des Autels,
« Ce n'est que pour mourir sans-cesse
« Que tous les Dieux sont inmortels.
« Transports charmans! charmante ivresse!
« Dieux! de quels plaisirs je me sens enivrer!
« Que mon Amante les partage,
« Ou cesse, AMOUR, de m'y livrer ».

IL est un someil dur qui vous ôte l'usage
De nos sens & de nos esprits;
Mais ZIRFÉ ne goûtait dans les bras de ZELMIS
Que ce someil léger, délicat & volage
Qu'acompagnent les Jeux, les Ris;

Des Plaisirs il est l'assemblage,
AMOUR, & n'est conu que de tes Favoris.
Victime d'un aimable songe
ZIRFÉ se livre à la plus tendre ardeur :
Dans le trouble où l'AMOUR la plonge
ZIRFÉ par des soupirs laisse parler son cœur :
Heureus ZELMIS ! elle t'adore,
Son cœur palpite, une aimable rougeur
Qui l'embellit & qui l'anime encore
Anonce la Tendresse, & non pas la Pudeur.
ZIRFÉ, cete aimable Maitresse,
Au jeune Amant qui comble ses desirs
Réitère cent fois l'aveu de sa tendresse,
Aveu charmant qu'arachent les Plaisirs !...

IX. ON a trouvé, *p.* 112, les fameuses *Stances à Cassandre,* par S.-Sorlin, atribuées à SOTENTOUT : Je n'ai fait que rendre à l'arière-Petitfils, ce qu'on avait dérobé au Trisayeul : on aura là-dessus tous les éclaircissemens possibles dans le XXII.me CHAPITRE. Voici deux Vers changés par SOTENTOUT, I.re strofe :

1 Donques, rigoureuse CASSANDRE...
4 Me vont pulvériser en cendre.

Le jéroglife de la *page 117, dernière ligne,* signifie *Le cœur à Dieu :* il est réellement sur la porte antique de l'Église indiquée. Le Tipogrife $10^{p}{}_{g}11$, veut dire, *J'ai soupé entre dix & onze.* La ligne algébrique, $78 \times 4 = 312$, s'écrirait en toutes lètres : *soixante-dixhuit* multiplié par *quatre,* égale *trois-cents-douze.*

X. ENFIN, je vais enrichir ce Chapitre de quelques Citations de mœurs étrangères, qui viènent à l'apui du Chapitre *Acords,* & qui justifieront les Dames Françaises, en les confirmant par des exemples dans les prérogatives, qu'elles doivent soit à leur courage, soit à notre urbanité : prérogatives qui ne peuvent que s'acraître, par l'atention de chaque Mére-de-famille à former son Fils come elle voudrait qu'on eût élevé son Mari.

1. Il se trouve, à la Chine, des Maris qui permètent à leurs Femmes la galanterie la plus marquée; & l'on en conviént par les Articles signés avant le mariage : à la vérité les Enfans qui proviènent de ces unions sont réputés infâmes.

2. La Femme d'un Corésien peut empêcher toute Maitresse ou Concubine de son Mari d'entrer dans la maison.

3. Les Formosanes ont le droit de ne coucher avec leurs Maris, que lorsqu'elles les font avertir; encore si elles changent d'avis, le Mari est obligé de s'en retourner au-milieu de la nuit. (Dans l'île Formose les Homes & les Femmes n'ont le même domicile qu'à 36 ans.)

4. Lorsqu'un Japonais épouse une Femme, non-seulement elle n'aporte point de dot, mais le Prétendu fait un présent considérable aux Parens qui l'ont élevée.

5. Au Tunquin, une Femme répudiée laisse les Enfans au Mari, remporte sa dot, & passe sans aucun deshoneur entre les bras d'un autre Épous.

6. Au Pégu, tout Amant qui a obtenu les faveurs d'une Fille, peut l'ôter au Mari qui l'aurait épousée en son absence. (Soyons- nous préservés de cete loi scandaleuse!)

7. A Siam, la Femme hérite entièrement de son Mari. (Dans ce Pays, le changement en amour passe pour un divorce. Oh! combién il y aurait de divorces à Paris!)

8. Pour éfacer le crime d'adultère chés les Bramines, il sufit que le Mari pardone, & que la Femme serve les mêts d'un festin qu'il done à d'autres Bramines.

9. Les Chingulaises de l'île de Céïlan ont le beau droit d'épouser plusieurs Maris : ceux-ci ne peuvent avoir qu'une Femme : le Mari a la faculté de permètre l'embrassement de sa Femme à quelque Ami, ou bién à de grands Seigneurs; & l'Épouse est très-considérée lorsque cela lui est arivé.

10. Il seroit inutile de parcourir tous les Peuples du monde, pour établir les privilèges des Femmes & la Sotise du premier-sexe; je passe tout d'un-coup aux Canadiéns, qui ont été Sujets de notre Courone. Les Bellemères Canadiènes sont maitresses de tout ce qu'amasse leur Gendre; ces Peuples se réjouissent bién-plus à la naissance d'une Fille qu'à celle d'un Garson; une Femme a le droit d'aracher à la mort un Prisonier de guerre, en le prenant pour Mari.

L'on voit par-là que le Sous seing de Ma^{me} *Cocus* n'était pas aussi ridicule que beaucoup de Lecteurs l'ont cru à la première lecture. A-la-vérité, le respect envers les Femmes n'est pas fondé parmi nous, come chés les premiers Romains, sur les mœurs; mais il n'en est que plus réel.

Nota. La suite des Notes, à la fin de la *Seconde Partie,* sous le Chapitre intitulé, *Suplémens,* où je réünirai, come ici, tous les éclaircissemens qu'un Beaunois pourait desirer.

FIN des Notes de la Première Partie.

LE MÈNAGE PARISIÉN,

HISTOIRE NAÏVE.

Seconde Partie.

Un PARISIÉN qui voit une belle Femme, n'a pas plus de raison de souhaiter d'être son Mari, qu'un Home qui aurait vu les Pomes-d'or du Jardin des Hespérides, n'en aurait eu de desirer d'être le Dragon qui les gardait.

Pope, Pensées diverses, traduites par Fréron.

XV.ME CHAPITRE.

Lendemain.

MADAME *Cocus*, demi-persuadée que son Gendre jouit de tous ses droits, avait été partager la coûche de son digne Épous.

— Où en sont nos Jeunes-gens, M'amour, lui dit-il?

— *A la conclusion, j'espère.*

— Bon! c'est excélent!... Voila le bel âge!

— *Il n'est pas encore si loin de nous, mon Ami.*

— Mais je le crois : c'est excélent!... Il me semble que nous pourions renouveler notre mariage; qu'en dis-tu, ma Poule!

— *Come il te plaîra, mon Poulet.*

— C'est excélent!

Mes Mémoires ne disent rién de positif sur ce conflit conjugal : mais on peut croire qu'il ne fut pas trop orageus; car dès les six heures du matin Ma[me] *Cocus* était aux écoutes. Le jour començait à devenir grand; elle voit son Gendre couché dans le même lit séparé de la veille, & ronflant de la bone sorte; sur l'autre, DÉLIÉE endormie, demi-découverte. Elle atendit impatiament leur réveil. Enfin, SOTEN-TOUT s'alonge, se frote les ieux, bâille, & dit,

Patapan, Patapan! les fenêtres du magasin toutes grandes ouvertes! pourquoi donc ôter les abajours! (*Patapan* était le Domestique de son Père). Il se met ensuite sur son séant, regarde autour de lui, se frape le front, & se dit :
— *Ah!... êh! je suis marié!... je n'y songeais plus!... êh! êh! êh!... La voila! la voila! qu'elle est jolie! sera-t-il dit qu'elle se lèvera pucèle?*
Il sort doucement de son lit, s'aproche de la Belle, découvre mille apas... A cete vue, NICAISE n'est plus NICAISE; c'est un Héros qui se dévelope. Tel un Doguin courageus apercevant une jolie Levrète, que poursuivent des Roquets, s'élance, écarte ses Rivaux, & s'empare de l'Objet de ses feux : Tel SOTENTOUT écarta les draps & les couvertures, qui s'oposaient à ses desirs. DÉLIÉE s'éveille, mais dans cet état

> Où d'un sommeil *cessant* nous aimons à jouir,
> Ét sans veiller, nous nous sentons dormir (1);

elle semble ne luter que pour être délicieusement vaincue... Pour-le-coup, Ma^me^ *De-Galanvile* croit ne pouvoir douter du triomfe de son Gendre SOTENTOUT : mais ce qu'il a dit en s'éveillant, du pucelage de la Mariée, ne l'en surprend pas moins. Tandis qu'elle est dans cet état perplexe, & que par distraction elle n'a plus les ieux à sa guérite, elle entend assener sur les fesses de PLACIDE une claque resonante; le Frapé pousse un cri : DÉLIÉE sans se déconcerter, lui dit en soupirant :
— *C'est pour vous aprendre à me faire endêver.*
— Une main si délicate, s'écrie douloureusement NICAISE, doner un si furieus coup!

Ma^{me} *Cocus* quite aussitôt son observatoire, pour aler chercher les restaurans & le consomé. Après les avoir pris, DÉLIÉE fit entendre à PLACIDE-NICAISE qu'elle desirait qu'il passât dans la pièce où il devait s'habiller, & qu'il la laissât avec sa Maman : ensuite elle caressa celle-ci, en la priant de lui doner quelque chose qu'elle aimait, & qu'il falut aler chèrcher : durant cete absence, il se fit un petit mouvement, qui cessa come la Mère rentrait. Ma^{me} *Cocus* fit renouveler à sa Fille l'utile cérémonie du bain, malgré les opositions de cete dernière, qui voulait sur-le-champ quiter la chambre nuptiale, où elle ne doit plus revenir, atendu que c'est chés Mr *Sotentout* qu'est le domicile des Jeunes-gens; l'on n'était resté chés le Père de DÉLIÉE, que par ménagement pour elle. Voici quels étaient les arangemens : Le Gendre doit succéder à son Beaupère, lorsqu'il se retirera; pour-lors il viéndra s'habituer rue *T****;* mais le train de M^{r}. *Sotentout* est considérable; son genre de comerce en manufacture de Gens *come-il-faut* exige qu'il ait quelqu'un d'entendu, de présentable, & d'atirant come DÉLIÉE, qui puisse lui faire avoir toutes les Pratiques avantageuses : ce n'est pas tout, Ma^{me} *Agnès-Pudentine* qui voit plus loin que son néz, veut avoir sa Bru sous ses ieux durant toute la saison des Enfans; son expérience lui a doné des lumières dont elle veut que son Fils profite. On sait d'avance combién la précaution est superflue!

En-conséquence du non-retour des Mariés dans la pièce où ils ont passé la première nuit, Ma^{me} *Cocus* en tiént la porte ouverte jusqu'à ce que les jeunes Indiscrets de la noce l'aient visitée, & qu'ils aient vu ce qu'elle veut qu'on voie; ensuite elle la ferme, & serre la cléf. DÉLIÉE, qui ne s'atendait pas à ce contretemps, la fit demander dix fois dans le jour à sa Maman, qui par malheur, ou par malice, l'avait égarée. En atendant que cete cléf se retrouve, ocupons-nous des Nouveaux-Mariés.

Tandis que DÉLIÉE (ou madame DU-COEURVOLANT) done un nouveau lustre à ses apas, Ma^me^ *Sotentout* intéroge son Fils. Celui-ci, fièr de son demi-triomfe, comença par-là son récit; puis il vint aux dificultés.

— Bon! bon! lui dit sa chère Mère, en l'embrassant, c'est une Fille bién élevée; vous pouvéz vous flater, mon Fils, d'avoir eu sa fleur.

— Qu'est-ce que c'est qu'ça? Je n'ai point eu de fleur?

— Défaites-vous donc de cete naïveté sote, mon Fils! vous voila marié; de la raison, quand vous parleréz; du silence quand vous ignoreréz; des questions avec moi-seule, qui suis en état de vous éclairer sur tout. La fleur d'une Fille, c'est sa vertu, sa sagesse; un Home a la fleur de sa Femme, quand il est le premier qu'elle favorise de ce qu'elle viént de vous acorder; m'entendéz-vous?

— Oh! qu'oui, ma chère Mère... Mais elle n'a pas la miène, come-ç'a; car...

— Qui vous le demande? Je le savais, & voulais paraître l'ignorer : qu'un pareil aveu ne passe pas vos dents avec d'autres : l'exemple est dangereus, & les Femmes, à Paris, se croient le même privilège que les Homes.

— Oh! ç'a ne doit pas être pourtant; car si c'était

ma Femme aulieu de moi, & qu'elle fût come est celle-là qui m'a permis ç'a, il me semble que ç'a serait drôle aumoins!

— Cete raison est très-bone, sans-doute, *au-vis-à-vis* des Homes; mais enfin, mon Enfant, elle ne fait guère d'impression sur les Femmes; ainsi le plus sûr, c'est le *tacet*. Ceci m'amène à ce que je voulais dire : car je suis entrée auprès de vous, tandis que nous pouvons être libres, afin de prendre ensemble les arangemens que la prudence me suggère. Votre Femme est belle, mon chèr Fils; il est impossible, come je vous l'ai déja dit, qu'elle n'ait pas des Galans : nos Amis, nos Conaissances, nos Pratiques, tout lui fera la cour; & peut-être l'éblouira; il faut la veiller *come le lait sur le feu :* mais il ne faudra pas que ce soit vous; cela me regarde; ne marquéz que de la confiance.

— C'est fort bién, tant que vous vivréz, ma ch'Mère; mais quand vous seréz morte?

— Quoi! vous ne vous deshabituerézpas de dire les choses si durement!... Croyéz-vous, mon Fils, qu'il la faudra veiller un siècle? après deux ou trois Enfans...

— Ensuite?

— On doit en rester-là. Ma^{me} *Cocus* dit à-présent la même chose à votre Femme. Où en seriéz-vous aujourd'hui, si quatre ou cinq Frères & Sœurs partageaient notre fortune avec vous? Eussiéz-vous jamais obtenu Mlle DE-GALANVILE?

— Mais, si ne fesant plus d'Enfans à ma Femme, d'autres lui en font?

— Ne craignéz rién, pourvu que vous soyiéz exact; une Femme sait se respecter.

— A-la-bone-heure. Mais enfin, si, sans faire d'Enfans, elle avait un Galant, deux, trois?

— Doit-on être jalous d'une Femme qui ne fait plus d'Enfans, dont on a eu la première beauté? qu'est-ce que le reste?

— Vous avéz raison : je n'm'embarasserais guère, si j'étais mon ch'Père, que vous eussiéz des Favoris : oh! je sens cela, par exemple :

— Ce que vous ne sentéz pas, c'est la grossièreté, l'indécence de vos propos.

— Ah-bén, Ma^me^ *Cocus,* là : elle fut très-jolie; éh-bén, aujourd'hui, quèque ç'a m'ferait?... Mais il y a quèque chose qui m'embrouille...

— C'en est assés pour l'instant : votre Femme & moi, nous vous éclaircirons sur tout le reste en temps & lieu. Comportéz-vous avec prudence, mon chèr Fils, avec la dignité maritale : aiméz votre jeune Épouse, elle est charmante; ne lui dites jamais rién de desagréable; ces choses-là me regarderont, & c'est assés la règle, quand les Brus demeurent avec leurs Bellemères; ne lui refuséz jamais des bagatelles; qu'elle se croie maitresse, sans l'être; je vous aprendrai le grand art de la captiver, de l'éblouir, suivant que les ocasions pouront s'en présenter. Ma^me^ *Cocus* est fine; elle instruit sa Fille, mais je la vaux bién en certaines choses.

Après cet entretién, Ma^me^ *Sotentout* ouvrit la porte, & toute la Jeunesse se précipita pour complimenter le Marié, dont ils venaient de considérer le champ-de-bataille : l'on imagine tout ce qu'auraient pensé *Friponet* & *Cuculis,* des preuves d'une virginité inmolée qu'on avait prétendu trouver! La Mariée sortit en ce moment toute rayonante : elle eut mille jolis quolibets à essuyer; mais soit qu'elle répondît, ou qu'elle dissimulât, elle mit dans tout une grâce merveilleuse. L'on se rendit ensuite chés M.r *Sotentout,* rue *des-Singes.* Le jeu, la table, la danse, & maints coups-fourés durant les intervales ocupèrent l'Assemblée, jusqu'au lendemain huit heures du matin, qu'on se sépara, avec une indigestion de plaisir.

Mais durant la publique joie, DÉLIÉE n'est pas sans inquiétude. Elle profite d'un instant de liberté, pour s'échaper en chaise-à-porteurs. Elle arive à la maison paternelle, où personne n'était resté que la Cuisinière. Elle envoie chèrcher un Sèrurier par cete Femme, & fait crocheter la chambre dont sa Maman avait emporté la cléf : dès qu'elle se vit seule, elle ouvre une armoire où... le pauvre *Friponet,* après avoir passé la nuit dans la baignoire, s'était mis en double : il était évanoui, peut-être mort : DÉLIÉE, au desespoir, eut recours à des cordiaux dont elle s'était munie fort heureusement : le Comtois respirait encore. Mais coment le faire évader? il ne pouvait se soutenir : la Belle se ressouvint du trait de cete Fille de Charlemagne, qui se nomait *Gisèle,* je crois; elle chargea son Galant sur ses épaules, & quoique son corps délicat pliât sous le pesant fardeau, elle eut la force de le porter jusque dans une chambrète au cinquième, & de le mètre dans son lit. Elle descendit ensuite à la Cuisinière, & le lui recomanda. Mais à-peine elle a fini, que Maman *Cocus* arive. Elle réprimanda sa Fille, & l'embaras de DÉLIÉE confirma ses doutes :

— *Vous êtes fine, mais téméraire,* lui dit-elle : je ne vous demande aucun éclaircissement ; je me les serais peut-être procurés, si j'avais voulu : je desaprouve fort votre conduite ; elle me fait soupçoner que je suis votre dupe depuis longtemps. Prenéz garde, ma chère Fille ; à-présent, des ieux sévères, atentifs vont être ouverts sur toi ; leurs regards seront d'autant plus dangereus, que jamais la prudence n'en tempérerait les odieuses surprises : aulieu qu'une Mère... J'aimerais mieux être ta Confidente, que de te voir deshonorée. Règle ta conduite là-dessus : de la prudence, je te le répète, du-moins jusqu'à trente ans. Fais avec la Famille de ton Mari, leurs Conaissances & les nôtres, come madame *De-Staal,* qu'on ne voie de toi *que le buste.*
Elle la renmena sur-le-champ, & fit ensorte, qu'en les voyant rentrer toutes-deux, on les crut sorties ensemble.

A son retour chés elle, Ma^me^ *Cocus* monta vers *Friponet,* & lui fit tout avouer. Malgré ses torts envers elle, cete Dame en eut pitié ; car il était fort mal ; elle lui procura tous les secours dont il avait besoin : durant une convalescence aparente, elle eut l'art de s'en emparer tout-à-fait, autant par les menaces que par les caresses. Mais elle ne doit pas en profiter longtemps : le séjour dans l'armoire, où DÉLIÉE s'est vue forcée de l'enfermer, & de le laisser plus d'un demi-jour, avait produit de trop funestes éfets.

XVIME CHAPITRE.

Visites.

IL est d'usage, presque dans toute l'Europe, que les Nouveaux Épous rendent Visite à ceux qui les ont honorés de leur présence le jour des Noces : cete coutume est fort polie, & j'y trouverais peu de chose à reprendre, si la Mariée ne donait & ne recevait pas un milier de baisers; il semble que cela n'est pas décent, & qu'elle perd trop vite par-là cete aimable timidité de Fille, ce non-usage qui tiènent de si près à la vertu. Quoi qu'il en soit, ce n'est pas l'avis d'un Beaunois qui fera changer un usage, & tout ce que je pourai faire un jour, ce sera d'empêcher cet abus parmi ceux qui dépendront de moi.

Le jour des Visites de DÉLIÉE & de SOTENTOUT est arivé : Deux beaux Remises atendent, l'un, les Nouveaux-Mariés; l'autre, Papa & Maman *Sotentout,* qui veulent présenter leur Fils & sa Femme à leurs Protections. J'apèle ainsi les Secrétaires, les Intendans des grosses Maisons, & jusqu'aux Valets-de-chambre, qui font avoir la pratique de leurs Maîtres & Maitresses, moyénant certain bénéfice. DÉLIÉE, richement parée, la gorge ombragée d'une gerbe de fleurs, vole se faire admirer, recevoir des éloges intéressés, & s'exposer à ces petites licences dont je parlais tout-à-l'heure, qui, mal-à-propos, semblent permises à tout le monde dans les comencemens de mènage. Les premiers pas furent pour les Oncles, les Tantes & les autres Parens, dont on a vu les noms à l'article des menuets, dans le précédent *Chapitre :* ensuite on ala chés les Protections : enfin chés les Amis, & les petits Parens. Voici les Visites les plus intéressantes.

Le premier Protecteur chés quî l'on descendit, se nomait Mr *Ventru*; c'était le Maître-d'hôtel & l'Home-de-confiance d'un Duc. Cet ample Personage, dont la face bourgeonée afichait une vineuse intempérance, étoufa quasi DÉLIÉE, en lui voulant apliquer sur la parole deux grosses lèvres bleues. La Belle tâchait d'esquiver; mais sa Bellemère lui fit entendre qu'il ne falait pas de bégueulisme. Elle se rendit à cete remontrance, qu'apuya SOTENTOUT.

La 2de Visite fut pour Mr *Sarangeant,* grand Home sec & fièr, Intendant d'un Prince : il reçut les Mariés dans une sale basse. Mais tandis que l'on prenait un air-de-feu, il s'empara de ma^me DU-COEURVOLANT, & la pria de monter un instant dans son cabinet.

— Quel meurtre, mon Ange, lui dit-il, en ravissant un baiser, que vous soyiéz à ce Mâgot-là! je l'ai dit à Ma^me *De-Galanvile*; si l'on eût eu moins de précipitation, j'avais un Parti... mais il n'y faut plus penser... En-vérité, ma Belle, vous méritiéz un Prince... Ditesdonc? je crois que je pourais vous présenter?... Venéz.

Il la conduisit dans une Pièce comode, après avoir averti les Parens de l'honeur qu'ils vont recevoir dans madame DU-COEURVOLANT. Le Prince n'était pas visible : *Sarangeant* le savait bién : mais son but était de prendre des libertés. DÉLIÉE le regardait en-dessous, & se défendait : dans le débat, elle sent que son doigt enfile une bague; la beauté du diamant l'éblouit; elle devint douce come une petite brebiète. Le temps pressait; on convint de se revoir sous peu de jours. *Sarangeant* ramena la Belle dans la sale, le vermillon de l'honeur sur les joues : il y reçut les remercîmens de PLACIDE-NICAISE SOTENTOUT, pour toutes ses bontés & son riche cadeau.

De-là, le Papa & la Maman conduisirent leur Fils & leur Bru chés le Secrétaire d'un Home tout-puissant, leur meilleure Pratique. M.r *Protectionet* sortit de son apartement tout boursouflé, jouant l'Home acâblé d'afaires : mais à-peine eut-il jeté les ieux sur DÉLIÉE, qu'il se dérida; ses traits s'adoucirent; il l'aborda d'un air afable, poussa la politesse jusqu'à dire de choses fort gracieuses à M.r *Sotentout*, à Mame *Agnès-Pudentine;* & surtout il caressa le Mari. Ensuite le Secrétaire ne se gêna pas plus que *Sarangeant*; il mena DÉLIÉE dans une autre pièce, après avoir chargé quelqu'un de le remplacer auprès des SOTENTOUT.

— *Coment donc, ma belle Poupone, vous êtes à croquer!... ôtéz un peu ce bouquet-là... Quel océan de blancheur!... ce bras est parfait... je veux orner ces ravissans apas.*

Un colier de diamans, & des brasselets avec un chifre

en pierres fines, succédèrent à d'autres moins riches qu'avait madame DU-COEURVOLANT.
— *La main... voyons... Divine!... un piéd mignon... Ne remètéz pas encore votre gant. Je veux ajouter cete bague... à celles que vous avéz... J'aime votre Famille, votre Mari... A-propos le M*** va faire habiller sa Maison; c'est de l'argent comptant... Que vous êtes apétissante!* (des libertés) *Je ferais tout pour vous... oui, Mignone,... je ferais tout pour vous.* (DÉLIÉE craint le chifonage) *Éh! n'apréhendéz rién.* (Elle se défend) *Est-ce tout-de-bon que vous me refuséz des misères!... Une autre moins sévère me persécute pour la pratique.*
Cete menace épouvanta la Belle; elle permit un-peu, & promit beaucoup. *Protectionet* content, la rendit à sa Compagnie, & répéta ce qu'il venait de dire des fournitures à faire pour son Maître. On le remercia : mais les présens, que DÉLIÉE montrait à PLACIDE-NICAISE, firent sauter de joie le sotissime Mari; cela lui parut du meilleur augure pour le succès de leurs afaires. Quant à Ma^me^ *Agnès-Pudentine,* elle ne savait trop que penser, & trouvait qu'on alait bién vîte en besogne : cependant le panier de sa Bru & le reste de sa parure la tranquilisèrent.

En quitant l'hôtel du M***, on alla chés quelques Particuliers, dont l'un prenait une liberté, l'autre une autre; DÉLIÉE fesait si peu la bégueule, que sa Bellemère la pria de la faire un-peu; en voici l'ocasion : L'on était chés Mr *Cornu,* où l'on dîna; toute la Cousinaille *Cornue* la *lèchait* avec si peu de retenue, que Ma^me^ *Sotentout* lui fit entendre que les fréquens baisers gâtaient le teint. Une aussi bone raison eut son éfet, du-moins à l'égard des Indiférens.

Après le dîner, l'on se rendit à l'Hôtel du Marquis d'****, pour saluer un Valet-de-chambre, *factoton* de ce jeune Seigneur. *Frisard* (c'est le nom de cete Protection) était un grand drôle bién tourné, qui ne déplut pas à DÉLIÉE. Il parla d'abord de ce que devait M.r le Marquis; & come il le savait en fonds, il voulut profiter de l'ocasion pour lui présenter M.r *Sotentout,* Ma^me *Sotentout,* & M.r PLACIDE-NICAISE SOTENTOUT, leur Fils. Il conseilla, par manière d'avis amical, de ne pas lui montrer DÉLIÉE.

— *C'est un Jeune-home un-peu libre.*

On aplaudit à cete idée, & la nouvelle Épouse resta seule; le Marquis, Jeune-home aimable, & d'ailleurs éperdûment amoureus d'une belle Persone de sa condition, n'était pourtant pas à craindre; il reçut très-bién les trois SOTENTOUT, les fit asseoir, & dit à *Frisard* d'aler chèrcher le montant de leur Mémoire. L'adroit Valet-de-chambre, en chemin, rentre vers DÉLIÉE; lui débite à-la-hâte mille douceurs; l'assure qu'il la servira en tout, & met quelques apas au pillage. La Belle fesait des petites représentasions, mais si petites... *Frisard* répondait :

— *Bon, bon, vous avéz un Mari qui s'en permet à-présent bién davantage! laisséz la sagesse aux Filles, qui doivent craindre les conséquences.*

— Mais, repliqua DÉLIÉE, mon Mari est mon Mari.

— *Ét moi, je suis votre Amant : lequel vaut le mieux, Poulète adorable?*

— Je ne veux pas d'Amant!

— *Vous êtes trop jolie pour cela!*

DÉLIÉE sourit : le Galant la baise *en-godinète,* & court

achever sa comission. Il ramena les SOTENTOUT, qui charmés d'avoir leur argent, recomandèrent en *chorus* à la Nouvelle-épouse d'avoir bién de la considération pour M.r *Frisard.* DÉLIÉE répondit modestement, qu'elle s'y trouvait toute disposée. Ce qui fut dit avec un regard obligeant, que le Galant remarqua.

Enfin, (& c'est ici la dernière visite essencielle) on ala chés un jeune Robin, dont le *Toutout* est un Secrétaire-laquais. Mais ce n'est pas à ce *Toutout,* nomé *Pillensac,* que l'on rend visite, c'est à son Maître : il est prévenu, & doit se trouver chés lui : (ce Robin est le donateur de la jolie maison de Ménil-montant) : Come on a dévancé l'heure, on fut obligé de l'atendre un-moment. *Pillensac,* pourvoyeur des bones-fortunes, présentateur des jolies Solliciteuses ne conaissait pas DÉLIÉE ; il fut ébloui de sa beauté ; son silence, son atitude, les traits de son visage, sa bouche entr'ouverte, le feu de ses regards, tout exprimait son admiration : mais il se dit avec chagrin, que son Maître fesait lui-même ses afaires : il se piqua.

— M.r *Du-Décidantin?* dit Papa *Sotentout.*

— Il va rentrer, répondit *Pillensac ;* en l'atendant, passéz dans la sale.

Il considérait toujours DÉLIÉE, & la dévorait des ieux. Son Maître arive.

— Messieurs *Sotentout* & Mesdames leurs Femmes.

Le Robin, de la porte de son cabinet, lorgne la Nouvelle-mariée.

— *Elle n'en est que plus belle.*

Il s'avance.

— *Éh! bon-jour mon cher M.*[r] Sotentout, *bon-jour mon Enfant! Voila madame votre Femme, je crois? Coment vous en va, ma chère madame* Sotentout?... *Je vous félicite sur votre mariage, M.*[r] SOTENTOUT : *l'Épouse est charmante!... que je vous embrasse... Asséyéz-vous donc, M.*[r] Sotentout! *Que ce bel Ange va vous rendre heureus!... C'est, vous le savéz, la Fille de mes meilleurs Amis... Vous permètez, M.*[r] SOTENTOUT? (Il dérobe encore un petit baiser.)

— Bién de l'honeur, Monsieur, répond *Agnès-Pudentine.*

L'ordre était doné de servir une colation, & c'était l'heure de l'accepter : durant les préparatifs, le Robin fit voir à la Compagnie un cabinet de curiosités naturelles : tandis que les SOTENTOUT admirent, *Pillensac,* instruit par un coup-d'œil de son Maître, guide la Jeune-épouse à l'écart, & reviént aussitôt remplacer le Robin, auquel il remet la cléf de la pièce où la Belle s'est enfermée, sous un prétexte raisonable : *Du-Décidantin* profite habilement de l'ocasion. La belle DU-COEURVOLANT fut charmée de ce tête-à-tête, dont elle espérait beaucoup. En-éfet, l'entretién fut lucratif; car on lui fit présent de boucles d'oreilles très-riches, de nœuds garnis de brillans pour orner son piéd mignon, & de boucles d'un nouveau goût, pour le même emploi. Ces cadeaux demandaient de la reconaissance; les nœuds sur-tout charmaient DÉLIÉE; le Robin les lui essaya : les apas qu'il touche portent un feu dévorant, qui se comunique de ses doigts à son cœur; il est hors de lui-même; ses ieux pétillent; il ne sait ce qu'il fait : DÉLIÉE voit son ouvrage, & s'en aplaudit. Il y avait entr'elle & le

Robin un acord tacite : les obstacles étaient levés par le mariage; le Galant le dit, & s'en prévalut... Ensuite, il ramena la Nouvelle-épouse, & l'on goûta des friandises qui sont sur la table. Une afaire apelait M.r *Du-Décidantin;* il se déroba, non sans avoir fait promètre à DÉLIÉE de le voir souvent. Pour que cet arangement ne fût pas entendu, sous quelque prétexte, le Robin l'avait atirée dans une pièce voisine, & *Pillensac* fesait le guet de-peur de surprise. Lorsque le Maître fut parti, le Secrétaire-laquais fit passer la Belle plus loin; là, son crédit sur son Maître fut étalé, ses prétensions exposées. DÉLIÉE le rebute; il se fâche, & réduit cete hautaine Beauté à demander capitulation, pour s'en débarasser. *Pillensac* étendit les articles le plus qu'il lui fut possible, & remit ensuite la chaste Épouse entre les mains de sa Famille, dont il reçut mille honêtetés. A-la-vérité, Mame *Sotentout,* qui trouva sa Bru un-peu fripée, fesait grise-mine, mais en-dessous : & puis le panier!...

On rendit encore quelques Visites indiférentes; & l'on n'ariva que fort tard à la maison de M.r *Cocus,* où se trouvait grande Compagnie à souper. Ce fut-là que DÉLIÉE, parée de tous les présens qu'elle avait reçus, éblouit par son éclat toutes ses Égales. On lui dona mille éloges; elle porta le desordre dans tous les cœurs, tant les Visites du jour avaient rendu son air lutin & provocant. Quelques Acariâtres pourtant, voulurent trouver mauvais, mais tout-bas, que Mame DU-COEURVOLANT portât sur elle en bijoux, une some capable de raporter gros dans son comerce; elles citèrent beaucoup de Nouveauxmènages culbutés par-là. Mais quelqu'un leur fit entendre, que c'était bon pour des Gens qui n'étaient pas foncés come les *Cocus* & les *Sotentout;* pour de petits Marchands *à-crédit,* qui s'obèrent par le luxe qu'ils croient devoir les soutenir, &c. Ces considérations les remirent, & sans-doute on n'eût rién dit, si l'on avait su que le plus chèr bijou ne coûtait quasi *rién.* Quant à PLACIDE-NICAISE, il savourait l'encens qu'on prodiguait à sa jolie Moitié : très-permis sans doute; mais lorsqu'ils furent seuls, il ne manqua pas de lui faire part de tout ce qu'il avait entendu de flateur; & je ne sais s'il agit prudament : DÉLIÉE pouvait lui faire des confidences beaucoup plus curieuses : elle s'en garda bién; pour certaines choses, les Femmes sont la discrétion même, sans être obligées, comme les *Jafoles* (2), de tenir de l'eau dans leurs bouches.

XVII.ME CHAPITRE.

Trantran.

PLUS d'un Lecteur, en lisant le précédent *Chapitre,* aura senti s'élever une tendre compassion pour la belle DU-COEURVOLANT : Mais qu'on se tranquilise; la tendre Poulète a bién dormi, & tout est réparé. Nous alons à-présent considérer la conduite de DÉLIÉE, ou le *trantran* de son Mènage *inglobo;* & nous descendrons aux détails dans les *Chapitres* suivans.

Ce n'est qu'après les Visites rendues, que les Nouveaux-Époux se regàrdèrent come instalés dans leur domicile, rue *des-Singes :* les Fêtes sont passées; le tour des Invitations périodiques viént de finir : l'on est tranquile. Ma^me *Sotentout* fait une garde exacte, & suit par-tout sa Bru; papa *Sotentout* est fou de sa Bellefille; il a pour elle l'empressement d'un Galant, & lui ravit à la dérobée mile petites faveurs : passe, *ç'a n'sort pas d'famille,* come on dit à Beaune. PLACIDE-NICAISE, éperdûment amoureus, parceque sa jolie Moitié sait se faire valoir & n'acorde presque rién, vu qu'elle n'est pas afamée, PLACIDE-NICAISE est la complaisance même : si ses prévenances étaient moins gauches; si toujours elles n'étaient pas hors de propos, il pourait être suportable, malgré sa laideur & ses jambes à la parentèse; mais il n'est qu'importun & rampant. *Cuculis* ne laisse guères passer de jours sans venir chés sa jeune Maitresse : il aporte et remporte le bonjour & le bonsoir; (car si M.r & Ma^me^ *Cocus* n'y songent pas, il a soin de les y faire penser). Ma^me^ *Agnès-Pudentine* ne se défiait pas de ce Morveus; d'ailleurs, elle guètait une intrigue, & non des coups-fourés, dont elle croyait sa Bru très éloignée; elle laissait donc l'enfant *Cuculis* dans l'apartement de la jeune Épouse, & le petit Fripon savait profiter de la sécurité qu'il inspirait. Quant à l'infortuné *Friponet,* on l'a mis à l'épinète chés Ma^me^ *Cocus :* il est cruellement puni d'avoir été trop heureus!

L'on se rapèle tout ce qui s'est passé le jour des Visites. Dès le surlendemain, l'on vit entrer M.r *Protectionet.* Il choisit, achète considérablement, paye sans marchander, fait mille complimens à DÉLIÉE, & lui demande tout-bas un moment de particulier. La belle DU-COEURVOLANT se lève, monte à son apartement, & *Protectionet* lui done la main. Mais *Agnès-Pudentine* songe alors malheureusement à l'honeur de son Fils, & se hâte de les acompagner. Sa présence dérangea tout. *Protectionet* enragé, *fait ses cinq sens de nature* pour éloigner la vieille Incomode; il n'y réussit pas. Mais en sortant il eut l'adresse de dire à DÉLIÉE, sans être entendu...

— *Venéz donc me voir! j'ai des arangemens à prendre avec vous.* Depuis cet instant, la Belle chèrcha des ocasions pour s'échaper, sans se comètre avec

Ma^me^ *Sotentout,* & sur-tout avec Maman *Cocus.* Nous verrons dans peu les moyéns qu'elle trouvera pour contenter tout le monde.

Les Persones que l'on voyait à la maison, avec quî DÉLIÉE vivait pour ainsi-dire, sous les ieux d'*Agnès-Pudentine,* étaient l'Ami dont je viéns de parler, le *Robin* donateur, *Sarangeant, Ventru, Frisart,* & même *Pillensac :* peu de Femmes; DÉLIÉE voulait recevoir seule tous les homages : on en remarquait néanmoins deux chés elle, pour l'ordinaire; l'une était Ma^me^ *Fourète,* blonde fade dont j'ai parlé, Épouse d'un Home-de-loi; l'autre une dame *Toutacord :* je ne dis rién d'une certaine *Potamon,* Avignonaise, parce que ce ne fut qu'à la passade. Une troisième y paraissait aussi quelquefois, mais elle était peu goûtée; elle s'apelait *Mélanie,* & venait d'épouser un Mr *Quillenpoche,* marchand-de-bois fort riche : c'était une Jeune-persone bién élevée, laborieuse, économe. Quoique ces trois Parisiènes tînssent peu à DÉLIÉE, je crois qu'il ne sera pas hors-de-propos d'esquisser leur portrait dans le *Chapitre* suivant : l'on aura par ce moyén, l'à-peu-près de toutes les Femmes de la Capitale; avec quelques nuances plus claires, plus délicates, on poura faire une Duchesse, une Marquise, une Robine; en grossissant, ou *charbonant* les traits, l'on aura les Femmes de la Populace : & voila quel est l'avantage de prendre ses Héros dans l'étage du milieu : mais qu'on ne m'en fasse pas un mérite; un Beaunois ne saurait voler plus haut.

Dans le gouvernement de sa maison, l'on n'avait point ou peu de reproches à faire à DÉLIÉE; elle paraissait reservée; quoiqu'afable & gracieuse pour les Pratiques : Persone ne réussissait come elle à doner du prix à la marchandise ; pour la faire trouver belle, séyante, elle mètait un bout de l'étofe sur son bras, & ce talisman la changeait de nature, c'était la ceinture de Cipris. Ma[me] DU-COEURVOLANT était mènagère jusqu'à la chicherie dans tout ce qui regarde les dépenses nécessaires, come la nouriture, le bois, &c ; mais elle prodiguait pour sa parure, pour ses aises (& c'est assés l'usage.) Lorsqu'on recevait du monde, elle fesait les honeurs avec une entente qui la rendait adorable. Cependant en Public, la Belle n'avait des ieux pour aucun Home, pas même pour son Mari ; sans-doute pour ne point faire de jalous. Ses louanges étaient dans toutes les bouches ; & Ma[me] *Cocus* transportée du bién qu'elle entendait dire de sa Fille, la mangeait de caresses. Cette Mère prudente l'admirait d'autant plus, qu'elle soupçonait quelque chose du *très-fond.* Une Femme vertueuse est décente sans mérite ; elle l'est naturèlement : mais une Voluptueuse, une Coquète, qui ne s'écarte en rién, ne se trahit jamais, est un modèle à citer à toutes les Femmes, & son adresse ne peut être assés prônée.

PLACIDE-NICAISE ne se conduisait pas avec autant de bonheur : depuis qu'il est marié, qu'il a pris du goût pour la Littérature, & sur-tout pour la Poésie, il se cassait la tête à vouloir *auteuriser, conaisseuriser, amateuriser.* Je dirai plus bas come il réussit à se ridiculiser aux ieux des Esprités, à quî notre Société rendait bién leurs mépris. Il se comportait envers sa Femme aussi *sotement* qu'envers le Public, (ce qui n'est pas un blâme que je fais de sa conduite) & leur manquait à tous les-deux par le fond & par la forme. DÉLIÉE le fit entendre assés clairement un jour, pour sa partie : Ma^{me} *Fourète* parlait des Sigisbées d'Italie; de la coutume établie chés les Nègres de la Côte-d'or, que la seule *Muliere-grande* & la *Bossum* soient fidelles, les autres ayant droit de se choisir un Amant, sans que le Mari puisse y trouver à redire (3) : Ma^{me} DU-COEURVOLANT répondit en riant, qu'on aurait fort besoin de ce secours, avec certains Maris. Là-dessus Ma^{me} *Toutacord* parla du procès d'une Dame de la rue *Troussevache,* qui voulait faire casser son mariage, non pour impuissance, mais pour insufisance. SOTENTOUT qui sentit qu'on *jetait des pierres dans son jardin,* se retira tristement, & fut réfléchir en lui-même sur ce qu'il faudrait faire, pour contenter sa Femme, & prévenir un scandaleus divorce : il ne se présenta rién à son imagination, si ce n'est ce fameus couplet du Duc De-la-Ferté se racomodant avec la Duchesse son Épouse :

> Je sens pour vous renaître dans mon âme
> Tous les transports d'une amoureuse flâme,
> Mais
> Si vous n'étiéz pas ma Femme,
> Vous ne la seriéz jamais.

Une singularité, digne d'être citée; c'est que pour la première fois il ne consulta pas sa chère Mère. Il s'adressa pour des Avis à ce Mr *Lenfilade,* qui croit DÉLIÉE une Ingénue : c'était *se confesser au Renard;* car ce Lenfilade était un fin Matois, que le dépit & le regret avaient éloigné de la Belle, mais qui brûlait de revenir. L'on verra biéntôt come il s'y prit pour faire des remontrances à la jeune Épouse.

DÉLIÉE, qui chèrchait des prétextes honêtes pour *bouder* son Mari, s'avisa de feindre de la jalousie : elle se plaignit à sa Bellemère, que M.r SOTENTOUT la négligeait. *Agnès-Pudentine* fut d'abord charmée de cete altercation qui lui donait la confidence de sa Bru, ce qui marquait (suivant la bone Dame) un comencement d'inclination pour son Fils. DÉLIÉE ajouta, que la cause des froideurs de M.r SOTENTOUT, était une passion pour Ma^me *Fourète,* dont il était coîfé.

— Lui! Ma^me *Fourète,* répondit la Bellemère : ah! ma chère Fille, celle-là come toute autre; il n'est pas assés dégourdi : d'ailleurs il vous adore. Voyéz assidûment cete Dame; c'est le meilleur moyén de vous convaincre que votre soupçon est mal fondé. C'était ce que DÉLIÉE demandait : d'après ce qu'elle savait de la petite *Fourète,* elle sentit que son intimité serait d'un grand secours dans l'ocasion; ce n'est pas qu'elle se proposât de lui doner toute sa confiance; Ma^me DU-COEURVOLANT est trop sage pour ignorer que les Comères & les Amies ne doivent jamais tout savoir; une brouille, un mot échapé, que sais-je? un rién, peuvent exposer, faire perdre le fruit de mille précautions, & porter le trouble dans le Mènage.

XVIII.ME CHAPITRE.

Amies.

J'AURAIS pu choisir entre deux autres termes, *Conaissances* ou *Complices;* mais l'un est trop général, & l'autre ne convient qu'à deux des trois Femmes nomées dans le *Chapitre* précédent.

Madame *Fourète* est une Indolente qui grasséye, & traîne ses mots : son action est aussi lente que ses discours; mais elle a trouvé le secret de la rendre voluptueuse : elle est absolument sans principes; dans le tête-à-tête elle ressemble aux Tripolitaines; dès la première entrevue, elle ne se done pas la peine de se défendre, & laisse prendre par nonchalance, ce que les belles Africaines accordent par tempérament. Elle exige pourtant du respect, des égards, mais devant le monde seulement; elle soufre tout ce que l'on veut dans le *duo*. Un jour, certain Adorateur de ses charmes, nomé *Durenroches,* qui devait la mener à la promenade, laissa passer l'heure de beaucoup; Ma^me^ *Fourète,* en le voyant ariver, lui dit en grasséyant avec mignardise :

— *Est-ce que l'on fait atendre une jolie Femme?*

— Une jolie Femme, toi! répond le grossier *Durenroches :* ah! raye ç'a de tes papiers.
Cete maussade réponse, n'empêcha pas la Belle de sourire. Elle est libre en paroles, & non moins en actions : on l'entend demander des nouvelles de privautés amoureuses, come on s'informe d'un repas ou d'une promenade; répondre aux poliçoneries avec un merveilleus sens-froid; & lorsqu'on parle des *tables Parrhasiènes,* se hâter de dire, avec son genre d'ingénuité,
— *Pour celui-là,... je le sais.*
Je m'arête : le portrait de cete Femme, dans ce que je néglige, ressemble à la suivante, qui fut son Élève.

Ma[me] *Toutacord* est grande, un-peu trop sèche; mais jolie, & sachant se mètre avec goût. Son Mari, Graveur célèbre, est un honête-home, d'une figure aimable, de mœurs douces & pures, qui adore sa Moitié, dont il a pour-ainsi-dire fait la fortune. (La chimère de tous les cœurs portés à la tendresse, c'est qu'en donant la reconaissance pour base à l'Amour, dans l'âme d'une jolie Fillète qu'ils tirent d'un état audessous du leur, ils seront plus aimés, plus heureus. C'est une erreur digne d'un Beaunois, qui n'aurait jamais été seulement jusqu'à Dijon. Aprenéz, messieurs les Maris, ce que j'ai deviné, moi qui ne suis qu'une bête : Une Fille votre égale, élevée pour l'état que vous lui donneréz, par une Mère qui avait reçu la même éducation, doit avoir précisément les mœurs de cet état; l'économie, la décence propre à votre condition &c : aulieu que votre Fillète d'un rang audessous, élevée par une Mère qui n'en conaît pas le costume, est sujète, après vous avoir épousé, à ne savoir quelle contenance tenir; & come la vanité d'une pareille Femme doit toujours l'emporter sur sa modestie, elle ne manquera pas de prendre un ton à faire moquer d'elle : éblouie par l'aisance à laquelle elle ne s'atendait pas, elle croira votre fortune inépuisable, & ne la mènagera guère : Persuadée que tous les ridicules sont des grâces, & le ton qui conviént dans son nouvel état, elle prendra tous ceux des conditions supérieures, & ne s'apercevra jamais de ses écarts, ni du point où il faut s'arêter : si vous la reprenéz, elle croira que c'est mépris, ou reproche de vos biénfaits : à la moindre chose, d'après cete idée, elle vous *boudera,* se vengera, jusqu'à l'*aigrète,* très-inclusivement, dont elle vous panachera, mais avec plus d'impudence cent fois que votre Égale, qu'une Femme retenue par les égards qu'elle se doit à elle-même, par son respect pour une Mère, pour toute une Famille qu'elle aime, ou qu'elle craint). Ma^me^ *Toutacord* en entrant en mènage, ne pouvait plus frayer avec les Amies de quand elle était Fille, ni s'en doner tout-d'un-coup d'autres, qui fussent convenables; elle se vit absolument isolée : d'abord son Mari lui sufit; mais biéntôt cete petite Tête vide, que sa beauté rendait vaine, légère; dont l'éducation négligée n'avait fait naître le goût pour aucun des arts agréables, pas même pour la lecture (4), cete petite Tête eut besoin d'autres amusemens : n'ôsant rechèrcher les Homes, elle vit des Femmes, & la première ce fut Ma^me^ *Fourète,* qui parut d'abord assés reservée; ensuite *Mélanie* qui sentit combién elle était mal appariée; mais qui par amitié pour le Mari, dont elle était Parente, se proposa de former insensiblement la Femme; sans-doute elle y eût réussi, dans les comencemens, où l'âme de Ma^me^ *Toutacord* était encore une table rase, come s'expriment les Métafisiciens : la *Fourète* elle-même, naturellement sans volonté, serait peut-être devenue nonchalament vertueuse, aussi-bién que toute autre chose. Mais un incident non-prévu va tout renverser : une Cousine de Ma^me^ *Toutacord* arive d'Avignon sa Patrie, avec l'esprit libertin, le cœur corompu des Femmes d'un Pays chaud lorsqu'elles sont mal élevées; cete Parente qui se nome *Pélagie Potamon,* voulut mètre la maison sur un ton de liberté dans les discours & dans les actions; ce ton fût goûté par Mesdames *Toutacord* & *Fourète;* vainement *Mélanie* voulut combatre cete indécence; on lui fit entendre de rester chés elle. La confiance de Mr *Toutacord* dans sa Femme ne lui permètait pas de faire atention à ces *minucies.* L'usage devenu général, parmi les Gens aisés, est de rendre aux Femmes la vie agréable, & de semer de fleurs tous leurs instans, de tout raporter à elles, de les regarder chés elles come de petites Divinités, qui ont un culte & des autels, où fume l'encens ofert par les Homes; de considérer les Maris come les Gardiéns chargés d'entretenir le temple & de fournir les victimes des sacrifices : je ne blâmerais pas cet usage, s'il rendait heureuses les Idoles; mais peut-on l'être, hors de la nature, qui veut une subordination raisonable!... Pour achever son ouvrage, la *Potamon* enmena sa Parente & son Amie passer trois mois, les plus rians de l'anée, en Provence. Ma^me^ *Toutacord* en revint méconaissable : le Mari vit alors son imprudence; mais il n'était plus temps. Biéntôt après, elle eut une cour régulière de Galans que le Mari fut obligé de traiter. *Protectionet* était du nombre; mais il quita Ma^me^ *Toutacord* pour Ma^me^ DU-COEURVOLANT. Depuis le voyage de Provence, la Femme du Graveur se permètait les discours les plus libres; on ne pouvait plus l'amuser que par des pointes ordurières, des mots à double-entente : si le hasard présentait quelqu'inscription, quelque légende, dont les iniciales prêtassent à la poliçonerie, elle se fesait un mérite de les expliquer de la manière la plus intelligible : telle est celle-ci, qu'elle lut sur un service en vaisselle-plate chés son amie *Fourète :* T. Q. M. F. *Térèse-Quentine-Marie Fourète,* & qu'elle interpréta sur-le-champ come l'aurait pu faire un Grenadier. A-la-longue, son Mari ouvrit les ieux, & reconut qu'il était de la grande Confrèrie : il gronda; l'on répondit; ils se séparèrent; & quelques semaines après, Mr *Toutacord* étant alé pour se *repatrier,* il trouva sa Femme dans les bras d'un Galant. Il prit le parti de la renmener chés lui, pour être au-moins à-portée de s'oposer. Mais tous les jours, Madame sort en voiture, & ne rend pas compte de ses démarches. Que les Nègres *Mandingos* ont bién raison d'épouvanter leurs Femmes par la crainte du *Mumbo-Jumbo!*

— Éh! qu'est-ce que *Mumbo-Jumbo?* me dira-t-on. C'est une Statue d'osier, haute de sept à huit piéds, revêtue d'une longue robe d'écorce d'arbre, avec un bonèt de paille sur la tête : un Marbut ou Prêtre entre dans le corps de cete Statue, & par le moyén d'un espèce d'éco formé par la concavité, ce Marbut lui fait pousser des cris éfrayans & lugubres à certaines heures de la nuit. Quand les Femmes sont en querelle avec leurs Maris, l'on s'adresse au Ministre du *Mumbo-Jumbo,* qui décide toujours le différend en faveur de l'Home. Il n'y a dans l'habitation, que quelques Anciéns qui soient instruits du secret, & les Iniciés font serment sur leur vie, de ne jamais le révéler aux Femmes. On assure qu'en 1727, un Roi de *Jagra,* (petit Royaume de Guinée) eut l'imprudence de le révéler à sa Femme favorite; que celle-ci l'ayant dit à quelques Amies, ces Femmes devinrent intraitables. Aussitôt que les Chèfs de la Nation en furent instruits, ils s'assemblèrent, & le resultat du conseil, fut que le crime du Prince était de la dernière énormité, puisqu'il les exposait tous aux caprices des Femmes, dans un Pays où les passions sont extrêmes, & la crainte de la mort insufisante, sans celle du *Mumbo-Jumbo :* En conséquence, ils portèrent l'Idole au Palais, & firent avertir le Roi, tout despote qu'il est, de venir rendre raison de sa conduite. *Mumbo-Jumbo,* ou le Marbut, lui reprocha son crime, & lui ordona de faire paraître sa Femme : elle se présenta; le Dieu lui fit nomer celles qu'elle avait instruites; on les rassembla toutes, avec les Amies que ces dernières pouvaient avoir éclairées; dès qu'on fut assuré qu'il n'en manquait aucune, le Roi & toutes ces Malheureuses furent poignardés, par l'ordre de *Mumbo-Jumbo.* Éh! que n'avons-nous un *Mumbo-Jumbo!...* Ma-foi, je suis doublement Beaunois de le souhaiter; au train que les choses prènent, il pourait très-bién servir pour les Homes.

La conduite de *Mélanie Quillenpoche* est l'antipode de celle des Dames *Fourète & Toutacord.* Représentéz-vous une Brune aimable, presqu'aussi jolie que DÉLIÉE, dont l'œil vif & doux n'exprime que de la bonté. Élevée par une Mère honête, laborieuse, économe, tous les instans de sa jeunesse furent utilement employés : une oisive indolence n'a laissé jamais sa jeune âme ouverte à ce délire vague, dont la crise est toujours la perte de l'inocence native. Elle avait trois Sœurs, méritantes come elle, & toutes-trois furent toujours parfaitement unies; c'était l'apui qu'elle trouvait en elles qui lui donait le courage de voir Ma^me^ *Toutacord,* & de chèrcher à la ramener : si l'exemple, si les compagnies étaient dangereuses, *Mélanie* se purifiait, pour ainsi-dire, en retournant avec ses Sœurs, & perdait jusqu'aux traces les plus légères du mal qu'elle avait vu. Peindrai-je sa conduite avec son Mari, dans son domestique, envers l'unique Fruit d'une paisible union? Oui : Paris, tout corompu qu'il est, ofre encore de ces modèles. *Mélanie* s'est mariée sans amour : un honête-home de trente ans, l'avait rechèrchée, lorsqu'elle n'en avait que vingt : elle examina tranquilement avec sa Mère, & come s'il se fût agi d'une autre, les raisons qui devaient la déterminer pour Mr *Quillenpoche;* elle ne s'atendit à rién de trop doux; elle prévit les chagrins ordinaires, & s'y soumit d'avance. Lorsqu'elle fut mariée, elle mit tout son bonheur à remplir ses devoirs, à rendre son Mari content de son administration : elle se disait à elle-même : Je vois deux manières de me satisfaire; la première, en suivant ce qui me plaît davantage, sans égard au goût de mon Mari; mais cete manière serait sujète à mille retours fâcheus : la seconde, de n'être contente que par reflet,

c'est-à-dire, par la satisfaction que je donerai; celle-ci demande quelques sacrifices; mais elle est solide, durable, & se sert d'aliment à elle-même : il faudrait être fole pour ne pas la préférer.
Elle était aimée de ses Gens, & quiconque dépendait d'elle, sous quelque raport que ce fût, devenait son admirateur, & plutôt son ami que son Domestique. Mais s'il est un point où elle se surpasse, c'est envers son Fils : cet Enfant, l'objet de ses atentions continues, est conduit par la prudence même; *Mélanie* l'a toujours sous les ieux; sa Mère est la seule persone sur laquelle la tendre sollicitude de Ma^me^ *Quillenpoche* puisse s'en désaisir : avant qu'il ait la conaissance, elle plie sa jeune âme à l'humanité, à la déférence sans bassesse...

Telles étaient les trois Femmes que DÉLIÉE traitait d'amies, & qu'elle voyait assés souvent. Sa raison, un certain sentiment secret la fesaient pancher pour *Mélanie;* mais l'habitude, le goût de la dissipation, le besoin de certains services sont pour la *Fourète* & pour Ma^me^ *Toutacord.*

XIX.ME CHAPITRE.

Coadjuteurs.

A la suite des *Amies,* il est tout naturel de parler des *Amis.* D'ailleurs, avant que de passer au détail des grossesses, je crois à-propos de doner des lumières certaines sur l'origine des aimables Enfans dont Ma^me^ DU-COEURVOLANT doit faire honeur à son Mari.

Pour entrer en matière, disons qu'*Agnès-Pudentine* n'était pas assés *retapée* pour en imposer longtemps à sa Bru : celle-ci pénétra bientôt les motifs de l'atachement excessif que lui montrait sa Bellemère. Dans la vue d'écarter l'Ombre éternelle qui la suivait, & de se procurer quelques instans de liberté, DÉLIÉE trouva moyén d'exciter une petite altercation entre M.^r^ & Ma^me^ *Cocus-de-Galanvile,* & M.^r^ & Ma^me^ *Sotentout.* Dès qu'elle fut censée l'aprendre de son Mari, elle courut chès Ma^me^ *Fourète,* déplorer cete brouillerie.
— Ne dites pas, ajouta-t-elle, que je vais chés Maman; je veux, pour la paix de mon Mènage, que le racomodement viène d'Elle & de Papa, sans que je paraisse les avoir sollicités.
Elle part, en emportant l'admiration de la bone

Fourète (car elle était bone-femme, malgré ses mœurs; sa facilité n'étant qu'une bonté dégénérée); & va... droit chés *Protectionet.*

— Je m'échape avec adresse, lui dit-elle; je n'ai qu'un instant à vous doner.

— Les plaisirs pris à la hâte, répond le Galant, n'en sont que plus savoureus.

On devine ce qui se passa. DÉLIÉE remonte dans son fiacre.

— A la rue *Tireboudin.*

A ce nom, le Cocher, qui ne l'avait pas reconue, lorsqu'elle était sortie de chés elle, parce qu'elle s'était envelopée, pour n'être pas remarquée de sa Bellemère; le Cocher l'examine. C'était ce Cocher luxurieus & bâtoné, dont on a vu l'audacieuse entreprise, dans la *Première Partie;* jeune Drôle bién râblé, d'une figure qui n'aurait pas été sans agrémens avec quelque culture.

— *N'en tâterai-je donc pas,* dit-il entre ses dents! *moi, que tant de friands Morceaux n'ont pas dédaigné, je manquerais le plus fin de tous!*

Il dit, & prenant son fouèt, il en frape à-tour-de-bras ses deux haridèles, qui ne veulent pas démârer. L'on est enfin parti; mais à quelque distance, survint un embaras : aulieu de l'éviter, le Cocher s'y foura. C'en était pour une heure : il descendit de son siége, ouvrit la portière.

— *Nous somes arêtés pour quelque temps, ma belle Dame,* dit-il à DÉLIÉE; *voudriéz-vous me permètre un-moment d'entretién, en atendant que je puisse rouler?*

— Éh! qu'avéz-vous à me dire! s'écrie DÉLIÉE en le reconaissant.

— *Sous cet habit*, reprend le Cocher, *dans cet état vil, ce n'est pas, Madame, un Misérable sans éducation, qui prend la liberté de vous parler : Je me nome* La-Bridenbouche; *je suis d'une bone Famille, & je dois être riche un-jour. Mais une malheureuse afaire... une Fille violée, à ce qu'elle disait, malgré elle... J'étais de la compagnie... Il a falu fuir; mais mon afaire s'arange. En atendant, j'ai cru qu'un Home de ma sorte, serait plus en sûreté sous cet atirail, & dans Paris, que partout ailleurs. Qui s'avisera de venir me chèrcher parmi des Gredins come les Cochers-de-fiacre?*

En achevant ces mots, il entre dans la voiture, lève les portières, & se met aux genoux de DÉLIÉE.

— Mais je vais apeler, lui dit-elle, baissez...

Le Cocher lui tint les discours les plus soumis.

— Au fond, c'est un Home come-il-faut, se dit en elle-même la DU-COEURVOLANT; écoutons ce qu'il va dire.

La conversation ne tarda pas à devenir intéressante; & depuis longtemps l'embaras était dissipé, qu'elle durait encore. Par hasard, deux Mousquetaires sortaient de chés une célèbre *Abéléré*, qui n'avait pu leur doner de Filles, pour aler poliçoner au balcon de l'*Ambigu-comique;* ils se proposaient d'en aler enlever au premier endroit, & trouvant une voiture isolée, ils s'en emparent; tous-deux ouvrent en-même-temps chacun une portière. Leur surprise ne fut pas médiocre, tout Mousquetaires qu'ils étaient; d'abord ils crurent que le Cocher avait une de ces Malheureuses... Ils en riaient, & s'alaient retirer : mais quelle fut leur joie maligne, quand ils entrevirent une Petitemaitresse, dont la figure était la perfection même! Ils font descendre le Maraud, & le remplacent.

— *Au Boulevard.*

DÉLIÉE sentit le péril : se nomer, c'était se découvrir, peut-être en pure perte : paraître en Public avec ces jeunes Étourdis; passer la nuit avec eux! c'était s'exposer davantage encore. Que fera la Belle?

— Messieurs, dit-elle aux deux Jeunes-gens, vous m'avéz-là surprise... dans un tête-à-tête, qui doit vous scandaliser beaucoup : cependant, rién de plus naturel.

— *C'est ce que nous pensons; mais tu n'ês pas la première; nos Duchesses prènent bién leur Cocher, & il en est sans-doute qui ne valent pas ton Galant; le Drôle est quaré!*

— Je vois, Messieurs, combién vous vous méprenéz sur mon compte & sur le sién. Ce Cocher est un Jeune-home de Famille, & mon Amant; une malheureuse afaire l'oblige à se cacher. Permètéz-moi de la discrétion sur le reste. Je suis obligée, pour le soutenir, & pour vivre moi-même, de feindre que j'écouterai quelque jour un vieux Richard, qui dans cet espoir m'entretiént : il me gêne excessivement, au point que nous n'avons pas d'autre moyén de nous voir que celui du carosse.

— *C'est une Manon Lescaut,* s'écrièrent les deux Mousquetaires!

— Vous paraisséz, Messieurs, continua DÉLIÉE, d'aimables gens, des gens d'honeur, de naissance; je ne pourais qu'être charmée d'avoir votre société, si elle ne m'exposait pas.

— *Crois-tu, ma Reine,* reprit un des deux, *que l'on ne*

puisse pas remplacer ton Richard?... Je me nome le Marquis de...; je te déclare que je t'adore; je te propose un joli apartement, & cent louis par mois aux mêmes conditions.

— Éh-bién j'accèpte, repliqua DÉLIÉE, avec une aparente gaîté; mais aux mêmes conditions?

— *Aux mêmes.*

— Je ne regrète plus que mes bijoux; retournons rue *Percée,* où je demeure; vous entreréz avec moi, & nous prendrons ce que j'ai de plus précieus.

— *C'est excélent,* dit l'autre Jeune-home!

— *La Petite n'est pas sote!*

— *Elle est économe; tu fais emplète d'une bone Ménagère.*

— Ce n'est pas tout, continua DÉLIÉE, seule avec vous, je serais honteuse : j'ai une Amie; que l'un de vous l'aille chercher.

— *Bravo!* s'écrièrent les Jeune-gens : *partie quarée! mais nous ne pouvons y aler sans toi.*

L'on se rendit chés la *Fourète.* En sortant de la voiture, DÉLIÉE dit un mot au Cocher, à quî tout ce qu'il voyait fesait très-mal au cœur, pour lui recomander la discrétion la plus entière : l'on monte au premier; la Belle frape avec précipitation. Un des Galans de la *Fourète* vint ouvrir. DÉLIÉE introduisit ses deux Ravisseurs dans le salon, où ils trouvèrent trois Femmes charmantes, *Mélanie,* Ma^me^ *Toutacord,* & la Maitresse de la maison.

— Je reviéns, mon Amie, dit Ma^me^ DU-COEURVOLANT, avant d'avoir rempli mon objet. Ces Messieurs m'ont sauvée du plus grand danger; unisséz-vous à moi pour les en remercier. (*A demi-voix aux Mous-*

quetaires.) Je vous ai trompés; mais si vous êtes ce que votre air anonce, vous vous retireréz sans vous en venger.

Mélanie avait déja pris la parole; elle remerciait les Jeunes-gens dans des termes si honêtes, si polis, qu'elle les pénétra d'estime, & qu'ils sortirent en respectant cete dernière, autant qu'ils admiraient la finesse de DÉLIÉE. Quand ils furent descendus, les Mousquetaires, persuadés que *La-Bridenbouche* est un Home *come-il-faut,* lui firent un présent, & lui dirent de leur rendre visite sous un habit honête. Leur but était de le servir, & de gagner par ce moyén la biénveuillance de *Mélanie,* de DÉLIÉE, & même des deux autres. On verra combién cete rencontre fut heureuse pour *La-Bridenbouche.*

Ce fut six semaines après son avanture avec le Cocher-de-fiacre, que Ma[me] DU-COEURVOLANT s'aperçut d'un petit dérangement dans sa santé: c'était un comencement de grossesse. Cet état ne mit pas de frein à sa passion dominante, l'envie de plaire & de faire des Conquêtes. L'on sait que sa cour est déja composée de *Protectionet,* de *Sarangeant,* de *Ventru,* de *Frisart,* du petit *Cuculis,* du *Robin* Donateur, & en sous-œuvre, de *Pillensac.* Pour augmenter ce nombre, déja plus que sufisant, PLACIDE-NICAISE avait ramené *Lenfilade,* qu'il chargea de très-humbles remontrances à sa Moitié. Je crois avoir dit que Mr *Lenfilade* était un gros garson, afichant la régularité, ne parlant qu'avec poids & mesure, mais plutôt pour se doner un ton, que par caractère. Il comença par sermoner Ma[me] DU-COEURVOLANT (qu'il croyait une Ingénue sans malice) sur ses torts avec son Épous : celle-ci lui sourit : la gravité du Personage échoua contre ce divin sourire. Ajoutéz que la situation començante donait un nouveau piquant aux ravissans atraits de DÉLIÉE : (*Lenfilade* balbutie) : elle ratache à demi-tournée une jaretière sur le genous; (le cœur lui palpite) : on ôte le filet perfide qui gaze une gorge mutine; (le Sermoneur perd tout-à-fait la carte) : l'on prend une certaine atitude. (il n'y tiént plus)

— Éh! que faites-vous donc!

— *Je vous adore.*

— De plus loin, s'il vous plaît.

— *Ah! divine Persone!*

— Bon! des douceurs! ç'a n'est pas de votre mission : rentrons chés Maman *Sotentout.*

— *Je me meurs d'amour... Permètéz...*

— Quoi donc? je ne sais en-vérité ce que vous vouléz : je suis mariée!

— *Pour mon malheur!*

— Ét vous savéz qu'on ne saurait aimer une Femme mariée?

— *On ne peut vous aimer! Adorable Inocence! aprenéz belle Reine, que quoique mariée, l'on vous doit... l'admiration,... l'amour, & que vous pouvéz... acorder certaines faveurs...*

— Des faveurs? qu'est-ce que cela veut dire?

— *Vous me ravisséz! cela signifie... un baiser* (il en prend un sur sa bouche, & va de libertés en libertés, toujours en expliquant ce que c'est que des faveurs) DÉLIÉE sourit : (il assiége Citère).

— *Ma Divinité,* continue l'Assaillant, *que tu ês*

ravissante! atens... permets... soufre... (Citère est prise)

— Mais, dit naïvement DÉLIÉE, si je m'en rapèle bién, vous m'avéz fait ce qu'a souvent ébauché mon Mari?

— *Oui, ma Mignone : dérobons-lui notre liaison; je viéndrai de temps-en-temps; vous me rendréz de secrètes visites, & nous serons heureus.*

— Et s'il savait...

— *Ah! mondieu, soyéz discrète : il deviéndrait furieus, & nous tuerait s'il pouvait.*

— Oh! que non! il n'est pas méchant.

— *Tous les Homes le sont sur cet article; à-moins que ce ne soit des âmes basses qui...*

— Ah! nous ne risquons donc rién.

— *Vous ne me laisséz pas achever : votre Mari est honête, il ne serait pas capable de céder sa Femme aux plaisirs des autres, ou de la vendre.*

— Le premier, non; mais pour le second, il aime si fort l'argent; essayéz-y.

— *Je ne suis pas Home à vous acheter : vous êtes audessus de toutes les fortunes.*

— Oh-bién! je ne lui dirai donc pas.

— *Coment! est-ce que vous l'eussiéz dit?... si cela vous échapait nous serions perdus.*

— C'est donc une grande injure!

— *La plus grande de toutes : on apèle cela le faire C.*

— Ah, ciel! j'ai fait mon Mari C! Il m'avait tant recomandé de ne le pas faire C! que vais-je devenir?

— *Est-ce que vous l'aiméz?*

— Moi! point du tout : je vous aime plus que lui.

— *Quelle félicité!... Mais pourquoi donc cete vive douleur, ces larmes?*
— C'est qu'il m'a dit qu'une Femme qui fesait son Mari C, devenait P : & je ne veux pas être P; je ne le veux pas absolument.
— *Il vous a trompée; à Paris, une Femme qui n'a qu'un Amant, un Home discret, est vertueuse autant qu'on peut l'être.*
— Ce que vous dites-là ne doit pas me rassurer!
— *Vous êtes trop délicate, ma Mignone!*
— Non pas que je sache... Cependant revenéz : je vous aime beaucoup.
Lenfilade sortit.
— *Vous êtes trop heureus,* dit-il à SOTENTOUT; *votre Femme est l'inocence même.*

Toutes les Femmes ne font pas les idiotes, mais tous les Séducteurs tiènent le langage de *Lenfilade;* tous abusent de la confiance des Pères & des Maris. A voir nos mœurs, l'on se croirait transporté parmi les Habitans de la Côte-d'or & du Royaume de *Juida;* encore dans ces Pays où le libertinage est honoré, l'adultère est-il puni come le crime le plus destructeur des liéns de la Société(5).

XX.ᴹᴱ CHAPITRE.

Envies.

Il faut que tout soit compensé dans la nature : le Mari n'a, dans la procréation, que les plaisirs, & l'expectative des honeurs de la paternité. La Femme au-contraire, a les soufrances, toutes les incomodités, & la crainte d'une crise desagréable qui doit les terminer. Pour rétablir l'équilibre, les Dames des Villes ont inventé les *Envies.* Elles entendent par ce mot, des caprices disparates, causés, prétendent-elles, par les suites du mariage; caprices qu'il est très-dangereus pour la Mère & pour le Fruit de ne pas satisfaire : à la première, ils causeront des *Vapeurs* (maladie née de l'oisiveté absolue, & qui sert de prétexte pour écarter les Maris incomodes : les Médecins l'ont fort accréditée; elle leur procure la satisfaction de voir tous les jours de jolies Malades, dont l'état n'a rién de triste) : au sécond, c'est-à-dire au Fruit, des marques défigurantes, ou des défauts de conformation. Pour dire ici la vérité sur l'origine des Envies, c'est qu'une Jolie-femme étant & devant être de mauvaise humeur, lorsqu'elle soufre le moins du monde, elle veut que tout ce qui l'environe participe à sa peine : or il y a lieu de conjecturer que les plus Sensées rougissant après la crise, de tout ce qu'elles avaient dit & fait de ridicule, une d'entr'elles, très-avisée, aura sans-doute imaginé de mètre le tout sur le compte du fisic, dont on ne peut répondre come du moral. J'ai même ouï-dire que cete Femme-d'esprit était une des Ascendantes de DÉLIÉE. Il ne faut donc pas s'étoner si cete Beauté devenue maussade, va tourmenter par ses Envies le pauvre SOTENTOUT, quoiqu'inocent des desagrémens qu'elle éprouve.

Les *Anciènes* avaient-elles des Envies? L'Histoire n'en dit rién : mais il faut prouver que ce n'est pas ici le cas du Proverbe, *Qui ne dit mot consent*. Pétrone, Juvénal, Suétone, & sur-tout Martial, qui font mention de toutes les sotises des Femmes de leur temps, n'eussent pas manqué de reprocher ce travers aux Romaines, s'il eût existé. Mais il faut avouer aussi que s'il est moderne, sa propagation n'a pas été moins prompte que celle du *mal-africain* (6) : suposons-le né à Paris sous Charles VII (c'est tout-au plus); il a parcouru la France, l'Italie, toute l'Europe; la Turquie, la Perse, le Mogolistan; de-là revenant en Afrique par l'Étiopie, nous le trouvons au Royaume de Juida, chés le peuple le plus noir du monde : mais les Envies sont là moins ridicules qu'ailleurs : Une Jeune-femme fesait acroire à son Mari, que le Serpent-Fétiche (dont on viént de parler dans une Note) était devenu amoureus d'elle, & qu'il falait qu'elle alât à son Temple. Les Prêtres sont toujours disposés à prêter leur ministère à la guérison de ces aimables Malades. Cependant les Envies n'y sont guères plus fisiques que parmi nous : car le Mari de cete Femme, aulieu de la mener au Temple, l'ayant conduite à la Côte, pour la vendre aux Européens : elle s'aperçut de son dessein; saisie de frayeur, elle embrassa les genoux de son Vendeur, lui promètant de n'avoir jamais d'Envies. Elle obtint sa grâce; mais come la Religion autorise les Envies dans ce Pays-là, si l'avanture avait été sue des Prêtres, le Fétiche aurait demandé le sang des deux Épous. Il est certain que nos Colonies Européènes ont porté les Envies dans l'Amérique; par conséquent on en a dans les quatre Parties du monde : & come la Lune est le satellite de la terre, on en a sûrement dans la Lune; on ne peut guère s'en défendre dans Vénus; les Femmes, dans Mercure, doivent en avoir des furibondes; il n'y a que dans les Planètes froides & supérieures, où peut-être on n'en a pas encore; mais à-mesure qu'elles s'aprocheront du Soleil (7); on y en aura sans-doute. Qu'on me pardone cete longue digression, qui n'était pas inutile.

Dans les premiers temps de son indisposition, DÉLIÉE ne songea pas aux Envies; c'en est pourtant la saison : mais lorsqu'elle fut devenue pesante & moins propre aux plaisirs, elle crut pouvoir s'amuser à faire bisquer PLACIDE-NICAISE. L'on a conservé le souvenir de trois de ses fantaisies les plus marquées, pour les transmètre à la postérité. Je crois qu'elles pouront être très-utiles aux Femmes dénuées de la faculté d'imaginer, ou tout-au-moins aux Maris bonaces, pour leur instruction.

Le premier passetemps qu'elle se dona, fut de ne vouloir goûter que des choses achetées, & même aprêtées par son Mari : M.r PLACIDE-NICAISE se crut obligé, pour que sa Femme ne mourût pas d'inanition, d'aler à la boucherie, au marché; de revenir chargé de viandes, d'œufs, de légumes, de fruits. DÉLIÉE apuyée sur sa Femme-de-chambre, le suivait à quelque distance : la Masque avait fait prévenir par sa *Bidète,* les Fruitières, les Poissonières, les Beurières &c, qui fournissaient les Familles COCUS & SOTENTOUT; on leur avait peint le pauvre PLACIDE come un ladre, qui se défiait de sa Cuisinière, & voulait tout acheter lui-même. On imagine come il était bafoué, & come en riait Ma^me^ DU-COEURVOLANT. Au retour, l'infortuné PLACIDE-NICAISE se métamorfosait en marmiton; & sans-doute il aurait pris patience, si très-souvent sa douce Moitié ne lui eût barbouillé le visage avec les sauces tournées.

Le second caprice, fut de feindre une horreur pour les Homes, qui ne lui permètait pas d'en voir d'autres que son Papa & son Beaupère. En conséquence, il falait que SOTENTOUT s'habillât en femme, lorsqu'il demandait à jouir de la vue de son Épouse. Un soir qu'il fesait très-beau, DÉLIÉE voulut sortir, pour aler se promener & voir le Beau-monde sous le grand-berceau du Palais-Royal : elle fut à-piéd, sous prétexte qu'on lui avait recomandé de marcher, & *Bidète* lui donait le bras,

— Mais, ma Fille, dit *Agnès-Pudentine,* sortir seule! (La bone Dame tolérait toutes les fantaisies de sa Bru, dans l'espérance de garantir PLACIDE d'Envies plus dangereuses.)

— Il le faut bién, répond DÉLIÉE; car je ne veux pas d'Home.

— Si Monsieur..., dit alors *Bidète,* en feignant d'hésiter... se mètait come de coutume?
— Fi-donc! l'on se moquerait de mon Mari!
PLACIDE-NICAISE entendait; il répondit, *Qu'on ne le verrait pas.* Il se mit donc en règle. L'on part : la malicieuse DÉLIÉE passe devant la boutique de tous les Marchands-de-drap qui bordent les rues *de la-Fèronerie & Sainthonoré :* on la saluait; elle entrait même : à-la-vérité persone ne reconaissait PLACIDE; mais l'on disait à-l'oreille de Ma^me^ DU-COEURVOLANT :
— D'où-viént donc, vu l'état où vous êtes, prendre cete Guenon à votre service? Est-ce que vous renvoyéz votre petite *Bidète?*
— Non, je les garde toutes-deux... Il est de ces fléaux domestiques dont on ne saurait se dépêtrer.
On considérait plus atentivement, & l'on riait à-gorge-déployée. Chés *Lenfilade,* les Garsons-de-boutique (probablement avertis) reconurent NIGAUDINE (c'est le nom que portait NICAISE-femme).
— Éh! come vous voila donc, Mr SOTENTOUT? Est-ce que vous aléz au bal, Mr SOTENTOUT? quelle danse aléz-vous donc exécuter, Mr SOTENTOUT?... Mais! mais! vous n'êtes pas mal! En-vérité! l'on a besoin de vous conaître, pour ne pas devenir amoureus de vous!
NIGAUDINE était au desespoir de cet esclandre : mais enfin il falut bién prendre son parti. L'on sortit de-là : vis-à-vis la rue *Tirechape,* autre malheur : deux grands Gaillards, en redingote, un emplâtre sur l'œil, le chapeau rabatu, s'emparent de DÉLIÉE, qu'ils emportent, en formant un brancard de leurs bras

unis : deux autres se saisissent de *Bidète,* & deux autres de NIGAUDINE. Cete dernière (ou ce dernier) crie *au-guet;* mais on lui ferme la bouche, & les deux Jeunes-gens qui l'emportent, disent aux Passans, Que c'est une de leurs Parentes, qui done dans le libertinage. On les crut, parce qu'on ne voyait pas le visage de l'Enlevée. Tandis que DÉLIÉE & sa *Bidète* montent gaîment dans une voiture, qui s'éloigne aussitôt, les six Ravisseurs réunis, traînent dans la boue NIGAUDINE qui ne veut pas avancer. La Garde surviént : les Jeunes-gens s'échapent, & sont recueillis dans les boutiques voisines ; l'infortunée SOTENTOUT est saisie toute-seule, & sur le cri public, conduite chés un Comissaire. Dès que le Hibou de Police l'aperçut, il s'écria magistralement :

— Ah! ah! Chauvesouris de Citère, Araignée de Pafos, Vampire d'Amatonte, Fourmicaléon de Gnide, vous causéz du scandale, & vous n'êtes pas sur mon Livre! si vous n'avéz pas le privilège de l'Opéra (que je respecte infiniment) à *Saintmartin.*

— Éh! Monsieur!

— L'avéz-vous?

— Non, Monsieur, mais écoutéz-moi.

— Point! la chose est trop publique ; & dans ces cas-là, nous fesons notre devoir.

— Mais, écoutéz-donc! je ne suis pas... *(il ôte sa calèche)* je ne suis pas...

— Oh! que tu ês laide! je vois bién que ce n'est pas pour toi : mais parmi des Braconiers, le *Piqueur* ne serait pas mieux traité que le *Tireur.*

— Éh! je ne suis ni l'un, ni l'autre.

— Il y a scandale, perturbation du repos public.

— Un mot en particulier, M.r le Comissaire.
— Sergent, débarasséz mon Étude de cete Malheureuse.
L'on enmène la pauvre NIGAUDINE; qui par hasard n'ayant pas d'argent sur elle, faute de poches, se vit conduite à-piéd. En chemin, elle a beau dire qu'elle est Home, qu'elle en fournira des preuves : le Sergent répond qu'on lui donera des Matrones; mais qu'en atendant, il faut coucher à *Saintmartin.* SOTENTOUT y coucha. Le lendemain, grand bruit; les Garsons de *Lenfilade,* qui avaient joué cete farce, donèrent indirectement des lumières à la Famille sur le lieu de l'emprisonement, & firent assembler toutes leurs Conaissances pour voir sortir SOTENTOUT; ce qui ne manqua pas d'ariver dans la matinée. Je laisse à penser come on rit! Sur-tout, rién ne put égaler la joie de Ma^me DU-COEURVOLANT : à-la-vérité cete Avanture avait été plus loin qu'elle ne pensait; mais elle n'en jouit pas moins de l'avilissement de son Mari, & de l'inquiétude de la Famille *Sotentout,* au récit que fit *Bidète;* la nuit, le matin, jusqu'au moment où l'on reçut l'information anonime, la consternation fut extrême; la surprise succéda, puis la honte; DÉLIÉE & *Bidète* s'enfermèrent pour ne pas se trahir.

La Capricieuse ne borna pas-là ses hétéroclites idées : Quelques semaines après, elle eut *Envie* d'être *Guinéène.* Elle feignit de croire qu'elle était devenue une belle Nègresse, & de méconaître son Mari, parce qu'il était rous. Après avoir doné les simptômes de l'aliénation; avoir pleuré son Mari come absent, elle fit suggérer par sa *Bidète* de *négrifier* SOTENTOUT; ou que sa Maitresse va se desespérer, ne plus manger, s'empoisoner ou se pendre. PLACIDE-NICAISE, quoiqu'il eût fort à-cœur son dernier accident, fut obligé de se prêter à cete manie, plutôt que de voir périr sa chère Femme & son Fruit. *Bidète* le barbouille des piéds à la tête, avec une pomade faite de noir de fumée, lié par de l'huile de noix recuite, qu'on nome *Vernis.:* ensuite elle le lûstre aves la *dent-de-loup*. Ses cheveux naturellement moutonés & courts, restèrent rous, parceque DÉLIÉE avait lu dans les Voyageurs, qu'on trouve au Monomotapa des Nègres rous (8). Sous cet apareil, le nouveau Monomotapién ne saurait plus quiter l'apartement de sa Femme : la maligne Créature reçoit les visites de toutes ses Conaissances qu'elle engage à s'avertir les unes les autres : on viént en foule; tout le monde admire le petit NÈGRE. DÉLIÉE dit qu'il ne sait pas le français; mais que pourtant il comprend tout ce qu'elle lui dit. Et pour le prouver, elle lui comande mille choses ridicules : SOTENTOUT obéit avec une exactitude, une précision, dont chacun feint d'être surpris. Parmi les Visiteurs, acourut M.r *Protectionet*. Celui-ci parut charmé du NÈGRE-ROUS, qu'il voulut absolument qu'on lui envoyât pour le montrer à son Maître;& sur quelque dificulté, il jura qu'il se brouillerait pour jamais, si on lui refusait une satisfaction si légère. Il falut céder. Dès le même soir PLACIDE-NICAISE se rendit en voiture chés le M ***. *Protectionet* le reçut, & le retint à l'hôtel, sous prétexte que le M *** était ocupé. Dans leur conversation muète, il lui fit entendre qu'il y aurait plus d'avantage pour lui d'être à ce Seigneur, qu'à la Femme d'un simple

Marchand. SOTENTOUT ne pouvait répondre : il se contenta de refuser par ses gestes. Le Secrétaire le fit enfermer, en lui laissant une Ordonance qu'il savait bién qu'il lirait, par laquelle il était enjoint à tous les Maîtres de Nègres, de les renvoyer dans les Colonies, pour la culture des terres. A cete triste lecture, SOTENTOUT vit qu'il falait se découvrir. Il fit demander à dire un mot à Mr *Protectionet.* Celui-ci refusa de le voir. Pour achever la comédie, Papa *Sotentout,* que le retard de son Fils inquiètait, vint le chèrcher. Dès que *Protectionet* l'aperçut, il fit enmener le faux Noir par deux Galopins. Le Père & le Fils se rencontrèrent au bas de l'escalier :

— Ah! mon ch'Père, je suis perdu! l'on va m'embarquer pour les îles, où je serai Nègre tout-à-fait!

Le vieux *Sotentout* pria, en grâce, qu'on atendît; il courut au Secrétaire :

— Éh! Monsieur, ce Nègre, c'est... c'est mon Fils, ventrebleu; c'est mon Fils!

— Votre Fils! mais, tantpis; s'il est Nègre : il faut qu'il parte.

— Éh ne m'entendéz-vous donc pas! c'est mon Fils PLACIDE, vous dis-je; il n'est pas noir; il est noirci : faites aporter une chaudière d'eau bouillante & du savon; je vais le rendre aussi rousseau qu'il était auparavant.

— Ah! mon chèr Mr *Sotentout,* que vous avéz bién fait de venir! une heure plus tard, votre Fils était parti; & vous ne l'auriéz jamais revu : Quel desespoir pour vous, pour Ma^{me} *Sotentout,* pour une tendre Épouse, & pour moi-même, qui lui suis étroitement ataché!

— Un certain pressentiment, monsieur *Protectionet,* m'a fait venir ici, malgré ma Femme & ma Bru ; c'est la nature qui me parlait !

NICAISE fut ramené, lavé, brossé par deux Valets, qui le frotèrent si fort & si longtemps, qu'ils enlevèrent l'épiderme avec la tenace & négrifiante pomade. Le Malencontreus fut reporté chés lui tout excorié : son mal, qui fut long & douloureus, le garantira d'être desormais la victime des Envies de sa Femme.

Plus d'un Lecteur aura dit que ces faits sont outrés ; qu'il n'arive jamais rién de pareil. Je pourais assurer que je les ai vus : mais l'on n'est pas témoin dans sa propre cause. J'en apèle aux Maris : qu'ils disent, s'ils n'ont pas éprouvé cent fois des caprices aussi ridicules, aussi déraisonables. Je veux bién acorder que toutes les Femmes n'ont pas l'esprit aussi malin que DÉLIÉE ; mais la plupart, lorsqu'elles s'aperçoivent que les mutuelles caresses ont produit leur éfet, se rendent enfantines, *mignardones,* par un certain sentiment de crainte, mêlé avec l'idée de l'importance qu'elles acquièrent, en devenant Mères-de-Familles : elles changent alors presqu'entièrement de caractère ; ce n'est plus cete Fille sensée, dont la raison imposait, c'est une Langoureuse qui fait l'enfant-gâté. Or dans la *mue* fisique, tout animal est desagréable ; & dans celle du caractère la Femme l'est davantage encore.

(Dans le Chapitre *Trantran,* j'avais fait une peinture des Complaisances des Maris : par-malheur, ce feuillet s'étant égaré, l'on a passé l'article. *Voyéz* s.v.p. les *Suplémens*).

XXIme CHAPITRE.

Tribulations.

JE renferme, sous ce Chapitre, tous les Enfans (qui sont les vraies *Tribulations* d'une jolie Parisiène), afin de n'y plus revenir.

On a vu que Ma^me DU-COEURVOLANT, malgré la garde sévère d'*Agnès-Pudentine Sotiveau-du-Dégourdi,* sa Bellemère, n'avait pas laissé que de *regouler* son Mari (come on dit à Beaune & dans le faubourg *Saintmarceau*) : on a vu come elle fut gaie, même après qu'elle se vit *prise;* come elle fut *grigne* ensuite; come elle fit *endêver* PLACIDE-NICAISE, &c. Les soins & les atentions lui furent prodigués de la part de son Beaupère & de sa Bellemère, qui, bonesgens s'il en fut, idolâtraient cete petite Ingrate. Mais les Galans ne trouvèrent rién en elle qui les rebutât; sa pâleur était touchante; son arondissement avait une grâce infinie : à-la-vérité, elle soutenait un peu sa taille, par un corset; mais sans s'incomoder, come des Gens mal-instruits l'en ont acusée. Enfin l'instant arive : neuf mois deux jours six minutes quelques secondes après la scène du Fiacre. Ce fut un pénible moment, suivi de la joie la plus vive, lorsque Ma^me DU-

COEURVOLANT se vit Mère d'un beau Garson, qui n'était ni rous, ni nègre. Tout le monde chèrchait dans les deux Familles, à quî l'Enfant ressemblait; on lui trouvait bién toutes les grâces des *Galanviles;* avec un certain mélange très-agréable d'autres traits inconus; mais on ne découvrait pas un linéament des *Sotentout,* ni même des *Cocus.* Cependant *Agnès-Pudentine* crut y reconaître ceux d'une Trisayeule de son Mari, dont on avait encore le portrait, & qui fut Maitresse du premier Secrétaire du Surintendant, sous la minorité de Louis XIV. Quant à DÉLIÉE, come elle était mieux-instruite, elle vit sans grand examen, que l'Enfant ressemblait à son Père M.r *Hercules-Alexandre-César La-Bridenbouche.* (Il s'en falait bién, malgré ces grands Noms, que le Maraud fût ce qu'il avait dit : mons' son Père était Porteur-d'eau, & puisait au Cagnard : m'ame sa Mère, une hote sur le dos, un petit crochet à la main, précédée par son épagneul *ébourifé,* exerçait à chaque borne dans tous les quartiers de la bone-ville de Paris, l'emploi peu lucratif de fouiller les tas d'ord***; son nom-de-guerre était la *Scarabote :* mam'selle sa Sœur aînée, d'une très-jolie figure, avait été remarquée par un Home-come-il-faut, un jour qu'elle vendait des alumètes & de l'amadoue à la porte des *Carmes* de la Place-Maubert; il lui fit du bién; la Belle en fit à son Frère, qui pour-lors n'avait pas d'autre profession que de grater les ruisseaux, faute d'être assés avancé pour acheter une selle & des brosses; elle lui fit aprendre à lire, à écrire; sa main se trouva belle... Mais!... mais... coment dire son forfait?... On le devinera. Le Biénfaiteur de sa Sœur

indigné, ne voulut plus en entendre parler, & défendit à celle-ci de le revoir ;
— Sans quoi, dit-il, je ne vous *biénferai* plus ; c'est un misérable.
Mam'selle *Tourète de-La-Bridenbouche* ne pouvait cependant haïr un Frère qui l'aimait trop ; elle le fit recevoir dans la Comunauté de *Saintfiacre,* & le gratifia d'une some pour avoir quatre Chevaux, avec deux carosses-de-place. Dans ce nouvel état, *La-Bridenbouche* vivrait assés heureus, si le Sort ne lui avait pas doné une âme & des desirs audessus de son état ; ses vues ne se portent que sur des Femmes d'un certain ton pour la *mise ;* les Grisètes sont pour lui sans atraits : son audace fut plus d'une fois courronée ; car *Audaces Fortuna juvat,* come portait à Beaune l'enseigne d'un Médecin-Chirurgién-Barbier-Étuviste. L'on se rapèle que *La-Bridenbouche* a la protection des deux Mousquetaires : il ala chés le Marquis de*** suivant l'ordre qu'il en avait reçu. Les deux Amis le conduisirent chés un Financier, où les atiraient la beauté, l'esprit &c, &c. de la Maitresse : ils avaient parlé de M.r *La-Bridenbouche,* come d'un Home digne d'avoir un sort, en racontant ce qu'ils croyaient savoir de ses avantures. La Dame, avantageusement prévenue, fut enchantée de sa figure, lorsqu'on le lui présenta sous un habit décent. Et come on va loin, porté par les Femmes, le Financier se vit obligé par les sollicitations de la siène, de faire passer le Protégé par tous les grades en trois mois. Le mérite de *La-Bridenbouche* brilla dans les Emplois considérables ; son Comètant prit de la confiance en lui, & fit bientôt par inclination ce qu'il

n'avait acordé que par complaisance. (Je tais la manière dont l'Employé témoigna sa reconaissance à sa Protectrice; ces Contes-là sont rebatus, même à Beaune. Dans le temps des couches de DÉLIÉE, *La-Bridenbouche* est de retour à la Capitale, & dans la plus grande faveur.)

Reprenons le fil de notre histoire, pour dire que la convalescence de Ma[me] DU-COEURVOLANT fut longue, non que la *Gisante* fût malade, mais parce qu'elle *s'écouta*. Cependant les précautions contre le lait eurent quelques suites fâcheuses; celles contre certaines diformités eurent le plus entier succès; elle soufrit donc un-peu, mais sa beauté ne perdit rién; c'est le principal à Paris.

L'anée suivante, Ma[me] DU-COEURVOLANT eut une Fille, qui la fatigua moins; elle se remit plus vite. Cete Enfant était charmante : les traits mignons de DÉLIÉE, & ceux non moins doux de l'aimable *Cuculis*, fondus ensemble, rendaient la Petite une vraie mignature. Ma[me] *Cocus* le remarqua; mais, come on l'imagine, sans en rién dire; elle admira seulement l'adresse & la bone-conduite de sa Fille, qui n'avait pas encore porté la moindre tache à sa réputation.

Enfin, dix-huit mois après cete dernière Enfant, Ma[me] DU-COEURVOLANT eut un second Fils. On dit qu'il tenait beaucoup de *Lenfilade*. Heureusement, que Ma[me] *Agnès-Pudentine* trouvait toujours quelqu'un dans les Ancêtres soit paternels, soit maternels à quî elle fesait honeur de la ressemblance. Mais DÉLIÉE, à laquelle rién n'échapait, & qui se plaisait à ces expériences fisiques, conservait soigneusement dans son cœur les époques & les traits. Ce fut ici la dernière Tribulation de la Belle. Grâces aux précaucions, aux soins extrêmes, sa beauté n'est que très-légèrement endomagée : d'ailleurs, elle a grandi, jusqu'à son dernier Enfant, *& Nature qui craît, sans-cesse refait,* dit-on à Beaune, sans que ce soit une *Beaunoise.*

Chacun des Amans se croyait père de la meilleure-foi du monde (9) : les présens affluaient de toutes-parts. *Protectionet* prodigua l'argent, & taxa tous les emplois qu'il vendait ou fesait vendre, au premier quartier de revenu, pour les alimens & l'éducation de ses Enfans prétendus. Le Robin-donateur *épiçait* tous ses clients; *Pillensac* vendait les Audiences; *Sarangeant* mètait un en-sus tacite à tous les baux des domaines du Prince; *Frisart* volait son Maître; *La-Bridenbouche,* devenu factoton du Financier, & favori de la Financière, pêchait en eau trouble; *Lenfilade,* en qualité de Compère, fournissait les layètes, les hochets, &c. Quant à *Cuculis,* tout ce que lui permètait l'état présent de sa fortune, c'était de bercer l'aimable Progéniture; il s'en acquitait à-merveilles. Il n'y eut pas jusqu'à certains Amans de passade, come le Médecin *Tâtenbas* (maintenant à la mode), l'Avocat *Mélifrasin,* le Procureur *Dédalon,* le Notaire *Usurifraudandin,* qui ne se crussent obligés à quelque chose. Aussi, vit-on la maison s'opulenter, malgré les énormes dépenses de Ma^me^ DU-COEURVOLANT...

— A-propos, & *Friponet?*

— Il est mort, après deux mois d'épinète, chés Ma^me^ *Cocus-de-Galanvile.* On est indécis parmi les Contemporains sur la vraie cause de cete mort

prématurée; les uns prétendent qu'il avait soufert dans l'armoire où il resta trop longtemps courbé; d'autres atribuent sa fin à l'usage précipité que Ma^{me} *Cocus* lui fit faire de sa convalescence...
O vous toutes, qui vous intéresséz au sort des *Bons-drilles,* pleuréz sur le tombeau du Francomtois! hélas! en le voyant s'anoncer come il a fait; nous croyions tous qu'il vivrait plus longtemps (10).

XXII.me CHAPITRE.

Euvres.

Les Enfans de *Madame* sont faits; ne dirons-nous rién de ceux de *Monsieur?* Ce serait manquer dans un point essenciel, & violer d'ailleurs l'engagement contracté, de faire exactement l'histoire des *Galanteries* de la Femme, des *Sotises* & des *Progrès* du Mari.

Depuis que Sotentout a vu ses Vers aplaudis, & senti qu'il avait du talent pour la Littérature, il a pris des leçons du petit *Boutrimé,* pour devenir tout-à-fait Auteur. Celui-ci, que le feu des ieux de Déliée grillait dans son escarcelle, & d'ailleurs très-gueus, fut ravi de se voir rechèrché par un Home riche, mari d'une jolie Femme; il fit sa cour à Sotentout; & dès le lendemain de leur première entrevue, il le pria de lui prêter deux louis. Placide-Nicaise, génereus pour l'unique fois de sa vie, en tira quatre de sa bourse :
— Je vous les done, dit-il à l'Emprunteur.
Boutrimé sortait des Italiéns; il voulut faire le plaisant à la manière d'Arlequin.
— A-présent, prêtéz-moi les deux que je vous ai demandés, reprit-il?

— Je vous les done, repliqua NICAISE en les lui remètant.

— Quel Diable! s'écrie *Boutrimé,* je n'obtiéndrai pas que vous me prêtiéz deux louis!

— Les voila, dit PLACIDE.

— Pour-le coup je suis content, & pourai me vanter à mon Auberge, dans mon Hôtel garni, par-tout où j'ai des Détracteurs, d'avoir du crédit pour une some honête.

— Point du-tout, repartit NICAISE! je vous en fais présent.

— Il faut que je sois un malheureus chién, dit *Boutrimé,* en singeant l'Home pénétré de douleur! je n'aurai pu, dans ma vie, emprunter deux louis d'un Home de mérite qui m'estime! Au nom d'Apollon & des neuf Muses, Monsieur, prêtez-moi deux louis! A ce discours, SOTENTOUT comprit enfin ce que *Boutrimé* voulait dire : il prêta donc, & ce fut dix louis qu'il lui en coûta, pour avoir eu la conception un-peu beaunoise. Mais il ne les regrèta pas : on venait de lui doner d'excélentes leçons pour bién écrire : elles se réduisaient à ces trois règles : 1.re, *Éviter les rimes des périodes, & la mesure, qui formeraient des Vers dans la prose.* 2.de *Ne se permètre que rarement des* hiatus, *& se les interdire lorsqu'ils sont trop rudes, come dans* ariva à, Boileau y a eu un; si immenses; inspiré à un; resta à; de-là à un; a avancé avec (11), &c : *prendre-garde aux* cacofonies, *c'est-à-dire, aux mêmes sons accumulés; à ne jamais unir des mots mal-sonans, come,* Ah! non, qu'on vit, qu'on sut, &c. 3.me *Enfin de mètre dans ses compositions plus de* faits *que de* morale; *& du* surprenant, *du* frapant, *sans sortir de la* *nature*. Était-ce trop de dix louis, si *Boutrimé* a fait comprendre ces règles à SOTENTOUT? C'est ce qu'on peut voir, en examinant les Ouvrages de l'Home célèbre qu'on viént d'endoctriner : ils sont nombreus; & ce qui va surprendre bién du monde, c'est qu'ils sont conus pour être à des Auteurs esprités, plus ou moins renomés, à quî le Public en a toujours fait honeur, soit en-partie, soit en totalité. Mais moi, j'ai preuve en main, que tous les Ouvrages sousindiqués sont de M.r SOTENTOUT mon respectable Héros; & que Ceux qu'il en a gratifiés ont manqué de reconaissance, soit en dénigrant les Sots & leur Corifée, soit en ne partageant pas avec ce dernier la gloire & le profit de leurs Productions. Que la Famille des *Sotentout* ne s'en émerveille pas néanmoins; dans tous les temps les Esprités en ont usé de même avec elle; c'est ce qu'on verra dans les *Suplémens*.

A vingt-deux ans onze mois vingt-neuf jours, PLACIDE-NICAISE fut déclaré majeur en littérature. Cet évènement est, je crois, du 15 Mars 17... Le premier usage qu'il fit de sa *majorité* doit nous honorer beaucoup, mes Confrères & moi : il mit en Tragédie *Le Tremblement-de-terre-de-Lisbone :* l'Ouvrage fit du bruit; la vente fut prodigieuse, à-cause de notre grand nombre, & PLACIDE-NICAISE SOTENTOUT, caché sous le masque poudreus du Technicome *André* (12), eut le plaisir de s'entendre louer par les Journalistes, qui ne le conaissaient pas, & qui ne célèbrent guères que leurs Amis & les *Mégas* qu'ils veulent que l'on croie de leurs Amis. Après avoir débuté par une Tragédie, come tous nos jeunes Confrères, SOTEN-

TOUT se jeta dans les *Éloges,* calqués sur ceux de M.[r] *Th*** : il fit ensuite des Ouvrages sur l'*Agriculture* & sur le *Comerce;* puis il écrivit sur l'*Éducation* sur la *Peinture,* sur la *Musique,* sur la *Danse,* &c, &c. Plus avancé dans la carière littéraire, il se frivolise, & produit des *Contes-moraux,* dans tous les genres : du moral, il s'élève ou descend (je ne sais trop lequel) au fisic; il écrit *sur la Nature, sur le Mouvement des Astres :* il s'élance ensuite dans la Métafisique; il tranche en un trait de plume toutes les dificultés sur lesquelles a sèché, sèche & sèchera toujours le timide Esprité qui ne retire d'autre fruit de ses longues études, que de *savoir qu'il ne sait rién.* De la sublime région des Idéalités, SOTENTOUT s'abat sur les faiblesses humaines, & fait des *Romans :* Dieu! quel vaste champ! les titres formeraient un volume plus gros que tout cet Ouvrage : ils sont consignés dans les Catalogues des Duchêne, des Hochereau, des Le-Jai, des Mérigot, & des autres Libraires romanipètes. Le cœur atendri par les Romans, l'imagination troublée par des tracas domestiques, il mit à la mode les Drames déchirans, & dressa lui-même un Acteur hiperbolique pour les jouer le plus rauquement possible. Enivré par l'acueil que nous fimes au Jeu meûglé de *Mol**, PLACIDE-NICAISE voulut tâter de la scène italique; il y fit glapir trois Actrices acoutumées à doner des sons enchanteurs : mêmes succès. L'Opéra devint aussi le Théâtre de sa gloire; il y dona, sous diférens noms, & sur la fin de sa carière... (Le Lecteur supléera).

Après un si brillant début, NICAISE (j'en conviéns avec douleur) ne se soutint pas : il se deshonora par l'accointance des plus célèbres Esprités : à-la-vérité, je me suis laissé dire que, sur le bruit de sa réputation, de ses richesses, de la beauté de sa Femme, & de la galanterie d'icelle, ce furent eux qui le rechèrchèrent (dans ce cas il serait un-peu plus excusable); & que, par-exemple, M.r De-V*** lui écrivit le premier. Mais qu'il ait été prévenu, ou non, il n'en eut pas moins tort d'entretenir une correspondance avec ces Pestes publiques, & sur-tout avec le dernier, le plus grand dénigreur des Sots, n'importe dans quelle classe ils soient placés. Si pourtant quelque chose pouvait faire oublier cete malheureuse liaison, c'est qu'on peut assurer que Sotentout n'a rién pris du Corifée des Esprités, & que ce dernier a pris quelque chose du Corifée des Sots; ce qui nous fait à tous beaucoup d'honeur.

Dans le temps de son infortune, Sotentout, auparavant dédaigné du fameus J.J.R*, s'en vit acueilli; ce Sage fut ravi d'avoir une si belle ocasion d'exalter la Sotise, & d'être d'un avis diférent des autres Esprités. On dit que le s.r Dav. Hu** voulut obliger le Filosofe de G*** à rompre avec Sotentout; que, sur le refus, ils se brouillèrent; & que le même jour l'Anglais devint ami chaud du bon Placide-Nicaise.

On verra dans la Série généalogique des *Sotentout* (p. XXXIII & *suiv.*) come les Ancêtres de mon Héros furent toujours liés avec les Gens-de-lètres : Tout-de-même l'Épous de la belle Déliée fut honoré de l'atention des Princes de notre Littérature, come je le ferai voir plus au long dans mes *Suplémens*. Je me suis laissé dire, que chacun de ces Messieurs paya son tribut à SOTENTOUT; qui, lorsqu'il se trouvait des recalcitrans, employait la beauté de sa Femme : rién de plus éficace; un coup-d'œil perfide de DÉLIÉE fesait sur-le-champ adorer la Sotise de NICAISE : tant il est vrai que les Belles sont le Sotificatif le plus puissant qu'il y ait dans la nature!

SOTENTOUT ne voulut être d'aucune Académie, pas même de celle des *Arcades;* parce qu'il projetait d'en former une exprès pour Nous. Dès l'instant de son établissement, elle fut si nombreuse, que l'on se vit obligé de tenir la première séance dans la *Plaine-des-Sablons,* encore ne sufit-elle que pour les Urbains de Paris. Cete Société, sous le titre de l'*Académie de Quiperdgagne,* est aujourd'hui très florissante. Chacun de ses Membres, sent en y entrant, son caractère se renforcer. Le Fondateur espéra beaucoup de son Académie pour la propagation de la Sotise; toute Association ayant une vertu sotifiante. Il y distribua les grades en raison inverse de celles des Esprités.

Après avoir ainsi cultivé tous les genres de Littérature, soit tout-seul, soit en société, PLACIDE-NICAISE sentit que la faculté productive s'épuisait en lui. Come on l'avait persuadé qu'il était Conaisseur, il se fit Journaliste : l'honête! le bon Home! il porta nos Ouvrages aux nues, & pulvérisa tous ceux de nos Adversaires. Mais biéntôt, il se dégoûta de suivre cete carière; à-cause d'une petite vengeance que prit un Esprité, qui, dans cete ocasion, se comporta come aurait pu faire quelqu'un d'entre nous : il céda sa plume & ses émolumens au s.r *Cl**;* qui, de-même que PLACIDE, excèle dans l'art de faire lui-même une plate critique de ses propres Ouvrages : (ç'a n'est pourtant pas mal-adroit !) Dans le desœuvrement où se trouva SOTENTOUT après ce petit accident, il réfléchit, s'il écrirait sur le Gouvernement, ou sur les Religions, ou simplement l'Histoire ; ou s'il ferait un Poème-épique, dont le Héros serait Mahomet, & qu'il aurait intitulé la *La-Mecquiade :* sa Femme, qu'il consulta (dans un temps où tous ses autres Amis l'avaient abandoné) lui conseilla de travailler pour l'*Ambigu-Comique*. Jamais avis ne fut plus sage ; les succès le prouvèrent : PLACIDE-NICAISE reconut enfin que c'était-là son vrai genre. C'est aussi par-là qu'il a terminé ses travaux littéraires, & que je finis ce Chapitre.

XXIII.ME CHAPITRE.

Tours.

Le temps des Tribulations est passé, la belle DU-COEURVOLANT va desormais jouir sans trouble de sa beauté, de ses grâces & de ses lumières. Mais, come on dit à Beaune & dans toute la France, *Tant va la cruche à l'eau, Qu'enfin elle se faût* (13); on eut de violens soupçons sur sa sagesse. Ma^me^ *De-Galanvile,* en bone mère, l'en avertit, & jamais DÉLIÉE ne reçut mal les avis maternels. En-conséquence, elle prit le parti de s'observer plus que jamais, sans néanmoins se rién refuser. Il ne s'agissait que de doner deux fins à toutes ses démarches, une découverte qui frapât tout le monde; une secrète, impénétrable pour les plus familiers. L'on se rapèle les trois Femmes dont j'ai parlé dans le Chapitre des *Amies* : les exemples des deux premières avaient enhardi l'Épouse de SOTENTOUT : afin donc que toutes trois lui fussent également utiles, elle feignit de préférer *Mélanie* aux deux autres; elle se fit un voîle de la bone réputation de cete Dame, pour éblouir sur les écarts de sa propre conduite. Cete tournure était plus fine que la pruderie & la dévotion, moyéns usés, qui n'en imposent à persone aujourd'hui, pas même à nous autres Sots, qu'il est si facile de rendre dupes. DÉLIÉE, clairvoyante, spirituelle (& dangereuse), ne voulait pas se deshonorer come la *Fourète* & la *Toutacord;* elle discernait les inconvéniens d'une imprudente démarche, & les combinait avec les avantages qui peuvent résulter de la satisfaction des passions. Mais avant de mètre sous les ieux des Nôtres, mariés à des Femmes espritées, les *Tours* de madame DU-COEURVOLANT, je vais préparer à me doner créance, par des faits certains, qui constatant l'éfronterie ou l'adresse de quelques Femmes, & l'inexpérience ingénue du Sexe porte-barbe, ôteront le merveilleus des traits hardis de mon Héroïne.

Le nomé *Biénnouri,* Parisién, d'une condition comune, était doué d'une Badauderie si complète, qu'il ignorait les choses les plus ordinaires. Un jour, il se trouva dans une situation qu'il prit pour une maladie inconue : il fit, dans l'endroit même où il se rencontrait, une Consultation publique aux Passans & aux Passantes, qui (sur-tout les dernières) rirent beaucoup d'une pareille naïveté. Cependant le jeune *Biénnouri* se desespérait, & s'indignait en lui même du peu de charité des Rieuses. Heureusement un Oncle à lui, qui demeurait dans ce quartier, s'étant aproché come les autres, reconut son sang à cete badauderie, & craignit que la simplicité de l'Adolescent n'eut des suites desagréables pour la Famille; il le fit entrer chés lui par force, en le réprimandant, & l'excusant de son mieux auprès des Spectatrices, auxquelles il le dona pour un Imbécile. Cete avanture fit comprendre à la Mère de *Biénnouri,* qu'il falait une Femme à son Fils. Elle en choisit une très-aimable & fort éveillée. On les maria. Plusieurs jours s'écoulèrent : les Épous sont de glace l'un pour l'autre : la Mère *Biénnouri* se douta de quelqu'omission.

— Coment ç'a va-t-il, dit la Bellemère à sa Bru?

Un souris dédaigneus.

— Je m'en doutais, reprit la bone Dame : Écoutéz, ma Fille; vous êtes une Femme d'esprit, & mon Fils est un bon-garson, qui peut vous rendre heureuse par sa bonté, par son infatigabilité dans le travail; mais il a si peu d'expérience!... il faut tâcher d'aider la nature.

La jeune Comère avait trop de pudeur & trop peu d'expérience elle-même, répondit-elle, pour doner ainsi des leçons. Mais elle s'avisa d'un expédient singulier. Avant son mariage, elle était aimée par un Bon-vivant, d'une agréable figure, mais peu riche; c'est pourquoi les Parens l'avaient éconduit. Elle le fit venir, lui conta sa situation & son embaras. Le résultat de la conférence, fut de doner une leçon-pratique à *Biennouri*... Je suprime les détails. Tout badaud qu'il était, le Nigaud sentit que l'avanture lui déplaisait, & menaça de le dire à sa Mère. On ne vint à-bout de le calmer qu'à force de caresses, & sur-tout en promètant de ne lui plus doner de ces leçons (en sa présence). Ce trait renferme un double exemple de badauderie dans un sexe, & d'éfronterie dans l'autre.

Second trait. Un jeune Gars, (Comtois d'origine, m'a-t-on dit) alait répondre à l'Oficialité pour cas amoureus. En chemin, il trouve un de ses Amis, natif de la Cité, rue de *la-Licorne*. Le Comtois, salué par le Citadin, lui rend compte de sa cause érotique, & lui peint son embaras.

— Une jeune Fille m'acuse de l'avoir...

(le Par.) Ét c'est vrai?

(le Comt.) Entre nous,... oui.

(le Par.) Ét tu ne t'en soucies pas?

(le Comt.) Coment veux-tu que je fasse? Elle est jolie, mais elle n'a rién, ni moi non plus; *& quand il n'y a pas de foin au ratelier, les Anes se batent,* dit le proverbe.

(le Par.) T'as raison. Mais toi, qui as tant d'esprit, est-ce que tu ne pourais pas éviter ton malheur?

(le Comt.) Si-fait : mais où trouver qui veuille me seconder?

(le Par.) Pardi! moi : que faut-il faire?

(le Comt.) Le voici : la Fille étant regardée come honête, l'on sera pour elle; il me faudrait quelqu'un de ferme, qui certifiât qu'elle est une Catin, & qui, pour le prouver, assurât avoir pris avec elle les dernières privautés.

(le Par.) Ét ç'a fera qu'on te renverra?

(le Comt.) Il n'en faut pas douter.

(le Par.) Je suis ton afaire : il faut obliger ses Amis, n'est-ce pas donc?

(le Comt.) C'est la moindre chose. Entrons.

Les deux Comploteurs trouvèrent la Fille qui les atendait. Celle-ci dit à l'Oficial,

— Monsieur, voila ma Partie.

(l'Ofic. au Comtois) Convenéz-vous du délit dont on vous acuse?

(le Comt.) Non, Monsieur; je n'ai jamais rién

obtenu de Mam'selle; d'autres que moi ont trempé dans cete afaire.

(la Fille) Vous êtes un malheureus!

(l'Of. au Comt.) Quelles preuves en aportéz-vous?

(le Comt.) Voila mon Ami qui va les détailler.

(l'Of. au Par.) Savéz-vous quelque chose sur Mademoiselle?

(le Par.) Oui-da, Monsieur.

(l'Of.) Vous conaisséz l'auteur de l'état où elle se trouve?

(le Par. d'un air délibéré) Moi, Monsieur.

L'Oficial, après quelques autres questions aux Parties, dit au Comtois de se retirer, & au Parisién de le suivre. Le premier s'évade; le Badaud fut ferré : la Fille, surprise de cete avanture, qui lui done un Mari doux & benêt, au lieu d'un Amant brusque & rusé, fit de sérieuses réflexions; elle préféra le Badaud, qui par un enchaînement de circonstances trop long à raporter, n'obtint sa liberté qu'en épousant.

Trait de finesse féminine, & de sotise masculine. Une Jeune-persone de Paris, née rue *Mondétour*, sans fortune, mais d'une figure jolie, vivait avec deux Tantes qui donaient à jouer. La petite Zoé était l'aiman du Tripot, où fréquentaient des Élégans de toute espèce. Un jeune Procureur, nomé Job**, fut par hasard amené dans cete maison; il y jouait, &, come les autres, caressait la Belle. Tant fut caressée, qu'elle devint... hidropique, disait-on. Conseil tenu sur cet incident par les deux Tantes & les principaux Joueurs : On promena ses regards sur toute la Société, pour trouver quelqu'un de bonace, &

pourtant capable de faire son chemin, à quî l'on pût doner,

La Rose & le Bouton
D'amourète.

Les sufrages se réunirent tous sur Job* : *C'est un Garson-d'esprit; mais cela ne tiént à rién,* disaient les Votans. Après la tenue de cete diétine, on endoctrina la Demoiselle, qui dès le même soir, écrivit un Billet à Job**, d'une maison où elle l'atendait. L'amoureus Procureur vole au rendéz-vous.

— Je me vois dans un cruel embaras, lui dit la Rusée : ma prétendue hidropisie... hèlas! vous m'entendéz.

— Mondieu! que je vous plains!

— Mon chèr Job**, je suis une Fille perdue! un Perfide, après avoir employé l'adresse & même la violence, abuse de son pouvoir, il m'abandone, me trahit!... Je le dédaigne come un lâche, un vil scélérat... mais ce sont mes Tantes!... ah-dieu! que vont-elles penser!... Je voudrais éviter le premier mouvement... Si vous les avéz sur vous, prêtéz-moi quatre louis; jetons-nous dans un fiacre, & conduiséz-moi rue du *Chat-qui-pêche,* dans la maison d'une pauvre Parente, qui ne vous conaît pas.

Un soupir & des larmes acompagnaient cete prière. Job** se prête à tout; il remit la jeune Demoiselle chés sa Parente prétendue, où se trouvaient plusieurs persones, homes & femmes, d'un sinistre regard. Il se retira tout-inquiet, & rentra chés lui, sans aucune malencontre. Minuit sonait, & Job** ne fesait que de

se mètre au lit, lorsqu'on frapa rudement à la porte. Il fit ouvrir : un Comissaire, escorté, se présente, & sans s'expliquer, fait conduire Job** en prison. Le lendemain, ou surlendemain, interrogatoire. Accusation de rapt. Ses faux Amis de Tripot accourent.
— Elle ne se trouve pas : où l'avéz-vous donc mise?
— Dans telle rue, à tel endroit, chés une Parente.
— Ce n'en est pas une! l'afaire va mal : c'est bién triste!
— Coment donc!
— Vous savéz la loi.
— Je serais pen...
— Il le faudra bién... à-moins...
— A-moins...? exigerait-on... ah-ciel!
— Un Home de votre état n'ignore pas l'unique remède.
— Une Demoiselle honête, mais trompée par un autre!
— C'est dur à digérer; mais les Tantes sont apuyées de Persones si puissantes, qu'il est à-craindre que tout ceci ne se termine par l'échaf...
Ce mot fatal lui tourna la tête : il consentit : il épousa. Est-ce tout? Oh! que non. Ma^me^ Job** continua son train-de-vie. Le Mari travaille, & la fortune le favorise; Madame dépense; c'est dans l'ordre. Mais pour être mise à son goût, elle emploie une ruse singulière. De temps-en-temps une Marchande venait.
— J'ai, Madame, la plus belle Robe.
— Je ne veux point d'hasard.
— Elle n'a jamais été portée; voyéz, la manche n'est pas finie; c'est d'une jeune Dame, de votre âge, de

votre taille, qui s'en défait, parce que le Mari payant l'entretién, sans trop examiner, on se procure de l'argent par-là.
— J'ai assés de robes : n'est ce pas, monsieur Job **?
— Mais, Madame, reprend la Marchande, vous ne vous informéz pas du prix? savéz-vous que c'est pour rién?
— Il faudrait voir, ma Femme, dit le bon Mari.
On déploie : étofe superbe; dessin neuf : Madame essaie : la robe fait à ravir.
— Mondieu! come elle te va! combién?
— Deux cents livres.
— Il est vrai que c'est pour rién, s'écrie la jeune Dame : mais je n'en veux pas.
— Alons, ma Fille, il faut la prendre, dit Job**; un bon marché ne se trouve pas tous les jours.
Le fin de tout cela, c'est que la robe était faite bién à neuf pour Ma^me^ Job **; un Galant payait un tièrs, un second autant, & le Mari donait le reste : heureus encore de ne pas être chargé du tout, come il en est tant d'autres! Après cete esquisse, passons aux tableaux que va nous fournir madame DU-COEURVOLANT.

De tous les Amans de DÉLIÉE, celui qui prêtait le plus à la critique, c'était *Lenfilade,* parce qu'il était un Confrère, & conu de tous les Marchands-de-draps : *Il abuse*, disaient les Envieus, *de la confiance du Mari.* La Belle le banit de chés elle avec éclat. *Cuculis* est devenu grand (il acomplissait les dix-huit) elle le rebute, & refuse de le recevoir dans la voiture, lorsqu'il viént la chèrcher de la part de ses Parens. Elle ne voit plus ni *Protectionet,* ni *Sarangeant,* ni les autres, qu'avec des précautions infinies. Ces Galans de leur côté, se trouvent trop heureus de posséder une Maitresse si belle, si parfaite en tout genre, si prudente, & sur-tout si fidelle : ils aident à se tromper eux-mêmes ; & font leur cour à SOTENTOUT, en aplaudissant chaque jour au Boulevard, le *Petit-Poucet,* le *Chat-boté,* les *Fourberies-du-petit-Arlequin,* le *Renégall, Ulespiègle,* les *Leçons de l'Amour, Isabelle-de-Pontoise,* & jusqu'à la farce *Il-n'y-a-plus-d'Enfans,* chéf-d'œuvre de PLACIDE-NICAISE en persone. Le meilleur, c'est que DÉLIÉE qui leur a conseillé de la négliger *visiblement,* les rendait les dupes de leur propre politique, & s'en servait pour étendre sa liberté. Quant à *La-Bridenbouche* (de-présent quasi Fermier-général) on ne le conaissait pas à la maison ; & DÉLIÉE qui mètait tout à-profit, ne voulant plus se faire acompagner en voiture par son chèr *Cuculis,* destina ces momens perdus à l'ancién Cocher : c'est le premier tour de DÉLIÉE, & le plus facile.

Dès qu'elle prévoit qu'elle poura sortir, un billet en avertit *La-Bridenbouche.* Mais de fréquens billets à l'adresse d'un Home, ne manqueraient pas d'être remarqués (DÉLIÉE ne se confiant pas-même à *Bidète*) : elle sut y mètre bon ordre. Par son conseil, *La-Bridenbouche* a prévenu le Facteur du quartier, que toutes les missives adressées, I, à Ma[me] Filenaigüille, marchande-de-modes, rue *Tropvaquidure* (on lui pouvait écrire souvent, atendu qu'elle fournissait trois bonets par jour ; celui du matin, celui de relevée, & la baigneuse pour la nuit ; en-outre, elle garnissait en blondes une ou deux robes neuves par semaine : 2, toutes celles pour Mr Taillepiéd, M.^{tre} Cordonier pour femme suivant-la-Cour, rue *Courtalon* (chaque jour il recevait l'ordre pour la couleur d'une chaussure nouvelle) : 3, les billets à Mr Toutodeur, m.^{d} Parfumeur, rue du *Petitmusc* (celui-ci fournissait prodigieusement ; eau pour ceci ; eau pour cela ; poudre blanche, poudre noire, poudre grise, poudre rousse ; pomade pour les cheveux, pomade pour la peau, pomade d'Abdéker ; pâte pour les mains, pâte pour le visage, pour la gorge ; gants, masques, vessies préparées, &c, &c, &c) : toutes les missives, disons-nous, adressées à ces Personages sans conséquence (pour la réputation s'entend) le Facteur est averti de les remètre chés Mr Foulant, Ferm. gén. pour M.^{r} *La-Bridenbouche,* rue *du-Foin.* Afin de rendre cet arangement plus comode encore, *La-Bridenbouche* tiént à ses ordres toujours le même Cocher : il l'envoie à point-nomé dans la rue de sa Belle ; DÉLIÉE monte seule en voiture ; mais dès qu'on est à quelque distance, le carosse s'arête, *La-Bridenbouche* y est reçu, les portières se lèvent, le chemin s'alonge, & les choses se passent à la satisfaction des Intéressés.

Ma^{me} DU-COEURVOLANT ne trouve pas autant de facilité à favoriser *Protectionet ;* il faut, pour aler chés lui, tromper *Agnès-Pudentine,* SOTENTOUT & *La-Bridenbouche.* Mais elle est servie par Ma^{me} *Fourète,* qu'elle sert à-son-tour. Les jours destinés pour le Secrétaire, DÉLIÉE se fait acompagner par SOTENTOUT chés son Amie ; *Protectionet* a précédé : sous quelque prétexte, Ma^{me} DU-COEURVOLANT passe dans un cabinet... On devine le reste. (Qu'on remarque bién ici, que DÉLIÉE a doné sa confiance à la petite *Fourète* pour une intrigue, mais qu'elle lui cache toutes les autres).

Il est encore plus dificile de rendre *Cuculis* heureus : DÉLIÉE ne peut le voir que chés ses Parens, où jamais elle n'est un moment seule; & cependant à chaque visite, les vœux du jeune Amant sont comblés. DÉLIÉE l'a prévenu qu'il doit tout ôser, lorsqu'ils ne pouront être surpris que par Ma^me^ *Cocus;* & la raison qu'elle en done, c'est qu'elle conaît la prudence de sa Maman. Un jour donc que Ma^me^ *Cocus* & sa Fille brodaient & causaient ensemble dans le salon, survint Ma^me^ *Toutacord; Cuculis* l'amène; il demeure apuyé sur la chaise de DÉLIÉE, & fait de petites espiègleries : la Belle feint de vouloir le piquer; il s'empare de l'aigüille; DÉLIÉE se lève, pour tâcher de la reprendre; *Cuculis* fait le tour du salon en courant; on le tiént presque; il se jète dans la pièce voisine; Ma^me^ DU-COEURVOLANT l'y poursuit, en disant, *Mon aigüille! mon aigüille!* Ma^me^ *Toutacord* (confidente unique d'un goût honête pour le jeune Garson-marchand) s'apercevant bién que le jeu plaisait à son Amie, ocupa Ma^me^ *Cocus* de son mieux, en déchirant quelques Femmes de leur conaissance; celle-ci, que les petits cris de sa Fille rassuraient, était d'abord assés tranquile; mais enfin certaine inflexion... Elle alait peut-être se lever, quand DÉLIÉE rentra l'aigüille à la main.
— Enfin, je l'ai eue, disait la Belle!
Ma^me^ *Toutacord* se retourna pour sourire : elle savait par expérience qu'un peu d'aide fait grand bién. Mais ce n'était-là qu'une manière, bone pour une seule fois; à chaque entrevue, il falait que DÉLIÉE en

inventât une nouvelle. Tantôt on profite du divertissement qui suit un grand souper, pour mètre tout en combustion dans la sale avec un feu d'artifice, imprudament alumé par *Cuculis :* il était auprès de sa Maitresse; dans leur éfroi simulé, tous-deux ont renversé la table; on est sans lumières : l'instant fut mis à-profit... Lorsqu'on raporta les flambeaux, DÉLIÉE parut évanouie, & son Amant était loin d'elle. *Cuculis* fut bién tancé de son imprudence, sur-tout par DÉLIÉE. Tantôt la fine DU-COEURVOLANT montre un goût enfantin pour les petits jeux de société, tels que le Roi-dépouillé, la Toilète-à-madame, Colin-maillard &c. Un-soir, que toutes les autres petites finesses avaient échoué, elle fit proposer ce dernier jeu par SOTENTOUT, qui l'aimait fort : *Cuculis* se plaça dans un coin obscur; Colin-maillard devait s'asseoir sur les Joueurs, les fouler... Ce furent toutes les circonstances de ce jeu que les deux Amans firent servir à leurs vues. Tantôt enfin elle emploie des moyéns plus délicats : Un soir *Cuculis* vint chèrcher DÉLIÉE : elle le renvoye aussitôt; mais instruit par un coup-d'œil, aulieu de gagner la rue, il se glisse adroitement dans l'escalier qui conduit à l'apartement de DÉLIÉE. La Belle s'y rend, & l'introduit... Plus d'autre embaras à-présent, que de le faire sortir : il est impossible qu'il ne soit pas vu d'*Agnès-Pudentine* & de M.r *Sotentout* qui sont dans une sale-basse. Que fait DÉLIÉE? Elle va chèrcher son Mari; l'amène chés elle en lui fesant quelques caresses; l'y retiént fort longtemps sans lumière, en lui racontant une petite altercacion qu'elle avait eue dans la journée avec Ma^me^ *Sotentout*. Durant cet entretién,

Cuculis s'évade, descend trois ou quatre marches, les remonte avec bruit, & reviént dire quelque chose qu'il feint d'avoir oublié. DÉLIÉE le laisse avec PLACIDE-NICAISE, retourne auprès de sa Bellemère; SOTENTOUT & *Cuculis* parurent un instant après, causant ensemble; & persone ne se douta de rién. Je ne finirais pas, si je tenais regître de toutes les ruses de DÉLIÉE pour favoriser le Garson-marchand. Mais passons à d'autres.

Le *Robin-donateur* avait, les jours-de-fêtes & les dimanches, quelques heures adroitement mènagées sur le temps destiné pour la dévotion.

Pillensac, d'abord favorisé, ne partage plus le bonheur de son Maître; aulieu de sortir par l'escalier dérobé come auparavant, DÉLIÉE s'en-va par la porte comune.

On donait à *Frisard* une heure tous les lundis, en revenant de chés maman *Cocus,* où l'on dînait ce jour-là : sur la route était une petite chambre, voluptueusement meublée par le Valet-de-chambre, où l'on fesait une station; mais il falait que l'on fût assés heureus pour que DÉLIÉE s'en retournât seule, & la fortune ne secondait pas toujours.

Come on mènageait Mr *Ventru,* par raport à son Maître (c'était un jeune Duc très-aimable; & d'ailleurs, une intrigue avec un Duc, quelle gloire!) DÉLIÉE lui rendait de fréquentes visites; elles paraissaient être sans conséquence, à-cause de la répugnance qu'elle a marquée pour le Maître-d'hôtel.

Lenfilade, chés quî l'on ne pouvait aler, parcequ'il était environé de Conaissances, avait le département des Spectacles : (je le répète, puisse ce Chapitre éclairer les Maris debonaires!) Mme DU-COEURVOLANT avait du goût non-seulement pour les Pièces bruyantes, telles que le *Deserteur, Silvain, Lucile, Tom-Johne, Anète-&-Lubin, l'Amoureus-de-quinze-ans,* mais elle goutait souvent les solitaires Représentations Italiènes du Mardi & du Vendredi. *Lenfilade* la suivait à ces dernières, déguisé en grosse Bourgeoise de campagne, logée sous ce titre, dans un hotel-garni, rue *Mauconseil* (où elle se donait pour une Plaideuse, que ses afaires obligeaient de s'absenter souvent). Come Ma^me^ *Fourète* était l'unique Confidente des amours de *Protectionet;* que Ma^me^ *Toutacord* savait quelque chose de la bone-volonté pour *Cuculis;* de-même, *Bidète* seule conaîssait les dehors de l'intrigue avec *Lenfilade :* au moyén de cete *parcimonie* de confiance, DÉLIÉE se fesait respecter; on observera de plûs qu'elle n'avait de confidente, que lorsqu'elle ne pouvait s'en passer; & qu'elle s'assurait de la fidélité par quelque service réciproque : ainsi *Bidète,* éprise de *Pillensac,* était favorisée par sa Maitresse, qui lui cèdait cet Adorateur.

Quant à *Sarangeant,* DÉLIÉE le cultivait avec une prédilection particulière. Elle avait ses raisons : cet honête Home doit être un jour la source de sa gloire, & de tout l'éclat dont elle va briller. Disons un mot des ruses que l'on employa pour le voir en-particulier, de l'aveu du Mari, des Mères, & sans éfaroucher les autres Galans. Toutes les heures du jour où DÉLIÉE sortait, toutes les ocasions étaient prises; il ne restait pour *Sarangeant* que les soirs : c'eût été bagatelle de les doner, si DÉLIÉE avait voulu s'aider d'une Confidente; mais elle pensait que c'était un inconvénient de galanterie, auquel elle n'était déja que trop exposée. Un jour, elle avait entendu vanter l'Astronomie; *Mélanie* était présente; l'on exaltait devant toute la Famille le double avantage de cete science : Elle élève l'esprit, elle l'éclaire, lui done des idées grandes, & convenables de l'Être-des-Êtres : L'on observe que ceux qui s'ocupent de ces conaissances sublimes, ont presque toujours des mœurs pures. DÉLIÉE fit insister là-dessus, à-cause de *Mélanie :* on lui dona des raisons satisfesantes. Elle en prit ocasion de prier Ma^me^ *Quillenpoche* de venir passer les soirées avec elle; l'assurant qu'elle conaissait un Astronome habile, qui se ferait un plaisir de les inicier; mais qu'elle avait toujours diféré, parce qu'elle ne voulait pas être seule avec un Savant : *Mélanie* accepta. Dès le lendemain Ma^me^ DU-COEUR-VOLANT fit savoir à *Sarangeant,* qu'il falait qu'il devînt *Uranologue.* De quoi l'amour ne rend-il pas capable! *Sarangeant,* l'Intendant d'un Prince, un Home-de-plaisir, quite la terre où il est si bién, pour se guinder audessus des nues, & lire aux astres! A la première visite qu'il rendit chés les SOTENTOUT, DÉLIÉE ne manqua pas de parler d'Astronomie, & *Sarangeant* de se doner pour très-habile dans cete science : la Belle le retint pour maître : la première leçon à la première belle soirée : *Mélanie* s'y trouva, *Agnès-Pudentine* & SOTENTOUT y assistèrent : on était à la fin d'Août. *Sarangeant* montra la *Grande-ourse,* le *Daufin,* la *Queûe du Cigne,* & la *Tête du Capricorne.*

— La *Grande-ourse,* disait le Maître, est une Constellation Septentrionale, composée de sept principales étoiles, dont quatre forment un trapèse, ou caré irrégulier, & les trois autres, une queûe recourbée en dessous; celle qui comence la queûe est de la seconde grandeur, & se nome *Aloth* (14). Viént ensuite la *Petite-ourse,* aussi composée de sept étoiles; mais beaucoup moins aparentes; elle afecte la même figure que la *Grande,* si ce n'est que la queûe est recourbée en dessus; l'étoile qui fait l'extrémité de cete queûe, est l'*étoile-polaire,* qui est de la troisième grandeur, &c, &c, &c.

A ces doctes entretiéns, PLACIDE-NICAISE & sa chère Mère bâillèrent & s'endormirent. Il leur fut impossible de suivre les autres leçons; dès la seconde, où il s'agissait de la *Queûe du Capricorne,* & des *Têtes du Verseau, de Pégase & de Céfée,* ils se retirèrent; tant la famille des SOTENTOUT & des *Sotiveaux* avait peu de goût pour les choses célestes! DÉLIÉE & *Mélanie* se trouvèrent donc seules avec le Maître, *Agnès-Pudentine* se reposant sur l'Amie de sa Bru : Il n'était pas dificile d'ocuper une Femme vertueuse come Ma^me^ *Quillenpoche,* qui devait être sans défiance, par l'atention qu'avait toujours eue DÉLIÉE de se déguiser avec elle. Pour lors, la Rusée & son Amant descendaient à-la-hâte du ciel en terre, & laissaient un moment la froide *Uranie,* pour la galante *Érato.*

Quand ce moyén fut usé, l'on eut recours à d'autres, mais qui rentrent dans l'ordre comun des Tours que les Femmes jouent à leurs Maris. Par-exemple, Ma^me^ DU-COEURVOLANT s'adressait à Ma^me^ *Fourète,* non pour lui faire une confidence, mais pour l'engager à la débarasser de son Mari. Malgré sa surcharge, la complaisante Amie s'y prêtait, à-condition qu'on lui rendrait la pareille, soit pour son Mari, soit pour un Galant. SOTENTOUT dona dans le paneau : malignement secondé par *Bidète,* il se déguisait grotesquement la nuit, pour aler se consoler avec la compâtissante *Fourète* des rigueurs de DÉLIÉE. Une fois *Sarangeant* sortait sous le même habit que PLACIDE-NICAISE ; il fut vu d'*Agnès-Pudentine,* qui ne manqua pas d'en parler à son Fils.

— C'était moi, répondit SOTENTOUT.

— Mais ce n'était pas votre taille?

— Je le crois bién; j'avais une tête postiche de carton, si bién ajustée, que tout le monde du Bal a cru que c'était la miène : ma Femme elle-même y avait mis la main.

La Maman *Sotentout* n'augura pas bién de cete invention de DÉLIÉE, d'augmenter la taille d'un Mari du côté de la tête : elle fit des informations secrètes, qui faillirent de réussir. DÉLIÉE comprit par-là, qu'il est quelquefois aussi dificile de tromper les Sots, que les Gens-d'esprit. Mais la scène est sur-le-point de changer; l'impudence va succéder à la finesse... O Beaune! ô ma Patrie! l'on est sot chés nous; à l'exception de la Tonellerie, l'on ne s'y conaît point en beaux Arts, & si nous voyagions en Italie, nous ne distinguerions guères le Tableau du plus grand Maître, du conservatoire grossièrement peint qui le couvre; si notre Maire & nos Échevins venaient à la Capitale, & qu'on les menât au Spectacle, ils préféreraient peut-être les *Vaches-Américaines* de *Nicolet, & les Leçons-de-l'Amour* de *l'Ambigu-Comique,* à *Polieucte, Fèdre, Mérope; & Polichinel* à

Lekain : Mais nos mœurs sont encore pures en bién des choses : nos Épouses nous trompent sans-doute; mais elles n'en font pas trofée : cet excès de dépravation ne règne que dans les Capitales. Ah! restons Sots, chèrs Beaunois, si l'*esprit,* si le *goût,* le *bel-usage* doivent nous amener l'effronterie avec eux!

XXIV.ME CHAPITRE.

Éclat.

SARANGEANT croit enfin qu'il est temps de tenir sa parole, & de présenter à son Maître le charmant Objet, qui ne s'était doné qu'à cete condition : c'est d'ailleurs un moyén d'afermir son crédit, que certains tours de *passe passe* découverts pouvaient ébranler. Un jour il dit à DÉLIÉE de se mètre sous les armes, & de se trouver aux Théatins à midi. Le Prince y vint. *Sarangeant,* sans afectation, fit remarquer la Belle : on ne pouvait la voir sans desirs; le Prince en eut, & des plus ardens.
— *Quelle est cete charmante Persone?*
— La Femme d'un de mes Amis : elle est sage.
Le Maître insista; l'on se rendit avec peine, avec confusion : en sortant, *Sarangeant* s'écarta, pour aler doner la main à DÉLIÉE, qu'il conduisit dans son cabriolet à la Petite-maison du Prince. Celui-ci vint y dîner. Grande surprise de la part de *Sarangeant :*
— J'atendais le Mari de Madame.
Éfectivement il ariva. Le Prince dona des ordres pour qu'il fût bién reçu sans voir sa Femme. Enfin l'intrigue fut menée de façon, que le Prince demeura

persuadé que l'éclat de sa grandeur pouvait seul éblouir la vertueuse & jolie DU-COEURVOLANT; que sa belle figure seule pouvait l'atendrir. Du-reste, il lui trouva tout ce qui rend si charmantes les Femmes à-la-mode : apas, atraits, charmes, grâces, esprit, talens agréables, voix enchanteresse, mignardise, goût des plaisirs, DÉLIÉE avait tout. Son Amant fesait pour elle mille folies. Depuis l'instant qu'elle avait mis le piéd dans la Petite-maison, elle n'était plus retournée chés son Mari. L'on engagea le Prince à convenir qu'il l'avait enlevée, & qu'il la gardait malgré elle. Ce fut dans ces termes qu'elle en écrivit à ses Parens : elle ajoutait, *que l'éclat étant fait, elle leur conseillait de se concilier plutôt la protection du Prince que d'avoir recours à des démarches inutiles.* Elle fesait ensuite l'éloge du cœur, de l'esprit & de la figure de son illustre Amant.

Jusqu'à ce moment décisif, DÉLIÉE n'a brillé que dans la sfère étroite de ses Conaissances; à-présent elle va devenir une Beauté célèbre, rechèrchée, qu'on voudra mètre à l'enchère. Vingt Galans du premier ordre atendaient que le Prince eût tempéré la vive ardeur qu'il afichait; car il était pris sérieusement. Éh! qui ne l'aurait pas été par la beauté, l'inocence, l'aimable ingénuité, la sensibilité même! DÉLIÉE a la première; elle feint la seconde, & se done les deux autres. On en jugera par l'échantillon que je vais présenter ici.

Le premier jour que le Prince la vit, elle joua l'embaras, l'éfroi, la douleur; des larmes, mais les plus belles larmes coulèrent de ses ieux. Elle eut le plaisir d'être consolée, de recevoir mille soins enchanteurs, & d'une délicatesse qu'elle n'avait encore que soupçonée. Alors, afectant une séduisante naïveté, DÉLIÉE paraissait plutôt une Jeune-fille encore vierge, qu'une Femme mère de trois Enfans. Elle soufrait les premières ataques, come n'en prévoyant pas les conséquences; elle se défendait en petit lutin, lorsque le but devenait plus clair.

— J'ai cru que vous m'aimiéz, lui dit son Amant, & qu'une tendre complaisance alait me le prouver...

— Pardonéz à mon inexpérience, répondit la Belle : à-la-vérité, je suis Femme, & je dois conaître;... mais je n'ai jamais soufert les aproches de mon Mari que dans l'obscurité, come la décence l'exige, & toujours surprise auparavant par le someil : je ne conaissais pas... toutes ces caresses,... que vous seul aparament savéz mètre en usage.

L'Amant fut enchanté : la perfection des apas de sa Maitresse semblait confirmer ce qu'elle disait... il n'en est aucun où la nature n'ait servi DÉLIÉE en mère tendre; sa bouche est mignone, son piéd est mignon, de la tête aux piéds tout est mignon chés elle.

On présume que madame DU-COEURVOLANT a dû renoncer à toutes ses Conaissances. Chacun des anciéns Galans en particulier, la croyant enlevée par le Prince, était dans une douleur profonde. Mais le plus afligé, ce fut *Cuculis*. Ce charmant Jeune-home sèchait sur piéd : souvent il paraissait enfoncé dans une rêverie profonde, & l'on voyait de grosses larmes silloner le long de ses joues pâles & ternies. Quant aux autres, ils pleurèrent aussi; mais come ils étaient d'un âge où l'on est plus maître de soi-même, leur douleur fut moins aparente, sans être moins vraie. Ils doivent guérir tous en même-temps, come on ne tardera pas à le voir.

Cependant les plaisirs naissent sous les pas de DÉLIÉE : un char brillant la conduisait aux Spectacles, aux Promenades publiques; elle était tous les jours de parties fines, de petits soupers, où se trouvait ce qu'il y a de mieux. Sa fidélité pour le Prince paraissait inébranlable pour tous ceux qu'elle ne voyait qu'avec lui : l'on sent pourtant bién qu'il était impossible qu'elle se refusât à la reconaissance qu'elle devait à *Sarangeant*. DÉLIÉE, dont une impitoyable Surveillante éclairait les moindres actions, même pendant la nuit, eut besoin de toute son adresse. Mais enfin elle ateignit son but. On ne s'imaginerait guères où? Je ne le dirai pas, mais je vais le faire entendre. C'était dans le même endroit où la médisance publie qu'une jolie Actrice... : on ne jouissait pas-là de toutes les comodités, malgré le nom que porte le boudoir; cependant elles n'y manquaient pas toutes; le siége, en velours cramoisi, était bién rembouré : lorsque DÉLIÉE y passait, la vieille dame *Custodine,* qui la croyait-là fort en sûreté, prenait ce moment pour se procurer certaine satisfaction du goût de son âge; & cet instant était le seul, car DÉLIÉE la gênait autant qu'elle en était gênée : pour ôter toute amfibologie, la Vieille aimait le vin; elle en avait une petite provision, fournie à dessein par l'Home-d'afaires, dans un réduit à l'oposite de celui qui renfermait la Belle; *Sarangeant,* bién au-fait, entrait sans bruit; & lorsque DÉLIÉE quitait, elle entraînait la Vieille tantôt ici, tantôt là; l'Intendant sortait, & rién ne pouvait se découvrir.

Cela sufit dans les premiers temps, où le Prince tenait son bout come il faut; mais lorsqu'il comença de *lâcher,* DÉLIÉE sentit qu'il lui manquait quelque chose. Elle se rapela *Cuculis.* Dans une visite qu'elle obtint de rendre à ses Parens *incognito,* la Belle aprit ce qu'il avait soufert; elle le vit, son cœur s'émut pour cete première inclination : le Jeune-home avait les traits mignons; l'on pouvait aracher avec des pinces une barbe rare qui cotonait son menton : DÉLIÉE trouva l'instant de lui dire un mot, sans que la Vieille les aperçût; elle lui recomanda d'éviter la vue de cete Argus, & lui fit part de son projet. Le lendemain, elle querella *Bidète* (qui l'avait suivie) la recompensa néanmoins de-manière à lui fermer la bouche sur ce qu'elle savait, & la renvoya. Le surlendemain; une grande Jeune-fille se vint présenter; elle plut à la Duègne, qui la fit agréer au Prince. La nouvelle Femme-de-chambre ne savait pas coîfer, était d'un gauche insuportable; DÉLIÉE lui montrait en secret. Mais come il falait qu'elle fût frisée, *Vitaline* (c'était le nom de la Femme-de-chambre) par le conseil de sa Maitresse, feignit d'avoir mal au doigt, & sortait tous les jours, pour aler prendre des leçons d'un art qui lui devenait si nécessaire. Ce n'était pas tout, la Duègne couchait dans le cabinet voisin de la chambre de DÉLIÉE; on se plaignit qu'elle ronflait des deux bouts à faire trembler (ce qui pouvait être vrai, sur-tout quand DÉLIÉE avait été longtemps sur le siége cramoisi); on demanda que *Vitaline* la remplaçât. Acordé. Qu'on se représente l'heureus *Cuculis,* dans les bras de sa charmante Maitresse. Le Sort le dédomage amplement de toutes les privations qu'il a soufertes!... Mais, mais, *Heureuses les Femmes* (dit le chœur des Calcidiènes dans Euripide) *qui ne se laissent pas emporter au feu de leur tempérament, & qui se contentent des plaisirs tranquiles & sûrs de l'Himen! L'Amour a deux arcs; les traits de l'un portent le bonheur; ceux de l'autre empoisonent la vie. Amour! éloigne ces derniers de notre coûche-nuptiale : nous ne te demandons qu'une Volupté modérée & des plaisirs permis.*

Mákares, 'oì metrías Theoû
Métà té sôphrosúnas metéschon
Léktrôn A'phroditas, &c.

Ifigénie, II Acte, dern. scène.

XXV.ME CHAPITRE.

Orage.

SI quelqu'un de mes Lecteurs s'imaginait que le bonheur trouvé dans le crime est durable, je lui déclarerais qu'il s'est beaunoisement trompé.

La belle DÉLIÉE paraissait au comble du bonheur; le Prince l'aimait, & satisfesait sa vanité, son ambition; il avançait sa Famille, & dorait si bién la pilule à PLACIDE-NICAISE, que ce docile Mari prenait son avanture avec une resignation très-parisiène. (Il avait d'abord voulut agir à la *Montespan,* & se faire tenir à quatre : mais les faveurs de la fortune l'adoucirent enfin : il se répandit, sut se doner un ton dans le monde, & s'ocupa des belles choses dont j'ai parlé plus haut, & dont je dois parler plus bas). *Sarangeant,* de son côté, contribuait aux plaisirs des sens, & le charmant *Cuculis* donait la volupté du cœur. DÉLIÉE avait toujours aimé ce Jeune-home, c'était son unique amour de *tendresse;* mais l'on sait combién cete noble passion de l'âme est subordonée au fisic, dans les Femmes températmenteuses; ce ne sont que les froides qui savent aimer *tendrement.* Tandis que la belle DU-COEURVOLANT jouissait dans une sécurité profonde, l'orage se formait sur sa tête. Ce n'était pas son adresse qui devait se trouver en défaut ; un concours de circonstances, que le vulgaire nome *hasard,* mais qui n'est autre chose que le resultat nécessaire d'une conduite trop compliquée pour que nous en démêlions bién le jeu ; ce concours, dis-je, va dévoîler toute sa turpitude.

Bidète, sortie d'auprès de sa Maitresse, l'aimait encore ; elle garda le silence : d'ailleurs elle en recevait des biénfaits, vivait dans l'aisance & dans l'espoir d'épouser *Pillensac.* L'intérêt qu'elle prenait à DÉLIÉE fesait qu'elle s'informait de tout ce qui la concernait, à bone-intention, il faut ici l'avouer ; mais *Bidète* aprit dans quelle intimité sa *Successrice* (ou *Successeresse*) était avec Ma[me] DU-COEURVOLANT ; la jalousie se glissa dans son cœur ; ce Monstre y étoufa la reconaissance & la fidélité. Dans le premier moment de chagrin, elle se rendit chés *Lenfilade,* & répandit dans le sein de cet ancién Amant, le seul qu'elle conût pour tel, toute l'amertume de son cœur. Cependant elle ne se permit encore aucune indiscrétion au sujet des dispositions de DÉLIÉE envers le Prince, & des séances sur le velours cramoisi. Durant leur épanchement, survint *Protectionet.* Car il faut savoir, que SOTENTOUT, protégé par le Prince, a quité son état, quoiqu'il eût la boutique de M[r]. *Cocus-de-Galanvile,* qui s'est retiré. (Observons ici que Papa *Cocus* vit encore, & que *Friponet* est *ad Patres :* voila come on doit compter sur les Veuves de futurs Défunts!) Depuis cete abdication, *Lenfilade,* come ami, come acquereur du fond, come recomandé par SOTENTOUT, avait toutes les Pratiques. *Protectionet* fut suivi par *La-Bridenbouche.* Les deux Survenans ne se conaissaient pas; mais tous-deux conaissaient *Bidète,* & tous-deux s'informèrent de Ma^me^ DU-COEURVOLANT. Un soupir de la part de *Lenfilade.*

— C'est une ingrate, répondit la Femme-de-chambre; je l'aimais come mes ieux; une autre... Ah! je serais bién tentée... elle avait quelquefois avec moi certaines façons...

— Que dites-vous là, Mam'selle, intérompit *La-Bridenbouche!...*

— N'outragéz pas une Femme charmante, s'écria *Protectionet.*

— C'est fort mal à vous, mam'selle *Bidète,* ajouta *Lenfilade!*

— Mondieu! Messieurs, reprit la Femme-de-chambre toute confuse, on dirait que vous avéz tous été ses Galans!

— Mondieu non, dit *Protectionet;* mais je fus son meilleur Ami.

— J'en pourais dire autant, ajouta *La-Bridenbouche.*

— Ét moi donc? murmura doucement *Lenfilade.*

— Mondieu, Monsieur, répondit *Bidète* à ce dernier, ne vous en défendéz plus; tout le mal à dire est dit, pourquoi vous cacher d'une chose qui ne lui peut rién ôter à-présent, & qui vous fait honeur?

Lenfilade rougit; & biaisa. Les deux autres s'écrièrent :

— Vous étiéz favorisé, dit-elle?

Motus : Lenfilade ne répondait rién.

— Expliquéz-vous donc, insista *Protectionet?*

— Mais, ce n'est pas moi qui l'ai dit, repliqua *Lenfilade.*

— Messieurs, ajouta *Bidète,* j'étais la Confidente, & je pourais assurer que Monsieur fut l'heureus.
Il faudrait avoir été-là, pour voir la mine de *Protectionet* & de *La-Bridenbouche.* Par vanité, tous-deux se vantèrent à quî mieux.
— Envoyons chèrcher Ma^me^ *Fourète,* continua *Protectionet.*
Un Garson part. En l'atendant, *La-Bridenbouche* détailla plus au-long, Coment la conaissance s'était faite; Coment *Friponet* était rue *Cocatrice,* dans une maison où la belle DÉLIÉE l'avait été trouver; Coment le susdit *Friponet* l'avait rossé; Coment il avait retrouvé Ma^me^ DU-COEURVOLANT; Coment les Mousquetaires les avaient surpris; Coment il recevait des Billets; Coment il avait eu ses rendéz-vous dans le carosse; &c, &c. Les *Coment* n'étaient pas encore épuisés, quand Ma^me^ *Fourète* parut : on avait doné le prétexte d'une afaire pressée.
— Éh-bién, madame, lui dit *Protectionet,* vouléz-vous avoir des nouvelles de votre anciène Amie?
— *Anciène,* vous dites fort-bién; car depuis qu'elle est Princesse, elle n'a pas daigné me doner de ses nouvelles, ni s'informer de moi.
— N'est-ce pas que j'étais avec elle du dernier mieux?
— Ah! pour celui-là, monsieur *Protectionet,* vous vouléz me mètre à l'épreuve! je dis tout, hors ce qui m'est confié.
— Quoi! lorsque chacun de ces Messieurs prouve qu'il fut heureus, je serai seul la dupe de votre discrétion; moi qui, sans vanité, fus aimé, du-moins dans les comencemens?

— Ces Messieurs! dit la *Fourète,* ces Messieurs ont obtenu...

— Tout, puisqu'il faut le dire.

Bidète et la Dame firent un geste admirativement horrifique, & toutes-deux se mirent à dégoiser ce qu'elles savaient. Ensuite, sur les renseignemens de *Bidète,* qui se douta du-reste, on envoya chèrcher *Pillensac, Ventru, Frisard,* le Médecin *Tâtenbas,* & *Chicanidicon.* Tous confessèrent la vérité pure; & tous s'écrièrent qu'il falait mépriser cete vile Créature.

— Est-ce là tout, Messieurs, dit *Pillensac?*

— Il n'y a pas d'aparence, répondit *Lenfilade :* l'Intendant qui l'a présentée au Prince, est dumoins autant notre Pair, que le Prince lui-même; en voila deux très-sûrs.

— Par ce que je vois, dit *Ventru,* je pourais assurer qu'elle a fait autant d'heureus qu'elle avait de Conaissances; il ne s'agit que de compter ces dernières.

— Ç'a nous menerait trop loin, dit *La-Bridenbouche :* sachons seulement ce qu'est devenu ce petit Efféminé, Garson-de-boutique chés son Père : il est disparu depuis que M^r^. *Cocus-de-Galanvile* a quité son comerce, & l'on en est fort en-peine : je crois à-présent que nous étions tous dupes, & que c'était-là le Favori.

— Les Filles-de-joie, (dit *Protectionet,* en rougissant de colère, & se mordant les lèvres) outre le Public, qu'elles reçoivent en payant, ont ordinairement un Malôtru, qu'elles paient à leur tour : *Cuculis* sera celui de la DU-COEURVOLANT.

L'on n'en douta plus; & *Bidète,* outrée contre une

Maitresse, dont elle n'avait pas eu la confiance, porta ses vues bién plus loin. Heureusement, ce fut à *La-Bridenbouche* qu'elle les confia d'abord; malheureusement, elle en dit ensuite un mot à son chèr *Pillensac*.

L'Assemblée des Galans s'était séparée en se promètant de se comuniquer les découvertes. *Protectionet, Ventru, Tâtenbas* & *Chicanidicon,* ne firent aucunes démarches : mais *Pillensac, La-Bridenbouche* & *Lenfilade* ne négligèrent rién. Le premier, de concert avec son Maître, qui servait le Prince dans un procès, parvint jusqu'à DÉLIÉE, & voulut en obtenir un rendéz-vous pour le Robin. La Duègne surprit l'éfronté *Pillensac* à baiser...

— Coment donc! un Laquais, Madame, prend avec vous de ces airs-là!... Sors, chién de *P****, ou je te fais jeter par les fenêtres.

Pillensac se retira, mais en prenant la main de *Custodine,* qu'il serra. Cette Femme le suivit.

— Vous faites bién du bruit pour rién. Je suis à l'un des Juges du Procès du Prince; mon Maître a eu cete Belle que vous gardéz si bién; c'était moi qui l'introduisais, & je ne m'oubliais pas. Vingt-cinq louis ne vous détermineront-ils pas à quelques instans d'absence, demain, par-exemple, que le Prince doit chasser à...?

Après quelques dificultés, la Duègne, un-peu surprise de ce qu'elle venait d'entendre, se rendit bonement; elle assura néanmoins que si madame DU-COEURVOLANT avait été ce qu'on avait cru jusqu'à ce jour, rién au monde n'aurait pu tenter son incorruptibilité.

— Mais, ajouta *Pillensac,* il faudra nous débarasser

de cete grande Femme-de-chambre qui ne quite pas sa Maitresse.

— C'est un point dont je n'ôse vous répondre; cete Fille est plus jalouse de Madame que le Prince lui-même : vous tâcheréz de l'amuser, tandis que votre Monsieur entretiéndra la Maitresse.

Cet expédient aurait dû paraître d'autant plus naturel à *Pillensac,* qu'autrefois il amusait *Bidète.* Mais les soupçons de cete dernière, qu'il venait de vérifier, rendaient ce moyén impraticable. Cependant il n'insista pas là-dessus; bién sûr qu'un mot éloignerait l'Incomode. Il courut porter la bone nouvelle à M^r^. *Du-Décidantin;* & dans la même journée, il instruisit tous les Co-heureus, ou plutôt les Co-dupes. *La-Bridenbouche* & *Lenfilade* voyant que DÉLIÉE était abordable, tâchèrent aussitôt de s'introduire jusqu'à son apartement : ils y réussirent; le premier, en s'anonçant pour un Marchand de Bijoux; le second, en se chargeant d'une pièce d'étofe d'un goût absolument neuf. Ils entrèrent ensemble. DÉLIÉE, qui les reconut d'abord, les reçut avec une aisance & des grâces infinies : l'exacte & tenace Femme-de-chambre ne les eut pas plutôt envisagés, qu'elle disparut. Dame *Custodine,* qui se reposait sur elle, ala dans son boudoir bacchique. Les deux Galans eurent donc toute la liberté de se plaindre. DÉLIÉE les persiflait aulieu de se justifier. Mais elle était si charmante, que les deux Imbéciles laissèrent paraître toute leur faiblesse. La Belle, qui voyait son triomfe, voulut les pousser à-bout; & leur doner à tous-deux un rendéz-vous pour le lendemain.

— A tous-deux, Madame, s'écria *La-Bridenbouche!*

— Pourquoi non, dès que vous savéz tout?
Les deux Homes furent quasi honteus, & se retirèrent, en se promètant de venger la décence & la pudeur outragées.
— Avéz-vous remarqué la Femme-de-chambre, dit en sortant *Lenfilade?*
— Oui; elle est fort aimable.
— Dites, *il est :* c'est *Cuculis.*
— Quelle Imprudente! elle ne mérite guères sa fortune!... Abandonons-la, poursuivit le généreus *La-Bridenbouche* (qui dans ce moment sentit que son cœur était pour la Perfide) abandonons-la; mais ne lui fesons aucun tort; que nous en reviéndra-t-il?
— Vous pouvéz penser de la sorte, vous, répondit le vindicatif *Lenfilade;* mais moi qui suis de sa condition, vous vouléz que je me prive du plaisir d'humilier mon Égale, & deux Familles, rivales de la miène! Serviteur.
Ils se séparèrent, en roûlant chacun dans leurs têtes des projets bién diférens.

(Il se trouve une faute dans la Table; le titre du Chapitre suivant y est omis; le Chapitre *Revers* est coté XXVJ, aulieu de XXVIJ; & la *Conclusion* est marquée mal à-propos come Chapitre.)

XXVI.ME CHAPITRE.

Éfronterie.

LA-BRIDENBOUCHE, séduit par les grâces de DÉLIÉE, & d'ailleurs moins dificile que les autres, s'atendrit pour elle : il se ressouvint que dans le fond, elle était la cause de sa fortune; que les plus dous momens de sa vie, il les lui devait.

— Elle me trompait, s'écria-t-il?... Éh! tout notre bonheur est-il autre chose qu'une illusion! je serais un monstre d'ingratitude, si je l'abandonais à la méchanceté de ses Ènemis.

Dès le même soir, il écrivit à la Belle, & fit remètre à *Cuculis* un Billet, dont voici la copie fidelle.

On est furieus contre vous, Madame : Protectionet, Ventru, Pillensac, & surtout Lenfilade veulent votre perte. Les deux derniers travaillent contre vous; demain, ils doivent instruire Mr. SOTENTOUT, vous l'amener, & l'engager à faire une esclandre, dont le Prince à son retour voudra savoir la cause. Quant à moi, je suis plus raisonable : vous ne me deviéz rién, & vous avéz pris la peine de me persuader que j'étais uniquement aimé! n'étais-je pas réellement heureus?

De quoi me plaindrais-je donc aujourd'hui? C'est moi, moi seul qui viéns de détruire mon bonheur, par d'imprudentes informations. Je me jète à vos genoux, belle Dame, pour vous prier de me tromper encore; & j'en serai reconaissant jusqu'au tombeau. Mais parlons de ce qui vous regarde. Cuculis fut hièr reconu; Lenfilade l'a remis sur-le-champ; & le rendéz-vous obtenu par Pillensac est divulgué. Je ne doute pas qu'étant prévenue, vous ne trouviéz des ressources pour triomfer de tous vos Assaillans. Je suis, avec des desirs plus vifs que jamais, Votre, &c.

LA-BRIDENBOUCHE.

Cuculis intrigué de recevoir mistérieusement un Écrit dont le dessus était à sa Maitresse, eut la curiosité de l'ouvrir : Que l'on juge de son étonement! Il était amoureus, il se croyait aimé; il voyait la vérité toute nue : les accès de la jalousie, égalèrent les transports de son amour. Il remit l'Écrit à DÉLIÉE, & lui dit, avec l'air du mépris le plus insultant :
— Vous jouéz un digne personage, Madame! une Prost... n'est pas audessous de vous.
DÉLIÉE lisait :
— Éh-bién, qu'y-a-t-il donc-là qui vous surprène? répondit-elle avec sens-froid : ne conaisséz-vous pas les Homes? seriéz-vous la dupe de leur méchanceté? ma pauvre *Vitaline*, que vous êtes neuve!
— Vous ne m'en imposeréz pas, Madame; je vis hièr cet Home du Président; il vous baisait la main au moment où *Custodine* vous surprit.
— Éh! quand cela serait, Monsieur?... Ingrat! je vous ai seul aimé : les circonstances m'ont quelque-

fois rendue la victime des passions des autres; c'est à vous seul que je me suis donée par goût, par chois, par inclination. Aléz, vous ne méritéz pas mes bontés!

Deux larmes brillèrent sous ses paupières. *Cuculis* ne fut plus à lui-même; une mèr agitée, voila l'image de son âme tumultueuse : il tombe aux genoux de la Syrène.

— Vous êtes trop belle, pour avoir tort, lui dit-il : je vous adorerai toujours, inocente ou coupable; mon sort est de vous doner mon cœur & ma vie : mais voyéz ce que je dois faire?

— Il faut nous séparer : sortéz, mais avec précaution : le Prince ne vous a vue qu'à-demi; je doute qu'il vous reconût; couréz chés ma Marchande-de-modes; faites prendre vos habits à cete Jeune-fille qui est de votre taille, & qui vous ressemble beaucoup; envoyéz-la moi; sa Maitresse me l'a promise; & depuis que vous êtes ici, j'ai prévu ce qui viént d'ariver.

Tout s'exécuta. La jeune *Toquinète* remplaça *Cuculis;* & cete nouvelle Femme-de-chambre, des piéds à la tête, était bién fille par-tout.

Le lendemain, dès que le Prince fut parti, madame DU-COEURVOLANT fit dire à son Mari qu'elle le priait de passer. SOTENTOUT vole à ses ordres. DÉLIÉE était ravissante : un deshabillé provoquant augmentait ses grâces naturelles.

— Que je suis malheureuse, Monsieur, dit-elle au Bonhome! on ataque ma réputation. Vous savéz, Monsieur, que ce n'a jamais été que par vos conseils & ceux de votre Mère, que j'ai rendu visite à nos

Pratiques ; chés quelques-unes, j'ai quelquefois eu des assauts à soutenir ; ces Messieurs, qui s'étaient bercés d'espérances, me voyant hors de leur portée, s'avisent aujourd'hui de se prévaloir de demi-faveurs, arachées à ma complaisance, pour me perdre dans l'esprit de mon Prince, & vous indisposer vous-même : j'espère, Monsieur, que vous soutiéndréz votre honeur & le mién, & que vous feréz repentir ces Insolens d'ôser s'adresser à vous pour me noircir.

SOTENTOUT l'assura qu'il ne croirait rién de tout ce qu'on pourait lui dire : ses petits ieux rouges s'enflamèrent ; il demanda... DÉLIÉE sourit... Vénus en acordait quelquefois autant à Vulcain.

J'ai lu, je ne sais où, que *Laïs* avait inventé un emblème jéroglifique fort singulier, que l'on voit encore sur les médailles qui la représentent : cete Courtisane fameuse de l'anciène Grèce avait fait graver une *Lione* écorchant un *Mouton* par les parties. Excèlente allusion, selon moi, qui devrait former l'empreinte du cachet des Femmes-à-la-mode, & sur-tout des Filles d'Opéra : la *Lione* (*Lœna*) en grec & en latin signifie le nom qu'elles méritent de porter ; le *Mouton,* marque la sotise des Homes ; qui pour satisfaire une passion designée par l'endroit que la *Lione* ataque, se laissent écorcher, dépouiller, manger ; ou tout au moins, mener par le néz. PLACIDE-NICAISE, subjugué par sa Femme la quita dans la ferme resolution de repousser les traits de la calomnie ou de la médisance. A-peine était-il de retour chés lui, qu'il vit paraître les Acusateurs. Aux preuves très-persuasives qu'ils lui donèrent, il ne répondit que ces mots : *J'en sais plus que vous là-dessus. Lenfilade* perdit patience : il injuria SOTENTOUT, & l'acusa d'un lâche assentiment au libertinage de son Épouse. Ici la constance de SOTENTOUT l'abandona; il consentit à croire, & se couvrit lui-même de ridicule, en se laissant raconter tous les Tours dont il avait été la dupe. On n'oublia pas *Cuculis,* ni *La-Bridenbouche,* quoique ce dernier fût absent. Ensuite toute la cohue se rendit chés madame DU-COEURVOLANT. Elle l'atendait, & ne comptait pas trop sur son benêt de Mari. Toute son atention fut d'éloigner *Custodine,* qui s'y prêta par les raisons que l'on sait.

Loin de se faire céler, DÉLIÉE dit à *Toquinète* d'ouvrir, & reçut tout son monde d'un air enjoué : son voluptueus négligé venait de recevoir une nouvelle perfection, par les soins de la Fille adroite qui remplaçait *Cuculis :* elle remarqua, lorsqu'ils l'abordèrent, qu'elle les éblouissait.

— En-vérité, Messieurs, dit-elle, je suis charmée de vous voir, quoique j'aie à me plaindre de vous.

Tous lui répondirent en *chorus,* pour lui reprocher ses perfidies, son libertinage.

— Ah! dieu! m'aléz-vous assourdir? Parléz l'un après l'autre, je vous en prie, afin que votre éloquence brille, & qu'on puisse vous entendre... Mais au fond, ce sont des misères que vous auriéz à dire, ajouta-t-elle en souriant. Écoutéz, je prétens à votre estime, & je veux me justifier; mais si je parle devant tous, je serai souvent intérompue; c'est en particulier que je préfère de vous entretenir : je vais comencer par M^r^. SOTENTOUT.

Elle prit son Mari par la main, & le fit passer dans son boudoir. Il fut tancé vivement sur sa facilité.

— Mais, *Cuculis?*

— Quoi! vous ôséz douter? le voila (montrant *Toquinète*); ils ont pris cete Fille pour *Cuculis,* parce qu'elle lui ressemble. Mais c'en est trop là-dessus : cachéz-vous avec ma Femme-de-chambre dans ce cabinet; on vous croira sorti; vous entendréz ce que je vais dire à chacun; par ce moyén vous ne pouréz douter de la vérité, que vous certifieréz à nos Familles... Je me vengerai de ta sotise, imbécile, ajouta-t-elle entre ses dents.

Elle enferma PLACIDE-NICAISE, après avoir dit un mot à l'oreille de *Toquinète,* & celle-ci fit trouver à l'Épous un trou pour observer ce qui se passerait. DÉLIÉE revint ensuite à ses Galans : tous voyaient bién le piége grossier qu'elle leur tendait, mais ils brûlaient d'y doner. Le premier admis fut *Protectionet.* La fine Créature lui dit, en lui fesant un signe :

— Monsieur, quand je vous ai trompé, c'était pour que vous fussiéz heureus; aujourd'hui, j'ai le mérite de la sincérité; je ne vous cache pas que je dois vous tromper encore, si vous vouléz me revoir; ce qui me fera beaucoup de plaisir, parce que vous êtes un Home aimable, honête sur-tout, & dont je suis sûre. (à demi-bas) Je vous aime; si vous en doutiéz, vous seriéz un fou. Aléz; je vous irai voir, atendéz moi le matin, tous les jours de cete semaine... A-propos, j'oubliais... venéz demain à onze heures; nous prendrons des mesures.

Elle lui tendit la main, que *Protectionet* baisa,

subjugué, non par les discours, mais par la beauté. Cependant il parut hésiter.

— Le préjugé empoisonera-t-il votre bonheur, ajouta DÉLIÉE? soyéz plus filosofe.

Protectionet, à ce mot flateur, à ce mot si puissant sur nos Petits-maîtres, ne put résister davantage : il sortit comblé, mais par une autre porte, & s'en ala.

Lenfilade fut introduit le second.

— Vous êtes donc bién en colère, lui dit la Sirène? éh! de quoi?... Venéz, pauvre Home, venéz me parler.

Elle le fit avancer hors de la portée du *judas* de PLACIDE-NICAISE; ils s'assirent; elle frapa du piéd, & prodigua mille caresses perfides. Ivre de volupté, *Lenfilade* voulait obtenir davantage.

— Non, lui disait DÉLIÉE, fort bas, non, il faut le mériter; je veux une épreuve de quinze jours au-moins; & suivant votre conduite, vous recompenser, ou vous punir; cependant, venéz demain matin à onze heures.

Ensuite, ils parlèrent très-haut; *Lenfilade* convint de ses torts, & se retira.

L'on introduisit *Ventru :* DÉLIÉE laissant ici les ménagemens, lui dit avec ironie :

— J'ai des remercîmens à vous faire; si vous m'aviéz tenu votre parole, je n'aurais pas le bonheur d'être aimée d'un Prince charmant, que j'adore : cependant, si par-la-suite, vous dites un mot sur mon compte, je ferai savoir à votre Maître certaines friponeries. Adieu, n'oubliéz pas ce conseil.

Ventru s'évada très-mécontent, sans chèrcher les

autres, come il avait été convenu; mais il ne les aurait pas trouvés.

Venons maintenant à *La-Bridenbouche;* il n'était pas du complot; mais il vint à l'heure du rendéz-vous doné la veille en comun à *Lenfilade* & à lui. Lorsqu'il ariva, tout le monde était sorti :

— Vous êtes à moi, lui dit la fine DÉLIÉE, laisséz-vous gronder.

Après ce début, l'éclair part; elle tonne contre l'ancién Cocher-de-fiacre; qui nie tout le mal, avoue tout le bién, & finit par demander humblement pardon. Il sortit après de bones assurances.

Enfin, l'on anonce M[r]. *du-Décidantin,* suivi de son *Pillensac,* à quî Dame *Custodine* a doné rendéz-vous : cete Femme vint elle-même en avertir DÉLIÉE, en lui fesant entendre qu'elle pouvait ne pas se gêner. Madame DU-COEURVOLANT ne se rendit pas tout-d'un-coup aux prières de la Duègne : elle lui fit beaucoup valoir sa complaisance : ensuite elle demanda quelques instans pour se préparer à recevoir cete Visite. Elle en profita pour aler trouver son Mari, qui n'avait pu rién entendre de la proposition de la vieille *Custodine.*

— Vous avéz vu, lui dit-elle? En est-il un seul qui ait tout obtenu? Tous ces Mâgots ont été leurrés d'espérances; & tous me dénigrent par excès de passion.

— Ét moi, répondit SOTENTOUT, je me suis convaincu que cete jolie Fille n'est pas *Cuculis.*

(Je dois observer que PLACIDE-NICAISE, agacé par *Toquinète* (15), suivant les ordres de DÉLIÉE, n'avait rién compris de ce qui se disait à demi-bas, & qu'il n'avait pas vu les caresses faites à *Lenfilade*. Hélas! malgré la leçon que l'esprité *Molière* a donée aux Maris par son *Georges-Dandin*, les Comères en revendent tous les jours). Le bon SOTENTOUT était toujours du sentiment de quî parlait le dernier; il se retira, persuadé que madame DU-COEURVOLANT ne l'avait panaché qu'avec le Prince; ce qui ne pouvait être que très-honorable pour sa Femme & pour lui.

Après son départ, madame DU-COEURVOLANT admit Mr. *Du-Décidantin*. Il n'y eut point ici de reproches; un Home-du-monde sait les usages. Les choses se passèrent à la plus grande satisfaction des Parties. Mais DÉLIÉE qui voulait retenir *Pillensac* dans les bornes du respect, dit un mot sur son compte. Le Coquin fut tancé vertement par son Maître, qui lui conseilla de s'en tenir à *Bidète*. Le Secrétaire-laquais, outré de ce traitement injurieus, roûla dans son esprit mile projets de vengeance, & ne s'arêta qu'au plus terrible.

Le lendemain, DÉLIÉE était dans les bras du Prince son amant; il paraissait plus tendre que jamais, & cependant il voyait un nuage dans les ieux de sa Belle; les Ris ne folâtrent plus sur ses joues de rose, & n'y forment pas ces petits trous qu'il aimait à-la-folie : une larme s'échapa :

— Qu'as-tu, ma Reine?

Un soupir.

— Parle; je te jure de t'acorder tout ce que tu me demanderas?... éh! pourquoi ce détour? t'ai-je déja refusée?

— Il faut donc vous le dire!... Je fus mariée... ah! mon Prince, jusqu'au moment où mon bonheur m'a mise dans vos bras, j'avais été fidelle à mes engagemens : mais, come il est assés ordinaire, j'avais des Amoureus, & non des Amans : plusieurs s'étaient flatés de m'atendrir; ils se croyaient déja sûrs de la victoire, parce que M^r^. SOTENTOUT voulait que je les ménageasse : qu'est-il arivé d'une feinte indulgence? ils ont aujourd'hui toutes les fureurs de la jalousie : ces téméraires ne sentent pas que le sang des Dieux a des priviléges, & qu'on s'honore, de quelque manière qu'on les aproche : ils m'acusent d'être facile; chacun d'eux entreprend de persuader à mon Mari, non que je l'ai favorisé lui-même, (ils ne portent pas l'éfronterie jusques-là) mais que j'avais écouté son Rival : come monsieur SOTENTOUT est crédule, ma délicatesse s'éfraie; je crains qu'ils ne lui gâtent l'esprit à la longue, & qu'il ne viène à penser, à répandre dans nos Familles, que j'ai pu lui manquer pour un autre que pour un Prince adorable. Ah! j'en mourrais. Des bruits odieus terniraient la réputation de celle que vous honoréz de votre tendresse, & qui... vous adore!... Hièr, ils profitèrent de votre absence pour venir ici; je voulus qu'on les introduisît; hélas! je ne les redoutais pas. Mon Mari a tout entendu : il m'a dit que j'étais justifiée... Mais je crains sa bonhomie... Je ne puis en-outre me défendre d'un petit ressentiment contre mes Calomniateurs : deux des plus acharnés doivent venir ce matin; je vous demande, mon Prince de me venger de ces âmes noires.

Le Prince indigné, sûr que DÉLIÉE lui dit vrai, fit acueillir *Protectionet,* qui venait d'ariver, par ses Valets-de-piéd; ils le surprirent come Dame *Custo-*

dine feignait de l'introduire furtivement, le dépouillèrent, & le fustigèrent *en chién enfermé*. Ensuite on le mit au secret, de-peur qu'il n'avertît le second. *Lenfilade* ne tarda pas à paraître : DÉLIÉE recomanda que sur-tout on ne l'épargnât pas. Le Galant, demi-mort, fut serré come son Compagnon de bone-fortune; & sans les bons soins que les remords de DÉLIÉE lui firent doner, il n'en serait pas revenu. Quant à *Protectionet,* il fut remis en liberté, après avoir été huit jours au pain & à l'eau : *Lenfilade* ne fut en état de sortir qu'au-bout de six semaines. Voila come DÉLIÉE, par sa hardiesse, sut se venger, & se retirer d'un mauvais-pas. Mais son triomfe sera-t-il complet?

XXVII.ME CHAPITRE.

Revers.

LE dernier degré de la gloire, dit un Filosofe Persan, *est voisin du premier degré de la honte & du revers. Pillensac* humilié, brûlait d'en tirer vengeance (je n'ai pas dit qu'il était Comtois) : son premier soin fut de sonder *La-Bridenbouche* & de chèrcher *Cuculis.* Ses peines ne furent pas infructueuses; il s'insinua si bién auprès du premier, en feignant d'aprouver ses dispositions, que par son moyén il découvrit le second. Le Secrétaire-laquais avait dans sa manche deux aimables Solliciteuses, mère & fille : la dernière était jolie à croquer, & comptait environ seize ans; la première, était une Beauté qui ne passait pas la trentaine; que les langueurs du veuvage, & les ennuis de la chicane ne rendaient que plus intéressante. Toute la fortune de ces deux Femmes dépendait du malheureus Procès; on aurait tout sacrifié pour le gagner : *Pillensac,* suivant son usage, montra tout ce qu'il pouvait : rendéz-vous nocturnes avec la Mère; le Traître en instruisit la Fille, & tâcha de faire que l'exemple opérât. Il opéra : une nuit, tandis que la Mère recevait, au lieu de *Pillensac,* un Valet choisi par ce Misérable, qui lui portait une triste maladie, la Jeune-persone était la victime du Secrétaire-laquais : le lendemain, il fit éprouver à celle-ci le même traitement... j'abrège. Quelques jours après, *Pillensac* fit trouver *La-Bridenbouche* & *Cuculis* avec les Plaideuses. A-part, il leur demanda, coment ils les trouvaient?

— Charmantes.

— Voudriéz-vous?...

— Cela serait-il possible?

— Laisséz-moi faire.

La-Bridenbouche & *Cuculis* firent leur cour, le premier à la Fille, le second à la Mère; ils en obtinrent la dernière & dangereuse faveur. Laissons les choses dans cet état, pour revenir à DÉLIÉE.

Dès que la Belle eut rétabli la sécurité dans l'âme de ceux qu'elle voulait mènager, elle manda son chèr *Cuculis. Toquinète* fut mise dans la confidence; on lui promit le Jeune-home pour Mari. Le nouveau dérangement de sa santé ne l'incomodait point assés pour qu'il y fît atention. Il acourut; on l'introduisit; une nuit entière fut donée à l'amour. Mais le Favori s'en retourna soufrant; en arivant, il fut obligé de se mètre au lit. Laissons-le gémir; puisse son mal lui faire sentir le vide & le danger des plaisirs! *La-Bridenbouche,* d'un tempérament plus fort, ne s'apercevait encore de rién. Tous les jours il se montrait sous les croisées de la belle DU-COEURVOLANT, & se confiant dans ce qu'elle lui devait de reconaissance, il ne doutait pas d'en recevoir biéntôt le prix. DÉLIÉE aurait bién voulu néanmoins se dispenser de l'acorder; elle était trop sensée pour ne pas voir que tôt ou tard une intrigue de cete nature pouvait se découvrir, & la perdre. Mais elle devait tant à *La-Bridenbouche!...* Elle resolut de l'entretenir, & de lui faire entendre raison. Elle s'en ouvrit à *Toquinète :* malheureusement celle-ci ne demandait pas mieux que de voir un Rival à son Mari futur; en-conséquence, elle conseilla de mènager *La-Bridenbouche,* pour mille raisons qu'elle détailla fort bién : elle fit plus, non-seulement elle promit à sa Maitresse de la seconder de tout son pouvoir, mais en cas de surprise, de prendre généreusement l'avanture sur son compte. DÉLIÉE, tout en louant le zèle de sa Femme-de-chambre, ne changea pas de dessein : mais celle-ci croyant l'avoir persuadée introduisit *La-Bridenbouche,* & se retira. Madame DU-COEURVOLANT, qui se vit abandonée de sa *Toquinète,* malgré les ordres qu'elle lui donait de rester, tint d'abord les beaux discours qu'elle avait préméditės : mais qu'il est dificile d'être retenue, quand on a pris l'habitude contraire! *Qui a bu, boira,* dit-on à Beaune, *qui a joué, jouera, & qui...* L'on dit tout à Beaune, mais ici, l'on est plus reservé, *dans les discours.* Madame DU-COEURVOLANT se rendit, à-condition que ce serait la dernière fois...

La fortune començait d'abandoner DÉLIÉE; elle devenait infidelle malgré elle, & *Sarangeant* aperçut *La-Bridenbouche* qui se retirait. Il courut s'informer à *Custodine,* qui s'en débarassa come elle put, mais sans trop le satisfaire. Pour comble de malheur, l'inexpérimenté *Cuculis* tourmenté

Par Vénus toute entière à sa proie atachée,

Cuculis ne fit pas savoir la vérité, quoique son Esculape l'eût instruit : l'Inocent croyait devoir à DÉLIÉE le cadeau qu'elle tenait de lui : ce ne fut qu'au-bout de plusieurs jours, & qu'après avoir satisfait aux questions de son *Restituteur,* qu'il conut la véritable source. Il écrivit alors à l'Infortunée de se précautioner... Mais il s'était passé bién des choses durant cet intervale.

Quelques jours après la visite de *La-Bridenbouche,* le Prince voulut agir en Amant qui peut tout. Jamais la belle DÉLIÉE ne fut plus voluptueuse; l'Amant n'avait jamais eu tant de desirs. Mais au-bout de quatre jours, des fruits amèrs se manifestèrent chés celui-ci. DÉLIÉE soufrait de son côté : le Prince entra furieus dans son apartement; la trouva pâle, languissante : il l'acusa de mille choses, où elle ne comprenait rién, & l'acâbla de reproches. Elle s'excusait, & jura qu'elle ne s'était oubliée qu'une fois avec son Mari, le jour de l'acusation. Cet aveu calma l'Amant irrité : sa Maitresse n'était que malheureuse : DÉLIÉE alait échaper à son sort. Mais *Pillensac...* Ce Méchant sait tout par *La-Bridenbouche,* dont le sort viént de se décider, & par *Cuculis :* ce Traître fit, en déguisant son écriture, une Liste de tous les Amans heureus, dont il n'excepta que son Maître; décrivit la dernière intrigue avec *Cuculis & La-Bridenbouche,* acusant le premier d'être auteur du mal, & donant le second pour la victime; il fit parvenir cet Écrit au Prince lui-même, dans la vue, disait-il, de le préserver du Serpent vénimeus qu'il nourissait. Tout était si bién circonstancié, qu'il n'y avait pas à douter un-moment. Le Prince resolut de se venger d'une manière terrible, non-seulement de l'Infâme qui le trahissait, mais encore de ses Rivaux. Ét voici come il s'y prit. Il entra chés DÉLIÉE; lui fit parcourir la Liste; exigea de sa part un aveu sincère, ou menaça du châtiment le plus rigoureus. DÉLIÉE se crut heureuse d'en être quite à si bon-compte; elle se débarassa du fardeau du secret; & voyant par l'omission, d'où partait le coup, elle eut la malice d'ajouter à la Liste *Du-Décidantin* & son *Pillensac.* L'Amant trahi fut blessé par l'endroit le plus sensible; il se livra sans retour à l'espoir de la vengeance: mais il la voulait comencer par le Délateur & par son Maître. Celui-ci n'était pas instruit; il ne s'ouvrait plus à *Pillensac,* depuis qu'il conaissait les atentats du présomptueus Laquais sur Ma[me] DU-COEURVOLANT; on le manda sous le nom de cete dernière. Le Lecteur sait le tour qu'on fit à Lion à l'un des Amans de mademoiselle *Molière,* femme du Prince des Comiques, & qu'une Intrigante profita de la ressemblance d'une Fille apelée *la Tourète,* avec l'Actrice, pour faire payer chèrement les faveurs de celle-là. Ce fut à cete ruse qu'on eut recours : l'on déterra parmi les jeunes Odaliques du quartier de l'Opéra, certaine *Mimimamis,* qui ressemblait à DÉLIÉE. Qu'il sufise de dire ici, que Ma[me] DU-COEURVOLANT reçut *Du-Décidantin* dans son apartement, & que *Mimimamis,* adroitement substituée, lui fit partager son *infirmité;* que *Pillensac* eut le même sort; ensuite *Protectionet,* &c, &c, &c. Tous les coupables, atirés à l'hôtel, furent en-outre punis d'une autre manière, suivant qu'ils le méritaient plus ou moins.

PLACIDE-NICAISE SOTENTOUT n'était pas inocent : il a consenti la honte de sa Femme; mais il a pour excuse, & son imbécillité naturelle, & l'exemple des Maris de la Capitale, & l'influence du climat du *Parisis :* il sera puni par la publicité de sa honte, par la perte de son bién, par le décri de ses Ouvrages &c.

DÉLIÉE, traitée avec soin, dans une maison voisine de l'Hôtel, était enfin parfaitement rétablie; les roses començaient à ranimer son teint; le rire revenait embellir sa bouche mignone : un beau matin, le Comissaire *Noctu,* suivi de la Garde, se présenta chés elle avec apareil : on l'acusait de mauvaise conduite : elle fut enmenée publiquement, à-piéd, entre deux Soldats, à la prison des Filles publiques; elle passa le surlendemain à la Police : son nom, celui de son Mari furent criés distinctement par *Noctu;* elle fut condanée à trois mois d'Hôpital. Il n'est pas de cœur, fût-il de roche, ou d'acier, qui ne se fût atendri, en voyant les larmes qui coulaient de ses ieux, au-milieu des Malheureuses qui l'entouraient, & qui riaient de sa confusion : sous un habit mesquin, c'était encore la Beauté même; mais la Beauté malheureuse, & mille-fois plus touchante : elle se cachait; mais tous les ieux fixés sur elle, saisissaient le moindre de ses mouvemens; on l'entrevoyait en dépit des précautions. Deux Émissaires du Punisseur furent témoins de tout, & ne pouvaient retenir leurs sanglots. Le lendemain, elle partit pour sa destination. Quel char de triomfe, pour cette fière Beauté!... *Cuculis,* l'infortuné *Cuculis,* échapé de la veille seulement du cachot où son Rival l'avait retenu, se trouva sur son passage; il venait d'être instruit : pâle, défiguré, ses ieux mourans chèrchaient DÉLIÉE : il l'aperçoit, pousse un cri douloureus, & veut s'aprocher. On le repousse.

— Non, s'écrie-t-il, non, je ne prétens pas à lui parler, je ne demande plus une faveur si grande ; je ne veux que mourir à ses ieux... *O vous, chère Idole de mon cœur; vous que j'adore, malgré... recevéz le sacrifice de ma vie!*

A ces mots, il dévance la voiture, & tel que le fanatique *Banian,* adorateur du Dieu *Jagarnat,* il se précipite sous les roues. Atentive à ses démarches, DÉLIÉE le suivait des ieux ; elle pousse un cri perçant : le Malheureus n'est qu'à demi brisé... On l'emporte... DÉLIÉE continue sa route, la mort & le desespoir dans le cœur.

L'on arive : une bure grossière couvre des charmes qui le disputeraient à Cipris : la plus belle chevelure tombe sous le ciseau ; le pain & l'eau, sont tous les mêts qu'on sert à la Reine des cœurs... Le comble de l'ignominie, c'est que la *Fourète,* la *Toutacord* & *Bidète* (par ordre du Prince) assistèrent à cete triste exécution ; des ris moqueurs, une insultante compassion, pire que la dureté... DÉLIÉE s'évanouit... En r'ouvrant les ieux, elle se trouva dans les bras de *Mélanie,* mouillée de ses larmes. Cete Dame l'encouragea ; lui procura quelques adoucissemens : mais on ne permit plus qu'elle la revît...

M^r^. *Cocus* était mort à la veille des égaremens publics de sa Fille ; madame *De-Galanvile* les avait vus sans peine ; mais la punition l'acâbla... M^r^. & Ma^me^ *Sotentout* alèrent ensevelir leur honte, loin de la Capitale... PLACIDE-NICAISE, aulieu de cacher son deshoneur, alait par-tout le publiant; & come sa Femme était malheureuse, il ne douta plus qu'elle ne fût très-coupable. C'était par les afaires que le Prince lui fit susciter, que sa fortune fut totalement renversée; il tomba dans le mépris qui suit l'indigence; la tête lui tourna (car il serait impropre de dire qu'il perdit l'esprit); & son Académie elle-même le méconut. Mais avant que de finir, je veux détourner les ieux du Lecteur de ces tristes images

CONCLUSION.

Il ne restait de la déplorable Famille, que les Enfans : le Prince, si terrible dans sa vengeance, fut pour eux un tendre Père; il les tira secrètement de l'endroit où ils étaient en pension; leur fit quiter le nom de Sotentout, pour un plus honête, qui ne les exposât pas à partager la honte de leurs Parens; ensuite il eut soin de faire rendre-gorge aux Sangsues publiques qui n'avaient pas manqué d'engloutir toute leur fortune, en portant le desordre & l'obscurité dans leurs afaires : enfin, il fit aux Inocens, deux fois plus de bién, qu'il n'avait fait de mal aux Coupables. L'éducation d'Alexandre d'*Amancour,* de Sofie d'*Amancour,* & d'Amable d'*Amancour,* (c'est le nouveau nom qu'on leur a doné) avait été très-mal comencée : leurs Parens (Père, Mère, Ayeuls) avaient tout sacrifié au moment présent, pour avoir de jolis pèroquets, de jolies Marionètes, qui dîssent par routine mile choses plaisantes; ils savaient danser, chanter, &c; mais ils n'avaient pas la moindre notion de la science la plus utile, la *Morale,* sans laquelle on n'est jamais qu'un être superficiel, sans principes, dont les vertus ne sont qu'aparentes, & les vices réels. Des Maîtres sages réparèrent tout le mal; leurs soins furent secondés par les plus heureuses dispositions; les Jeunes-gens avaient tout le feu de leur Mère, toute sa pénétration : on mit à-profit ces qualités, en les tournant du côté des choses utiles, honêtes & nécessaires. Lorsqu'ils furent en âge, le Prince les établit avantageusement. La jeune *Sofie,* belle come sa Mère, fut confiée à *Mélanie* jusqu'à son mariage; aussi fut-elle une Épouse modeste, tendre, soumise : on l'avait convaincue, que la bâse des vertus d'une Femme, & le fondement de son bonheur, c'est une honête dépendance; que celle qui s'en afranchit, ouvre la porte, de son coeur à tous les vices; que cete maxime d'un ancién Sage Hébreu, *la crainte du Seigneur est le principe de la sagesse,* n'est pas plus vraie que celle-ci, *le respect pour l'Épous, est la source de la chasteté de la Femme.*

Cependant, la triste DÉLIÉE, au fond de son réduit obscur, fesait de sérieuses réflexions; elle écrivit au Prince une Lètre soumise, par laquelle elle le conjurait de la réunir à son Mari, & de les envoyer tous-deux vivre dans quelque Terre éloignée, dont ils seront les Concierges. Elle obtint ce qu'elle souhaitait. Monsieur & madame SOTENTOUT partirent un matin pour le lieu le plus sauvage du *Vivarais.* Ils s'y ocupérent, le Mari, soit à la chasse, soit à planter des choux, soit à mètre les Poules couver, soit à faire des Bucoliques, où *Téocrite & Virgile* n'étaient pas embellis; la Femme à gouverner la maison, à faire travailler les Ouvriers, à soulager les Pauvres... Oui, chèr Lecteur, à soulager les Pauvres. DÉLIÉE avait l'âme bone; son tempérament, l'éducation, l'exemple, les mœurs de la Capitale, les vices *amabilisés* des Gens-du-monde l'avaient perdue; l'inocence de la campagne la ramena; mais pas tout-d'un-coup. Dans les premiers temps, lorsqu'elle voyait un beau jeune Garson, au teint vermeil, aux cheveux châtains & bouclés, elle avait certains retours vers le plaisir; quelques imprudences firent du bruit; la honte qu'elle en eut, fut la plus forte : elle se corrigea, même avant l'âge où le vice nous quite; le goût du mènage, de l'économie; la douceur d'exciter dans l'âme du Pauvre le sentiment de la reconaissance, d'en être chérie, respectée, remplacèrent tous les vices. M.r SOTENTOUT, qui ne tarda pas à s'ennuyer, voulut retourner à la Capitale : DÉLIÉE, qui le voyait se morfondre, & qui ne trouvait pas que sa société fût le dédomagement d'une solitude absolue, consentit à le laisser partir. Il revint à Paris, & s'associa, dit-on, avec *Boutrimé, Bruyantisonofredondin,* & le *Voltaire* des *Toulousains,* pour faire diférens Chéfs-d'œuvres liro-dramatiques, ou même simplement dramatiques, & beaucoup d'autres Ouvrages. DÉLIÉE, restée seule, n'en fut que plus heureuse : elle soulageait les Vassaux du Prince, & fournissait à l'entretién de son Mari. Enfin, au-bout de plusieurs anées, elle ôsa demander des nouvelles de ses chèrs Enfans : on la fit revenir à Paris, on l'éprouva longtemps; & lorsqu'on ne put douter qu'elle ne fût entièrement corigée, on lui fit conaître ses Fils & sa Fille.

JE conclus de cete Histoire, que la façon de penser des Femmes, le ton qu'elles prènent dans la Société, leur importance; le mépris qu'elles afectent pour les vertus de leur sexe, que de vils Célibataires leur font regarder come de vieux préjugés : Que la faiblesse des Maris; la pusillanimité dans laquelle on les élève; sont les causes du relâchement de nos mœurs, de l'abâtardissement de la Nation; & que si l'on n'y remédie, les vices de mode, deviéndront biéntôt des vices de constitution, qui nous réduiront au même degré d'avilissement où tombèrent les Romains du Bas-Empire, si méprisés par les Francs, les Bourguignons, les Gots, les Vandales & les Lombards, leurs Vainqueurs (16).

POST-SCRIPTUM.

— QUE sont devenues mesdames *Fourète* & *Toutacord?*
C'est une question qu'on viént de me faire. Je ne sais trop coment tourner cela. Lorsqu'on a contracté l'habitude du plaisir, il se change en besoin. Cependant les anées s'acumulent, les atraits disparaissent, & les Amans se retirent. Tout cela ne manqua pas d'ariver aux deux Complices de DÉLIÉE : dans leur abandon, elles entendirent parler de certaine ressource honteuse. Un-jour, le Clerc de papa *Fourète* fut tenté par le Démon de la chair; une Vieille qui lui promètait mons & merveilles, le prit dans son filet. Auprès du feu, dans un boudoir isolé, causaient, en atendant pratique, deux Prêtresses de Vénus : leur mise éblouit le petit Clerc; il s'élance... Les Belles se retournent... Jamais la tête de Méduse n'eut un éfet si

prompt : le Clerc demeure pétrifié, en reconaissant la digne Épouse de son Maître. Le basilic aurait moins éfrayé les deux Amies : elles prièrent, elles conjurèrent, pour demander le secret. Elles ne l'obtinrent pas; & toutes-deux aujourd'hui gémissent entre quatre murailles de leurs égaremens passés.

FIN de la dernière Partie.

NOTES

(1) Les seuls Vers suportables du Poème DES SENS, au dire d'un Journaliste.

(2) Femmes Nègres d'un canton de Guinée le plus proche de Fèz : elles en usent ainsi pour s'acoutumer à ne parler qu'à-propos.

(3) La *Muliere-grande* est une première Femme; la *Bossum,* une belle Esclave qui est en-même-temps Prêtresse des *Fétiches* ou idoles de la maison. Le Nègre est fort jalous de cete dernière; les autres Femmes sont des Concubines : outre ce nombre de Femelles, les *Manséros* ou Seigneurs, voient encore des *Abél'rés,* ou Filles-de-Joie, qu'ils estiment beaucoup. (C'est come à Paris les Actrices, à Beaune les Gourgandines). Qu'un grand Écrivain a eu raison de dire, que les Homes sont partout les mêmes!

(4) On crie contre le goût de la lecture, ordinaire aux Femmes de nos jours : j'en ai conu qui ne l'aimaient pas, & j'ai trouvé que leurs mœurs n'étaient guères règlées. Un Livre a le même éfet que la vue d'une bataille; il ocupe, mais il ne done pas envie d'aler remplacer les mourans & les blessés. A-la-vérité, le travail vaudrait mieux; mais qui travaille, aujourd'hui, lorsqu'on peut s'en passer, si ce n'est les Sots? Amusement pour amusement, il vaut mieux lire que de jouer, ou de faire son Mari c...

(5) Si la Femme qu'épouse un Juidaïén n'est pas vierge, il peut

la renvoyer; mais ordinairement, il garde celle qui a doné des preuves de fécondité. Les Nègres de ces contrées ont un grand Fétiche qu'on nome le *Derbois*; c'est une sorte de Serpent très-doux, gros come la cuisse, & non-venimeus, qui combat les autres Serpens : ce Fétiche a des temples & des *Marbuts*. Ces Prêtres exigent pour le Dieu-Serpent la virginité des plus belles Filles; & les Mères les leur laissent environ trois mois, en fournissant à leur subsistance : les Nègres qui dans la suite épousent ces Filles, les respectent beaucoup; mais la plupart se font *Abélérés*, la Prostitution étant un état saint chés ces Peuples, & toutes les *Bétas* ou Prêtresses du Serpent-Fétiche se fesant honeur de prendre cet état. Mais voici le comble, & ce qui va montrer à quel degré les Juidaïéns ont des idées diférentes des autres Peuples sur le bién & le mal : Lorsqu'une Reine ou une Femme riche quelconque (car les richesses font la noblesse dans ce pays, ce qui n'est pas trop loin de nos mœurs) lorsqu'une Femme riche est au lit de la mort, elle ne manque jamais de fonder un lieu de Prostitution, ou tout-au-moins de faire acheter une belle Fille, pour en faire présent au Public; & cete libéralité passe pour une action si méritoire, qu'elle assure le salut. La Victime ne tarde pas à suivre sa Dévote; come tout le monde peut la voir gratis, elle est biéntôt corompue, & on l'abandone à son mal, sans la faire traiter. (En temps de guerre, la Reine des *Giagues*, ordone toujours une Prostitution générale pour fléchir les Dieux).

(6) On prétend aujourd'hui que la V*** n'est pas originaire des Antilles, ni du continent de l'Amérique; mais qu'elle est causée par l'horrible chaleur du climat de la Guinée, & que par conséquent ce sont les Nègres qui l'ont portée dans le Nouv.-M.

(7) On prétend que l'anée, ou l'espèce de cercle décrit par les Planètes autour du Soleil, s'acourcit d'une minute en cent ans, & que par-conséquent elles s'aprochent insensiblement de cet astre leur centre général, où enfin elles tomberont; c'est-là leur mort : à-la-vérité leur matière composante ne se perd pas plus que celle de nos corps; mais, lors du renouvèlement, resultera-t-il précisément la même Planète? (à Beaune on ne croit pas un mot de tout cela).

(8) Et moi j'ai vu à Beaune une Famille de dix Enfans, où ils sont alternativement d'une chevelure rouge, & noire-d'encre.

(9) L'on voit que le Mari n'est pas le seul trompé. — Non, vous n'avéz pas à vous plaindre, messieurs les Maris : que serait-ce

donc, si, come à *Madagascar,* une Femme que vous ne verriéz plus, soit par répudiation, soit par éloignement, vous rendait encore pères d'Enfans que tout le monde serait sûr que vous n'auriéz pas faits? Du-moins ici l'on peut se faire illusion... Mais une belle chose de ce Pays-là que nous n'avons pas, c'est que les Femmes sont sages à la rigueur, pendant que leurs Maris sont à la guerre.

(10) Ce qui doit consoler, c'est que sa Province est encore assés bién fournie de Sujets qui lui ressemblent.

(11) On trouve ceux-ci *Tome I, p.* 272, *&c.* d'un Ouvrage par deux Confrères, qui auraient bién dû consulter *Boutrimé,* auquel ils ont doné gratis des avis très-inutiles & très-mal fondés. A cete ocasion, je dirai que nous venons d'avoir un bel exemple dans le susdit Ouvrage : les Auteurs y parlent d'eux-mêmes avec une étendue, une complaisance courageuses, & bién dignes d'Écrivains come Nous. A l'article CL**, on s'acuse bonement de rigueur, en-fait de Critique; l'on se done pour modèle en Poésie, & dans la Satire pour successeur de BOILEAU. A l'article. SAB*** l'on se traite d'Écrivain érudit, laborieus, célèbre, come LONGIN, par un seul Ouvrage &c. *Bravo!* Sotissimes Confrères! Louons-nous, congratulons-nous, & n'encensons que Nous & nos Pareils.

(12) *Technicome,* Artiste dans la contexture de la PÈRUQUE Je raporterai quelques vers de cete Tragédie : en les comparant avec ceux qu'on a vus de mon Héros, l'on ne poura s'empêcher de reconaître la même *manière.*

(13) *Faût* pour *fêle,* c'est ainsi que se disait ce Proverbe, afin de rimer.

(14) Les Astres se divisent en étoiles de la *première, seconde, troisième, quatrième & cinquième* grandeur : l'Astre le plus aparent est la planète *Vénus,* ou l'étoile du Berger; ensuite *Mars,* en certains temps. La plus brillante des Étoiles fixes, c'est *Sirius,* qui seul fait une classe à-part; ensuite les Étoiles de la *première* grandeur, qui se noment la *luisante* de telle ou telle Constellation.

(15) Ce qui ne doit pas surprendre, cete Fille-de-modes ayant été tirée de l'une de ces boutiques, où les Ouvrières ont double-emploi.

(16) Le respect pour les Femmes n'avilit pas une Nation : où furent-elles plus respectées que dans Sparte guerrière, & dans Rome vertueuse? Mais c'est la fausse considération, pour des

Femmes qui nous efféminent, pour des Femmes sans pudeur, dont le regard hardi fait baisser la vue, dont les discours font rougir; dont la conduite revolte; pour des Femmes qui savent tout, hors ce qu'elles doivent savoir; un Home sensé le voit, le sent, & se dit avec douleur : Les Femmes des Gens qui nagent dans le superflu, ont perdu les mœurs; les simples Bourgeoises veulent imiter aujourd'hui ces modèles, & ces dernières perdront la Nation.

Suite des NOTES.

XXVIII.ME CHAPITRE.

Suplémens.

VOICI le Chapitre le plus intéressant pour les Personages à quî cet Ouvrage est dédié. Les Avantures de DÉLIÉE & de SOTENTOUT étaient trop étrangères à la Littérature, pour que j'y mêlasse les Noms de nos Auteurs, & depuis le grand V*** jusqu'au petit N***, il n'en est aucun qui ne trouvât très-mauvais de se voir coudoyé d'un *La-Bridenbouche* & d'un *Pillensac*. Je vais commencer par la Généalogie littéraire de SOTENTOUT; suivra la Liste de Gens-de-lètres qu'il a conus; ensuite le Dénombrement de son Académie; & je finirai par quelques Notes.

I. LA Famille des SOTENTOUT fut célèbre chés tous les Peuples de l'Antiquité; mais je ne remonterai pas plus haut que les Grecs. On assure que ce fut un SOTENTOUT, nomé dans leur langue, MOROSENPAN, qui composa la Satire contre HOMÈRE que *Zoïle* s'atribua; ce qui lui valut d'être *occis* à coups-de-poing : que ce fut un autre MOROSENPAN qui, sous le nom de *Tersite,* eut l'honeur d'être martir de la

Sotise sous le Roi d'Égipte Ptolémée, qui le fit très-proprement écorcher, pour avoir critiqué le même Poète; or, si dire des injures marque une mauvaise cause, en faire le prouve bién davantage. Chés les Romains, le nom des Ancêtres de mon Héros suivit le génie de la langue : Ce fut un certain *Cestius* STULTUSTOTUS qui s'éleva contre les poètes HORACE & VIRGILE, qui voulaient faire les beaux-parleurs : un *Balbus* STULTUSTOTUS étant Copiste d'*Ovide,* corigea quelques-unes de ses Pièces; & le Poète, en les voulant racomoder, y mit trop d'esprit. C'étaient des STULTUSTOTUS qui composaient à Rome sous les noms fameus de *Moevius* & de *Bavius :* un *Minutius* STULTUSTOTUS aida beaucoup LUCAIN, & fit nombre d'Épigrames qui se trouvent aujourd'hui confondues parmi celles de MARTIAL : un autre a travaillé sous le nom de *Stace;* un autre sous celui de *Silius-Italicus;* un autre aida *Lactance;* un autre fit avec *Tertullién* le Traité *du Manteau;* un autre secondait *Eusèbe,* &c, &c. Sous le Bas-empire, les SOTENTOUT furent designés par le nom de STULTINTOTO : ils composèrent les Diplomes en faveur des Moines, les Annales, les Légendes. Enfin en 1500, on comença de les nomer SOTENTOUT : c'est sous cete dernière époque sur-tout qu'ils se sont rendus célèbres; d'abord par les *Mistères,* qu'ils mirent en Drames; ensuite par les *Romans de Chevalerie;* suivis des Pièces-de-Théâtre en tout genre. Un SOTENTOUT, après avoir créé les Ouvrages des Hardi, Bénserade, D'Orval, Rotrou, Bouscal, Scudéri, Chevreau, Desmarêts-Saint-Sorlin, Mairet, Raissignier, La-Calprenède, Boisrobert, Tristan, Du-Rier, &c, &c, &c, aida le grand CORNEILLE lui-même dans ses premières Productions : il ofrit ensuite son Association à MOLIÈRE, qui n'ôsant la refuser tout-à-fait, à-cause du grand crédit des SOTENTOUT, lui sacrifia en-partie quelques-unes de ses Petites-pièces. *Scaron* dédomagea SOTENTOUT de cete froideur ; ils travestirent VIRGILE ensemble avec beaucoup de succès. Mais où SOTENTOUT brilla, ce fut avec les Pradon, les Cotin, les Cassagne, les Chapelain, &c. SOTENTOUT, fils de celui-ci, né à Beaune, où il fut nouri jusqu'à l'âge de quinze ans, remplaça son Père en 1670. Il débuta par se brouiller avec BOILEAU, au sujet de M.lle De-Scuderi, maitresse du jeune SOTENTOUT, que le Satirique dénigrait : celui-ci se vengea sur les Coopérateurs de son Ènemi ; & c'est la véritable raison de l'acharnement qu'il montra contr'eux. Ce fut à la sollicitation de ce Bisayeul de mon Héros, que *Perraut* écrivit contre les Anciéns : ce fut pour avoir pris du tabac dans la boîte de ce Grand-Home, durant une des séances de Rambouillet, que madame *Deshoulières* fut étourdie au-point de préférer la *Fèdre* de Pradon à celle de RACINE. Enfin, ce fut parce que BOILEAU crut un-jour avoir vu QUINAUT saluer obligeamment SOTENTOUT à l'Opéra, qu'il dénigra l'Auteur liro-dramatique : pour s'en vanger, SOTENTOUT intercala quelques vers dans les Satires de notre Horace : le Poète les vit avec étonement ; mais son écriture était si bién imitée, qu'il crut les avoir faits. Quant à RACINE, il n'eut, à ce qu'on croit, aucune comunication avec le Bisayeul de mon Héros.

Ce SOTENTOUT, en mourant, laissait un Fils digne de le remplacer, puisqu'il était déja l'ami des Boyer,

des Campistron, des Montfleuri, des Lagrange-Chancel, des D'Assesan, Hauteroche, Abeille, La-Serre, Mlle Barbier, Longepierre, & de bién d'autres. Il se distingua sur-tout par une courte association avec l'Auteur de *Télémaque;* ils firent ensemble le Livre *des-Maximes-des-Saints.* De-là, passant au profane, SOTENTOUT ayeul s'unit avec *La-Mote,* & corigea l'*Iliade* sous son nom. Il ne fut pas inconu de *Fontenelle.* On dit qu'étoné de la force d'un Tragique nerveus, qui se frayait une nouvelle route, entre CORNEILLE & RACINE, il voulut se lier avec lui sous un nom suposé; mais le Tragique le reconut tout-d'un-coup; ses ieux s'animèrent, le feu d'une noble indignation éclata sur son visage; il prit son *Électre,* & récita la première scène, avec l'entousiasme du génie, en demandant à SOTENTOUT, s'il se croyait fait pour contribuer à de pareils Ouvrages?
— Je n'en sais rién, répondit celui-ci; mais ne me dédaignéz pas tant; ce qui peut me manquer par le fond, je le regagne par la forme; votre sombre terreur, je la remplace par de l'apareil, par des cérémonies; & l'on goûte cete nouveauté, sur-tout les Femmes, qui ne veulent plus être vivement émues que par leurs Galans. Adieu : si vous m'en croyéz, vous ne négligeréz pas dans votre *Catilina* l'idée que je vous suggère.
Ceci se passait en 1718; & dès l'anée suivante, SOTENTOUT se signala par une *Électre* donée sous le nom de Longepierre; mais les Esprités la firent tomber, quoiqu'on eût distribué des Billets à trois-cents Clercs de Procureur, gens de goût, & de-plus, les mieux exercés à faire du bruit. SOTENTOUT ayeul

dérangea sa fortune à soutenir ceux d'entre nous qui de son temps se fesaient Auteurs, sur-tout les Poètes & quelques Romanciers : Il s'était chargé d'imprimer, à ses dépens, quasi toutes leurs Productions; mais par la malice des Esprités, il ne retira pas ses frais, malgré le grand nombre d'Acheteurs que les Confrères devaient assurer. Pour comble d'infortune, il épousa (come son Père, come son Ayeul, come son Bisayeul, come tous ses Ascendans depuis le temps où S. Martin aumôna le Diable) une Fille de *Tours-en-Touraine :* Cete Femme, d'une maison alliée des SOTENTOUT, se nomait *Bègue-Macre-Soulange Oisonet ;* elle était si bête, que M.r SOTENTOUT lui-même en était révolté : lorsque les afaires de son Mari périclitèrent, elle le dénigra la première, d'après les conseils d'un Moine son Directeur, qui lui peignait SOTENTOUT come un Réprouvé, fauteur des Romans, &c. Desservi par les siéns, le Protecteur des Sots fit banqueroute; & sa Femme, d'un air oison, disait aux Créanciers, *Bridéz mon Mari, Messieurs, bridéz mon Mari.* SOTENTOUT, assailli de tous côtés, se vit obligé de vendre ses biéns, qui sufirent à-peine aux frais de Justice, & de faire aprendre à son Fils le métier de Tailleur.

Quelle chute, dira-t-on! Point-du-tout! Si le Père favorisa l'essor des Sots, le Fils en *fit :* il sut même les rendre si respectables par les habits, les faire si bién acueillir par-tout, que le vieux SOTENTOUT s'aplaudit de l'idée qu'il avait eue. Avant que de mourir, l'Ayeul de mon Héros eut la consolation d'être reçu de l'ACADÉMIE : Ét voici quelle fut l'ocasion de cete dernière faveur : L'on se plaignait un jour de notre Ortografe, si peu d'acord avec la prononciation : Un Esprité venait de remarquer, assés judicieusement, qu'il y avait deux-cents ans, la parole & l'écriture étaient d'acord ; l'on prononçait avec un son nasal les pluriels des imparfaits, & l'on disait (come on le dit encore en certaines provinces), *étouînt,* puis *étaînt,* aulieu d'*étêt; fouèble,* aulieu de *fêble,* &c... SOTENTOUT représenta, Que vue la répugnance des sages Habitudinaires, qui de tout temps ont eu le prudence de s'oposer aux réformes, quelques bones qu'elles parussent, & d'en persécuter les Auteurs, jusqu'à ce que ceux-ci triomfassent ou fussent anéantis ; il présumait, qu'il serait plus court & plus raisonable de rétablir l'anciène prononciation, & de dire, come nos Pères, *an-nemi,* aulieu d'*Ènemi, aimouès* aulieu d'*aimais...* Dès que cet Avis admirable se fut répandu, par les soins des Nôtres, l'Académie l'adopta, reçut au nombre de ses Membres celui dont il émanait, &c... SOTENTOUT encouragé par ce petit succès, ne travailla plus qu'à bién-mériter des Gens-de-lètres : Pour tirer les Grands-homes de la foule, il conseilla de les mètre à l'alembic, & d'en extraire la quintessence, ou l'Esprit : il assurait que c'était l'unique moyén de les préserver de la corruption : il prétendait aussi, qu'avec cinq *Esprits,* l'on aurait tous les Livres existans, d'une manière utile & comode : *Esprit* des Historiéns, *Esprit* des Poètes, *Esprit* des Littérateurs, *Esprit* des Jurisconsultes, *Esprit* des Téologues. Cete utile invention ne fut pas plutôt divulguée, qu'on fut inondé d'*Esprits,* sans que la Sotise y perdît un pouce de terrein : mais nos Grands-homes, charmés de se voir peints en mignature & considérablement dématérialisés, en témoignèrent de la reconaissance au vieux SOTENTOUT. Il se fût *re*enrichi sans-doute, s'il avait eu des fonds pour entreprendre : mais come il ne vendait que ses *manuscrits,* il enrichit son Libraire, & demeura gueus. Il eut donc recours, pour subsister, à une autre invention, plus merveilleuse que les *Esprits;* ce furent les *Dictionaires :* Il lit, il compile *ab-hoc* & *ab-hac;* & sur-le-champ toutes les Sciences amoncelées forment un caos alfabétique. Lorsque tout fut Dictionaire, SOTENTOUT n'avait pas encore rétabli sa fortune. Il réfléchit sérieusement, durant six semaines d'abstinence forcée; son cerveau qui s'était échaufé, se trouva monté à l'unisson de celui d'un Home-de-génie; il pensa qu'il falait mètre tout en *Almanac.* A l'instant, l'*in-folio* disparaît, l'*in-quarto* est rejeté, l'on dédaigne l'*in-octavo,* l'*in-douze* lui-même, l'*in-douze* est trop grand; l'antique *in-seize* croit son règne revenu; l'*in-dixhuit* le débusque, & l'est à-son-tour par le mignon *in-vingt-quatre :* l'on vit, sous ce format, l'Histoire, la Poésie, les Arts, les Loix, & jusqu'aux Prières-d'église. SOTENTOUT alait sortir de la misère : déja le goût Français... Mais la mort vint l'enlever au monde : Hèlas! en comptant ses sotises, elle l'avait crut centenaire : (Deux jours auparavant, il avait conseillé de composer le Poème de *la P****, auquel, come on voit, il n'eut aucune part). *Sotentout* le Tailleur aurait donc été fort pauvre, si la Nimfe *Agnès-Pudentine* n'avait ofert & fait accepter la fortune, aux dépens de la délicatesse.

La Littérature fut-elle donc sans *Sotentout* durant l'enfance de PLACIDE-NICAISE? Non, chèrs Lecteurs;

aulieu d'un, il y en eut cinq, que nous pouvons regarder come les Curateurs *ad-hoc* de mon Héros : ils étaient pour chacun des cinq genres que j'ai designés plus haut : mais je ne les nomerai pas, depeur de les exposer à la jalousie des Esprités, à quî je donerais à mordre sur eux. Mais pour notre utilité particulière, à nous autres Sots, je promets de remplir les blancs qui suivent, à tous ceux de mon acabit qui me présenteront leur Exemplaire.

pour l'Histoire;
pour la Poésie:
pour la Littérature;
pour la Jurisprudence;
pour la Téologie.

Lorsque PLACIDE-NICAISE fut riche, il ramena les beaux jours de la gloire de ses Ancêtres; come eux, il fut rechèrché des Littérateurs, même des plus hupés : SOTENTOUT leur rendit tout le mépris que de temps immémorial les Esprités ont injustement marqué pour les Sots, dont l'espèce fut toujours la plus avantageuse pour la société. L'on remarqua chés lui notre *Pline,* qui ne put se défendre de quelques complaisances : nos *Euclides,* nos *Ptolomées,* nos *Columelles,* nos *Celses,* nos *Pindares,* nos *Martials,* tous nos *Enciclopédistes* lui firent quelque sacrifice; les uns par inatention; les autres par faiblesse, ou par nécessité.

Vint ensuite le Corps des Littérateurs Esprités : ceux-ci furent plus ou moins complaisans : mais afin que l'on ne puisse pas m'acuser de *prédilectioner* ceux qui le parurent davantage, je déclare que je vais les nomer au hasard; en usant néanmoins de quelques palliatifs;

Le temps présent est l'Arche du Seigneur.

M.r *Duanrad,* eut pour M.r SOTENTOUT deux tièrs de complaisance.

M.r l'Abé *Trebua,* un tièrs.

M.r *Ehtrab,* en fut pour un quart.

M.r *Editsab,* l'eut toute entière.

M.r l'Abé *Xuetab,* à-peine un quart.

M.r *Nivuab,* a fait une Tragédie en société avec PLACIDE-NICAISE.

M.r *Siahcramuaeb,* dont nous suivons assés les Pièces, nous autres, eut une grande complaisance!

M.r *Ellemuaeb-Al,* que nous aimons beaucoup, n'eut que demi-complaisance.

M.r *Iolleb-Ud :* on peut le taxer au-moins à trois-quarts; sauf le patriotisme.

M.r *Dranreb,* plut à SOTENTOUT, sans jamais déférer à ses avis.

M.r *Avahliac,* la complaisance entière.

M.rs *Nohlitsac;* l'on peut, en leur faveur, substituer le mot d'*honêteté* à celui de *complaisance;* les non-Sots, disent que ce furent les seuls Journalistes qui s'acquitaient de leur emploi come il convient, sans pourtant induire le Public en erreur.

M.r *Itturec,* double complaisance.

M.r *Trofmahc,* trois-quarts de complais.

M.r *Nurbuaetahc,* se brouilla, pour sa Tragédie des *Senèïort,* avec mon Héros, dont il méprisa les avis.

Mr *Eéssuahc-Al,* fut acusé de complaisance par les Contemporains; mais je tiéns de SOTENTOUT qu'il n'en eut que bién peu, & dans certaines Pièces.

Mr *Reirvehc,* berna PLACIDE-NICAISE, qui lui pardona, parce qu'ensuite il devint complaisant pour un quart.

Mr *Uaedraloc,* peu complaisant d'abord; ensuite d'un tièrs.

Mr *Élloc,* se cacha de SOTENTOUT, pour faire sa *Eitrap-ed-essahc* & son *Siupud-té-Sianorsed;* mais il le consulta pour l'*Elî-Etnanos* & ses autres Ouvrages, dont il le mit d'un tièrs.

Mr *Nollibérc-Ed,* fut un de nos Antagonistes; s'il ala chés SOTENTOUT, c'était pour le tourner en ridicule : il feignait alors un huitième de complais.

Mr *Eprah-al-ed :* on veut à-toute-force qu'il soit des nôtres, & que ses Ouvrages aient été composés en société avec PLACIDE-NICAISE : je doute que leur intimité fût aussi grande qu'on le publie; la preuve, c'est que SOTENTOUT m'a dit beaucoup de mal de *Kciwraw,* & qu'il me cita le lendemain de la Représentacion d'*Evatsug,* bién des vers qu'on avait laissés malgré lui : j'en ai retenu cete tirade, I Acte, 2 Scène :

Peut-être conais-tu ses Habitans altiérs : *(les Dalécarliéns).*
Obstinément jalous du droit de leurs foyérs,
Ils ont de leur climat conservé la rudesse :
La dépouille des ours est toute leur richesse.

Le Peuple, dans ces rocs, dont tu sors aujourd'hui,
Chèrche des métaux aussi grossiérs que lui;
Mais c'est la pauvreté qui le rend plus terrible,
Ét toute servitude à ses ieux est horrible :
Il paye au Souverain quelques tributs légérs
Que lui-même il aporte au piéd de ses rochérs.
De ces monts escarpés qui bordent sa frontière,
Aucun Roi n'a franchi l'orgueilleuse barière;
Le Dalécarlién, dans ses forêts caché,
De l'éclat du pouvoir serait éfarouché,
Ét tout cet apareil, pompe de l'esclavage,
Semblerait une insulte à sa fièrté sauvage.
L'odieux *Cristièrne,* au mépris de nos exploits,
A voulu nous courber sous le joug de ses loix :
D'avides Exacteurs, armés de sa puissance,
Sont venus tourmenter notre obscure indigence :
Ministres d'un Tiran, ces Mortels abhorrés,
Par le Peuple en fureur ont été déchirés, &c.

Néanmoins; l'on ne peut disconvenir que dans quelques-unes de ses Productions, il n'ait un sixième de compl.

M.r *Eiremxid-al-ed.* demi-complaisance.

M.r *Tarod,* en général, un tièrs; mais ses *Pièces-fugitives* amusent également les deux Partis.

M.r l'Abé *Eiretèlb-al-Ed,* eut, dans son *Hist. ea Néiluj,* une demi-complais.

Travaf : tous ses Ouvrages, le fort portant le faible, marquent deux-tièrs.

M.r *NORÈRF :* est-il ami, est-il ènemi? c'est un problème dificile à resoudre; car il change suivant les temps & les circonstances : semblable au Caméléon, il prend la couleur de l'objet voisin; Ami de SOTENTOUT, il paraît *Sotentout* lui-même; il le préconise : sont-ils brouillés, il reviént à son naturel, qui n'est pas d'être Sot; alors il déchire impitoyablement notre République *Assotée :* c'est l'Alcibiade Littéraire. Qu'on ne mète pas néanmoins sur son compte toute son *Eriaréttil-eéna,* où il y a bién des Âneries *, qui ne sont pas de lui, mais de quelques-uns des nôtres qu'il a pris pour coopérateurs : on prétend que l'*Eéna 1771* est celle où nous avons le moins de part. Il dit de lui-même,

Que sa plume respecte & s'atache à rendre respectables les mœurs, la Religion, le Gouvernement; qu'elle ne combat que des Écrivailleurs, ou la supériorité cinique & dangereuse des Écrivains. *L'éloge est magnifique; mais est-il vrai? Ah! si M. Eriatlov-Ed ne s'était pas très-beaunoisement avisé de doner de l'importance à la critique de ce Rodilardus, nous n'en serions pas aujourd'hui les coïons!*

Mr *Tesserg,* fit son *Tnahcém* pour éclairer SOTENTOUT & sa Famille sur leur duperie; mais mon Héros ne lui en eut aucune obligation, & s'endormit à la lecture de *Trev-Trev,* qu'il prenait pour un Personage allégorique. Par crainte, par faiblesse ou par complaisance pure, l'Auteur dont il est question, fit ses *Adieux* à toutes les Muses.

(*) *Voyéz, Na.* 1770, l'analise de *Efargomim-al,* où pour doner l'idée d'un Règlement, le Coopérateur Beaunois cite un article qui n'en est pas. Je ne pouvais le croire, mais on m'en a convaincu.

Mr *Xiorcaled,* n'eut aucun égard aux avis de SOTENTOUT dans le choix de ses *Setodcena;* mais il feignait un sixième de complaisance.

M.[r] l'Abé *Etropaled,* ne voyait mon Héros, que parce qu'il faut vivre avec les vivans.

Mr *Inodlog,* d'un bon tièrs dans ses Comédies *Senèilati,* & d'un quart dans son *Uruob-Tnasef-néib.*

Mr *Nojual :* ce Poète *opérado-lirique* ne fut complaisant que par son genre. (On a mis sur son compte *le Reimref-urcdruos,* qui est de quelqu'un des nôtres : son *Xueruoma-ed-ezniuq-sna* enchante les Sots & les Esprités.

Mrs *Reigél* & *Dranoél,* eurent un cinquième de complaisance environ, à-cause du stile un-peu maniéré de leurs jolies Pièces de poésie; reproche que l'on peut aussi faire à Mr *Tarod.* (On a dit de ce dernier, que son stile *redolait* la Comédiène; & l'on a dit de celui qui l'a dit, que le sién sentait le petit-colet : il n'est persone qui n'aimât mieux la première odeur.)

Mr *Eréim-El,* eut une triple complaisance dans ses Pièces-de-théâtre & ses Poèmes; à-peine un quart dans ses Poésies fugitives, charmantes quand il les récite.

Mr *Erèitpuol-al-ed,* complaisance entière.

Mr *Reicrem,* suivit le torrent pour un 4e, à ce que prétendent les Nôtres.

Mr *Nohtam,* a composé diférens *Xuanruoj,* suggérés par SOTENTOUT; mais non pas exécutés d'après ses vues.

Mr *Tossilap,* quoique peu complaisant de sa nature,

n'a pas laissé que de faire trois Ouvrages que mon Héros aprouvait fort; l'article *Nohtam* de la *Edaicnud* sur-tout, où *Martial* est cité, lui paraissait un chéf-d'œuvre d'à-propos & de goût.

M.r *Norip :* ce bon Bourguignon se sentit parfois du voisinage de Beaune; c'est ce qui le fesait acueillir de NICAISE.

(Nous lui avons l'obligation d'avoir mis soit en Comédie *(les Slif-stargni)*, soit en Contes en vers, les Contes prosés des Nourices de notre Province.)

M.r *Tenisniop*, était non le complaisant, mais le Boufon de SOTENTOUT.

M.r *Nolreuq-Ed*, tout en frondant avec dureté par écrit les sotises de SOTENTOUT, ne laissait pas de le louer de bouche en sa présence.

M.me *Inoboccir*, n'avait fait, m'a-t-on dit, qu'un seul Ouvrage que SOTENTOUT aurait goûté; encore eut-elle la force de le jeter au feu.

M.r *Nohcor*, a fait, en société avec mon Héros, deux ou trois petites Pièces que nous aimons assés nous autres.

M.r *Xioftnias-Ed*, rendait quelques visites, sans-doute pour s'amuser de la Gent Sotentoute.

M.r *Trebmaltnias-Ed*, acordait tout-au-plus un cinquième de complaisance.

M.r *Niruas*, montrait tant d'esprit, que NICAISE le bouda : pour faire sa paix, il prit ses avis en lui lisant son Drame de *Yelrevéb*.

M.r *Ingivuas-Ed*, dans son *Ruelfisrep*, montra demi-complaisance.

M.r *Eniades,* quel que soit son mérite, réel suivant les Esprités, fut complaisantissime.

M.r *Samoht,* eut une enfatique complaisance, dont il se corige tous les jours.

M.r *Xueissud,* malgré sa douceur naturelle & sa jeunesse, savait économiser la complaisance.

M.r l'Abé *Nonesiov-Ed,* fut tantôt peu complaisant, tantôt beaucoup ; & toujours capricieus come une Belle.

Tous Ceux que je viéns de nomer sont des Esprités, qui n'étaient admis qu'à titre de Conaissances. A-présent, je vais parler des Intimes, qui composaient la Société choisie de mon Héros, & son illustre ACADÉMIE de *Quiperdgagne.* Mais pour les garantir de l'orgueil (vice très ordinaire chés les Sots), je dois révéler au Public, qu'à la fonction la plus honorable dans l'*Asinoeum,* était uni l'emploi le plus vil de la garde-robe ou de la cuisine : ce qui n'aurait pas été *si sot,* si SOTENTOUT n'avait cru bonement qu'une place dans son ACADÉMIE pouvait enorgueillir. Je ne designerai pourtant pas tous les bas-emplois, de-peur de choquer la délicatesse de mes Lectrices.

Messieurs les ACADÉMICIÈNS Honoraires, Pensionaires, Associés, Libres, Vétérans : Ét Messieurs les Aspirans de l'Académie SOTENTOUTE, dite de QUIPERDGAGNE.

Qraça, pensionaire : Fut nomé pour coriger & refaire les Vers des Esprités, come il a corigé & refait ceux de *Uaeliob.* A la cuisine, il épluchait la salade pour l'Académie.

Érdna, vétéran : Devait prêter son nom aux Auteurs

Tragiques de la Société : De-plus, faire le poil & retaper les pèruques de l'Académie.

Emuaesna, associé : Fut (après avoir desavoué le *Uaelbat-tnalrap,* qui n'est pas d'un des nôtres) fait Arietteur en chèf du Théâtre particulier de l'Académie.

Tonidua, libre : Eut la comission de former de petits Acteurs qui devaient jouer devant la Société : Ét d'aprendre à parler aux Pèroquets de l'Académie.

Nazabrab, vétéran : Fut chargé de déterrer tous les Contes-à-dormir-debout faits par nos Pères, depuis Charlemagne jusqu'à François Ier, pour servir de modèles à l'Académie.

Terab, associé : Composait les Drames joués par les petits Acteurs : En-sus, fesait les oublies & le plaisir-des-Dames, à l'usage de l'Académie.

Eézuaeb, associé : Grammairién, pour montrer l'*A B C* à tous ceux de l'Académie.

Tîoneb, (Mme) académiciène-libre : Blanchissait l'Académie *.

Ruocelleb, libre : Refroidissait l'Académie.

Truocingib, pensionaire : Madrigalait SOTENTOUT & l'Académie.

Engolob, associé : Composait, en les croyant des Odes, des Complaintes à l'usage de l'Académie.

Reidoub, associé : Fesait l'éloge de toutes les sotises de l'Académie.

Reillituob, aspirant : Fesait des *Comédies-bourgeoises* pour l'Académie.

(*) Rendons à cete Académiciène les *Lètres du Colonel Talbert*, donées mal-à-propos à M. *De-la-Croix* par les Auteurs des *trois Siècles de notre Littérature*.

Etteroub (Mme), libre : Préparait le chocolat & la limonade pour l'Académie.

Zoh'cub, pensionaire : Était le Naturaliste-apoticaire-herboriste de l'Acad.

Uaelliac, aspirant : Fesait les complimens en stile poissard : Ét décrotait toute l'Académie.

Carievac, pensionaire : Enseignait aux Académiciéns à enfiler des mouches pour se desennuyer, durant les Séances de l'Académie.

Xiemuahc, vétéran : Fut le Secouriste de la Convulsive Académie.

Reitneprahc, aspirant : Tenait regître de toutes les petites causes qui produisaient de grands éfets dans l'Académie.

Cainihc, associés : (l'aîné) Historiait les Littérateurs dignes d'entrer dans l'Ac. (le cadet) Fut chargé d'éditioner, en les noyant de notes, les Ouvrages de l'Ac.

Tnemélc, honoraire : Portier ; disait à la Parade : *Entréz, Messieurs & Dames ; c'est ici qu'on voit cete merveille de science, composée d'Automates agissans & parlans, qui forment une Académie.*

Telloc, honoraire : Eut le département d'édifier & d'endormir l'Académie.

Tnatnoc Ellivro'd, pensionaire : Recueillit, en stile convenable, les Us, Coutumes, Statuts, Religions & Loix de l'Académie.

Truoc-ed-Nilebég, associé : Fesait des *Prospectus* (où *parturient montes*) des Ouvrages que devaient faire & ne pas faire les Académiciéns : En-sus était chargé de soufler des bules-de-savon, pour l'amusement & recréation de l'Académie.

Trauonid, honoraire : Professait la Plagiature dans l'Académie.

Xuerd, libre : Anecdoteur & Chartier de l'Académie.

Ruofud, aspirant : Chantait les bones-fêtes des Académiciéns, & la naissance de leurs Enfans, nés depuis l'érection de l'Académie.

Suodie, associé : traduisait les Ouvrages des Correspondans Étrangers, en stile de l'Académie.

Tolliuonef, libre; Fesait rentrer à chacun des Académistes les honoraires de leurs Ouvrages : Ét composait les Billets-funéraires, ainsi que tous les *Avis* concernant l'Académie.

Elèdif-ed-Uap, honoraire : Prononçait les Oraisons-funèbres, tant des Membres que des Ouvrages de l'Académie.

Sioçnarf, de N. aspirant : Inpromptuait à tête-reposée pour toute l'Académie.

Dramillag, vétéran : Montrait, suivant ses métodes, à lire à l'Académie.

Niluog, associé : Corigeait les Épreuves des Ouvrages de l'Académie.

Reiffeug, pensionaire : Imprimait pour l'Académie.

Nossuh (M.me), académiciène libre : Ravaudait toute l'Académie.

Niuquaj, associé : Entretenait chaque jour les Académiciéns contre les Romans; & ne persuadant persone, s'avisa de faire des *Sertèl-Senèisirap* très-romanesques, qui convainquirent du danger des mauvais Romans toute l'Académie.

Uaeviloj, associé : Composait les Opéras, & jugeait ceux qu'on présentait pour être aprouvés par l'Académie.

Syeruobal (Mme), académiciène libre : Lavait la vaisselle de l'Académie.

Rehcral, pensionaire : Fut l'indagateur des fautes qui se trouvaient dans les Ouvrages des Ènemis de l'Académie.

Reinomel,... : De l'Académie.

Ecnirpel (Mme), libre : Magasinait pour toute l'Académie.

T..., pensionaire : Prouvait que le *mal* était *bién,* & que le *bién* était *mal;* même que le noir était blanc, & que le blanc était noir; & trouvait de Bones-gens qui le croyaient, dedans & dehors de l'Académie.

Lohliam, pensionaire : Fut chargé de repousser les *Aristarques* déchaînés contre l'Académie.

Nitol, libre : Composait les Itinéraires de l'Académie.

Uaenul, pensionaire : sans être Libraire, vendait les Ouvrages des Académiciéns; & sans être Avocat, plaidait les Causes de l'Académie.

Sanérom, vétéran : Fut le Gazetier de l'Académie.

Erèilrom-Al, honoraire : Composait de petits Romans gaillards, propres à faire gaudir l'Académie.

Yuom, vétéran : Fesait des anagrames très-plaisantes, pour exercer la faculté divinative & faire suer toute l'Académ.

Uan, pensionaire : Fesait les *Almanacs-chantans :* Ét versait à-boire aux repas donés à l'Académie. (Il ne s'oubliait pas, dit-on).

Elocin, pensionaire : Était un Home essenciel en certains cas, pour la plupart des Membres de l'Académie.

Etonon, pensionaire : Réfutait les Ouvrages des Esprités contre l'Académie.

Teraguon, honoraire : Souflait les Petits Acteurs qui divertissaient les Académiciéns, & tenait regître de toutes les *Folies* de l'Académie.

Xueisyup (Mme), associée : Prouvait l'inutilité du bon-sens à toute l'Académie.

Uaeuqibar, libre : Électrisait (sans succès, dit-on) toute l'Académie.

IOZOR-Ud, Secr. Perpét. Était, suivant sa charge, Annaliste de l'Académie : En-outre, fesait des vers qui rimaient bién, qui coulaient bién, & ne signifiaient rién, pour être à la portée & ne pas trop fatiguer le concept des Membres de l'Académie.

Reihtabas, honoraire : Fut chargé de préserver des lumières de la Filosofie tous les Académiciéns, & d'en éteindre jusqu'aux plus petites étincelles dans toutes les Têtes qui composaient l'Académie.

Nüalas, aspirant : Étrénait l'Académie.

Uaeretuas, libre : Fesait les Almanacs, & recueillait les *Poétises* de l'Académ.

Nomis, aspirant : Éduquait les Femmes des Académiciéns.

SOTENTOUT (PLACIDE-NICAISE &c.) *Président-Directeur-Protecteur :* Animait de son esprit toute l'Académie.

Tenocat, honoraire : Composait des Tragédies-Comédies-Pantomimes Savetières, qu'aplaudissait l'Académie.

Syolriv, associé : Fut le Dessinateur & l'Architecte de l'Académie.

Noy, libre : Dénonçait à SOTENTOUT les Ouvrages faits contre l'Académie.

MOI, correspondant : J'étais chargé par Ma[me] DU-COEURVOLANT de lui faire conaître les Académiciéns. PLACIDE-NICAISE avait voulu me décorer de la charge de *Secrétaire-Perpétuel;* mais *MES ÉNEMIS* me firent doner l'exclusion; Mrs *Iozor-ud* & *Teraguon* employèrent tant de ruses, qu'ils obtinrent, le premier la place, le second la survivance. Je m'en suis consolé si bién, que je la refuserais aujourd'hui, s'ils voulaient me la rendre : en-éfet, c'est à mes deux Rivaux qu'il conviént de jouir de l'importance que leur Emploi procure dans l'Académie.

La distinctive de chacun des Membres de l'ACADÉMIE susdénombrée, est exactement tirée de leurs Ouvrages : j'en avertis mes Concitoyéns les Beaunois. Je les préviéns aussi, que les *Sallos* actuels (les Journalistes) me foudroieront chés les Esprités, & que MES ÈNEMIS (car il faut bién en avoir) en triomferont : Mais que me fait tout cela? pourvu que les jeunes Couturières, Lingères, Feseuses-de-modes, qui ont goûté mes autres Ouvrages, lisent encore celui-ci, je suis content, & brâve tous les Esprités.

En terminant cet article, je crois devoir justifier ce que j'ai dit (XXIJ[e] *Chapitre*) de la vertu *sotifiante* des Associations, & je citerai pour exemple l'École de *Enicedém.* Dans tous les temps, ses Membres reçus s'oposèrent aux plus salutaires découvertes; il y a cent ans, à l'Émétique; de nos jours à l'Inoculation; plus récemment encore à L'*Eau-préservative* d'un

Home, qui mérite notre reconaissance, & qui doit compter sur les homages de la Postérité *.

II. LE goût de SOTENTOUT ne brilla pas seulement dans le bon choix des Sujets qui composent l'*Académie de QUIPERDGAGNE;* il va se manifester encore par la manière dont ce Héros encourageait ceux & celles qui cultivent un Art, que l'on peut regarder come le Fils aîné de la Littérature : on voit que je veux parler des Acteurs & des Actrices des Théâtres de la Capitale. Lorsque SOTENTOUT fut sur-le-point de partir pour le Vivarais, il leur fit ses Adieux, & leur laissa par écrit les Dispositions suivantes :

« Come je me vois prêt à m'éloigner pour long-temps de la Capitale, je crois devoir exhorter mes bons Amis les Acteurs des Théâtres, à se comporter come ils ont fait jusqu'à ce jour, & mieux s'il est possible; & pour ce, je leur recomande en-général, I, de ne point être trop modestes; car la modestie nous dégrade à nos propres ieux; aulieu que la vanité, la présomption élèvent l'âme, & la rendent capable des grandes choses, par cela même qu'elle croit l'être. 2, De ne point trop s'embarasser du Public, qu'il faut traiter avec un certain dédain, pour s'en faire considérer davantage : Éh! qu'est-ce en-éfet que le

(*) Rién de si digne de nous que la conduite de la Faculté à l'égard de M. GILB. DE-PRÉVAL : ce dangereus Esprité a trouvé (dit-on) une Eau, qui préserve les Sots & les Gens-d'esprit d'un mal cruel; la Faculté, qui est *Orbi & Urbi Salus,* considérant de combién de profits cet Enfant dénaturé chèrchait à frustrer sa Mère, a résolu de l'exhéréder, en le chargeant de sa maternelle malédiction.

Public? Aux Loges, ce sont des Colifichets, des Petites-maitresses, qui ne viènent pas ordinairement pour le Drame, mais pour voir à l'actif & au passif : Au Parquet, à l'Anfitéâtre, des Gens-d'afaires, des Bourgeoises, qui sont toujours contens pourvu qu'on les fasse rire & pleurer, en outrant le tragique, & chargeant la farce : Quant au Parterre, c'est une vile populace, sans frein, sans goût; qui se passione sans savoir pourquoi; on viént de la voir s'écrâser pour mon *Oémor-té-Etèiluj,* & payer six & douze francs des *parterres,* durant les débuts de la petite *Raucour :* Éh! vous auriéz des égards pour tout cela! d'honeur, ç'a n'en vaut pas la peine. Suivéz donc ce que je vais vous dire chacun en particulier. Je comence par Mesdemoiselles & Messieurs de l'Opéra.

Mlle *Arnoult :* J'ai des plaintes très-graves à faire de vous : on vous acuse d'avoir de l'esprit : prenéz-y garde! c'est un grand ridicule dans une jolie Femme! cependant je ne saurais m'enpêcher de vous vouloir du bién; ménagéz-vous : ne quitéz pas le Théâtre; mais ne chantéz que trois ou quatre fois par an : c'est le moyén d'être desirée, & de survivre à votre voix, à votre beauté, à tout vous-même.

Mr *Larivée :* Avec toutes vos grâces, votre jeu vrai, animé, sans un-peu d'impertinence, croyéz-vous pas qu'on fera grand cas de vous?

Mlle *Larivée :* Votre voix vous sufit : ne jouéz pas; ayéz l'air mort, les ieux ternes come une Poupée de carton; mais gasouilléz joliment, perléz des cadences; on vous aplaudira : le Public mérite-t-il qu'on se gêne?

Mr *Legros :* Soyéz gauche, si vous vouléz, jouéz faux; mais criéz fort, fort, & l'on sera toujours content.

Mlle *Duplant :* Lorsqu'on a l'organe propre à faire retentir la sale, on peut se dispenser de prononcer : les Spectateurs n'ont-ils pas le secours des Livres? s'ils entendaient tout, on n'en vendrait pas. Vous pouvéz aussi jouer dans les rôles tendres; un Amant assourdi est à-moitié vaincu.

Mr *Gélin :* Barbouilléz; mais déménéz-vous; que votre bouche en se tordant se fende jusqu'aux oreilles; on prendra vos convulsions pour du feu, pour des *entrailles,* & l'on vous claquera.

Mlle *Rosalie :* Enfant gâté, pourquoi donc jouéz-vous si rarement! si c'est par politique, je vous le pardone : mais si... vous m'entendéz bién, ils ont tort; peut-être trouvent-ils que vous prononcéz trop à la *roturière :* corigéz-vous, grasséyéz davantage, donéz des sons inarticulés.

Mlle *Beaumesnil :* Vous avéz bién des qualités; vous vous agitéz come une petite Furie; à-la-fin de chaque frase musicale, vous vous grandisséz en sautant d'une manière tout-à-fait plaisante : surtout vous grasséyéz de-sorte que les mots vous remplissent la bouche de bouillie, presqu'à la *Gélin :* un certain Mr *Tirot* saute aussi come ça; je vous prie de lui en faire mon compliment.

Mr *Dauberval :* Vous gâtéz le Public; on ne doit pas l'acoutumer au parfait; & la preuve, c'est que les balets de *Castor* ennuient sans vous; sans vous, dis-je, l'on n'aurait pas l'idée d'une perfection, qui tôt ou tard doit tourner contre vos Confrères.

M.lle *Alart :* Au nom de Terpsicore, ménagéz *Pélin;* la pauvre Fille se tue quand vous danséz un pas-de-trois, *Dauberval,* elle & vous.

M.lle *Pélin :* Pourquoi donc tant d'émulation : buteriéz-vous au parfait? ma-foi, vous auriéz grand tort; il faut ménager son art & ses forces; le goût public est ce qu'on le fait.

M.r *Vestris :* Croyéz-vous toujours *lé Diou dé la danse;* Parléz de vos *grâces,* de votre *transcendance;* jetéz un regard dédaigneus sur le reste de l'Espèce cabriolante; inspiréz ces sentimens à votre jeune Élève : mais gardéz-vous d'assembler les parties de votre exécution pour en faire un tout; *membra magni disjecta...* font admirer à-moins de frais, & laissent un pas à faire aux Successeurs.

M.r *Gardel :* Vous êtes modeste : doit-on l'être avec vos talens? je vous dis aussi, Ne perfectionéz plus; de-peur que vos Successeurs ne soient trop découragés.

M.lle *Guimard :* Pas tant de volupté, c'est contraire aux mœurs.

M.lle *Heinel :* Tout le monde vous loue; l'on est, ou l'on feint d'être enchanté; reposéz-vous là-dessus.

M.lle *Dervieus :* Si la statue de Pigmalion vous avait ressemblé, quand l'Amour l'anima, Jupiter l'aurait gardée pour lui-même. Ayéz toujours plus de grâces que de talent; il sufit d'un peu de mignardise, pour faire tourner toutes les têtes. Je done le même conseil aux charmantes Ninfes vos Compagnes. Je recomande *in-globo,* à tout le reste de l'Académie, de conserver les anciènes coutumes, & tous ces petits défauts, qui sont autant de mouches sur un joli visage. J'embrasse les Faunes, les Satires, les Démons; les Ninfes, les Constellations & les Planètes des Chœurs.

Mesdemoiselles & Messieurs
de la COMÉDIE-FRANÇAISE

Mlle *Gautier :* Les Esprités disent, que vous avéz eu le même *bon*heur que le *bon*home *Boneval;* à-force de vous voir, on vous a crus Acteurs : entretenéz le Public dans cete prévention.

Mr *Bellecour :* Ils disent aussi de vous, que l'on a bonement pris votre habitude & quelqu'aisance pour du talent.

Mlle *Hus :* Ils ne trouvent pas qu'un Jeu crié, une présentation très-à-la-mode, sufisent pour mériter le nom d'Actrice : ah! ces Gens-là sont bien injustes!

Mr *Brisard :* Mon compliment! come vous avéz réussi à mètre en valeur nos Sotises! coment vous marquer ma reconaissance! Car après la gloire de les faire, le Ier mérite est de les embellir.

Mlle *Bellecour :* Quand vous étiéz *Gogo,* l'on vous trouvait charmante; aujourd'hui, grosse Dondon, vous inspiréz encore la gaîté, quoique la malice féminine siége aux environs de votre néz retroussé : que veut-on de plus? les Esprités me font rafoler avec leur D[lle] *Dangeville!* qu'ils l'aillent chèrcher!

Mr *Préville :* Quitéz les Valets, je vous le conseille en ami : vos rôles dans les Drames sont plus honêtes.

Mlle *Préville :* Il y eut autrefois une D[lle] *Grandval,* qui jouait si unîment, si unîment, si unîment, que ç'a me fesait pitié : vous avéz raison de mètre de l'art & de la finesse dans tout.

Mr *Molé :* A votre nom seul, j'entre dans l'entousiasme : vous bégayéz, ah!... dans le tragique, vous avéz pris un ton sépulcral, traînant! on vous croirait toujours aux prises avec l'ombre d'*Hamlet!* Dans le comique, vous avéz une sémillance, ah!... Par-tout j'admire, & je ne puis dire que, ah!...

Mlle *Dumesnil :* On ne peut être & avoir été, clabaude-t-on; mais laisséz-les dire : vous êtes toujours la même; c'est qu'ils s'ennuient.

Mr *Lekain :* L'heureus temps, où vous mugissiéz! ah! vous avéz trop acquis; c'est rendre la carière dificile à-propos de bote.

Mlle *Vestris :* Gardéz votre assés joli jeu, médiocre, uni, peigné, qui n'en est que plus à-la-portée de mes Amis & de nos jeunes Conaisseurs.

Mrs *Auger & Feulie :* Pas mal! pas mal! mais votre Camarade *Dugason* me plaît davantage; j'aime la charge, moi.

Mlles *Luzi, Fanier, Dugason :* Débit aisé : Jeu aigre-doux : Finesse froide; vous voila toutes-trois : L'une plaît; la seconde agace; la troisième ne fait ni l'un ni l'autre. Continuéz.

Mr *Monvel :* Un Amant, avec votre figure, ne laisserait pas d'être dangereus, s'il y joignait votre talent : mais l'*auteurisme* vous done un nouveau relief.

Mlle *Sainval* l'aînée : Vous seriéz ma Sultane favorite, si j'étais Grandseigneur; car j'aime les grimaces, le boursouflage; voila mon faible, chacun a le sién.

C'est vous que je charge d'encourager le Peuple de votre Théâtre à demeurer dans sa médiocrité : Je la recomande aux *Dalinval,* aux *Ponteuil,* & cétéra. Que le Public crie s'il veut, qu'il parle d'une *Direction,* qu'il la desire, que vous fait cela? Après nous le déluge.

Mesdemoiselles & Messieurs
du THÉATRE ITALIQUE.

M.lle *Laruète :* Me *Favart* a disparu devant vous, come une faible Planète devant un beau Soleil : sentéz vos avantages; s'il est quelque moyén de revenir à moi, c'est l'orgueil & l'égoïsme.

M.lle *Trial :* Les Esprités disent que vous le cédéz à l'Enchanteresse que je viéns de nomer; mais que votre prononciation est moins à la *femme-de-qualité;* c'est-à-dire plus claire, plus distincte : unisséz donc vos sillabes davantage; les consones trop marquées ont quelque chose de tudesque; l'on vous devinera si l'on peut.

M.r *Carlin :* Vous paraisséz Sot, & vous ne l'êtes pas; c'est quelque chose : mais votre Ami *Scapin* l'est & le paraît; c'est bién mieux! Quant à vos *Pantalons,* vos *Lélio,* vos *Célio,* vos *Dotteurs,* ç'a fait tout ce que je veux.

M.r *Cailleau :* Bon! la fortune me dédomage, puisque *Suin* vous succède.

M.r *Laruète :* Touchéz-là, timbre fêlé : vous êtes le *Boneval* des Arietteurs.

M.r *Clerval :* Naturel, grâces, vieux moyéns : ah! que le pincé *Julién* suit une route bién plus sure!

Mr *Trial :* Vous aviseriéz-vous de devenir Acteur? j'y consens, mais farcéz & forcéz.

Mr *Nainville :* Je croyais que vous laisseriéz tout faire à votre timbre sonore?

Mlle *Beaupré :* Encore agnès, sans... encore charmante, sans... chantant encore bién, sans... Duréz, duréz!

Mlle *Billioni :* On trouve votre organe doux & flateur, sur-tout quand c'est de l'Italién : mais je suis charmé que vous vous soyiéz jetée dans le français.

Ét l'aimable *Argentine!* c'est un bijoux, en-vérité! il n'y a que votre goût pour votre éternel Brunet qui me choque : mais quî prendre? vous n'avéz que deux à choisir, & *Scapin* est si bête!

J'exhorte quelques jolies Danseuses à se mènager, sur-tout celles qui ont de l'embonpoint.

Mrs & Mlles de l'Ambigu-Comique.

Vu que le Public (c'est-à-dire les Nôtres) est entousiasmé de votre Jeu, aimable *Henriète,* gentil *Talon,* petit *Moreau,* vous resteréz au même point, & ne joueréz que les Chéf-d'euvres que je vous ai donés.

Mlles & Mrs les Nicolètites.

Illustre *Taconet,* babillardissime mère *Ragot,* grand *Constantin,* vous seuls excitéz mes regrets : ah! faut-il que le Sort cruel me prive des amusemens divins que vous savéz doner! Insurmontables Acteurs, indémontables Actrices, prestigieus Sauteurs!... Mon cœur se serre, mes larmes coulent. &...

« C'est ainsi qu'en partant, je vous fait mes adieux »!

III. IL semble qu'après m'être si longuement étendu sur la généalogie des SOTENTOUT, je devais illustrer de-même les familles COCUS & DE-GALANVILE : j'y avais éfectivement pensé : Mais, que croira-t-on qui m'ait éfrayé? la multiplicité des branches, les divisions, soudivisions? Non : la famille des SOTENTOUT n'est pas moins étendue : un autre obstacle, un obstacle insurmontable m'a fait tomber la plume des mains, dès la première filiation : à chacune, c'était une nouvelle espèce grèfée sur le tronc; de-sorte que les Enfans ne tenaient de leurs Pères que le nom précisément. Or c'eût été doner la généalogie du genre humain : ce qui me paraît inutile.

IV. MES Lecteurs seront sans-doute charmés de trouver ici le contenu du feuillet perdu qui terminait mon XVII.me CHAPITRE, *page 37 :*

(Mais ce n'était rién que ces petites altercations, aulieu de ce qui va suivre.

La conduite de PLACIDE-NICAISE, si propre à révolter les Homes des trois autres parties du monde, ou même nos Provinciaux, ne fera pas la même impression sur des Maris Parisiéns; & tel qui lit, est peut-être lui-même dans le cas d'acorder tous les jours mile choses, qu'il n'ose refuser, dans la crainte de se doner un ridicule. Tout est mode à Paris : il y a quelques anées que l'on n'ôsait pas aimer sa Femme : Le Rév. Père *Lachaussée,* dans un fort joli Sermon qu'il donait à la Comédie-française, nous fit honte de cete mode : l'on ne se corigea pas; mais on remplaça la tendresse par des égards. Biéntôt cete mode devint une fureur, dont nosdames les Épouses (qui toutes se croyaient des *Constances*) ne manquèrent pas d'abuser. En-conséquence de ce ton qu'elles ont pris, (& que sans-doute elles garderont longtemps) voici come Ma^{me} DU-COEURVOLANT en agissait avec son Mari. De très-bone-heure, elle sut l'acoutumer à ne se mêler de rién de ce qui la regardait : (l'on sait que c'était une des conditions des articles, raportés au Chap. *Acords*); & non-contente de sa moitié d'autorité, DÉLIÉE envahit encore celle de PLACIDE-NICAISE. Ainsi la Femme ne rendait aucun compte, & le Mari en devait de toutes ses dépenses, de ses moindres actions. En ceci, Ma^{me} *Agnès-Pudentine* était l'apui de sa Bru, & papa *Sotentout* lui-même, à quî DÉLIÉE tournait la tête par un petit mot doucereus, pensait d'après les Femmes. PLACIDE était donc come en tutelle : l'empire de Ma^{me} DU-COEURVOLANT s'étendit jusque sur les Ouvrages de son Épous; on trouve dans quelques-uns (tels que les Pièces du Théâtre Italico-lirique depuis 1760) un goût de légèreté futile, qui plut beaucoup tant aux Sots qu'aux Esprités eux-mêmes. Elle ne borna pas là son despotisme; elle prétendit règler non-seulement les choses que dirait son Mari; mais le ton dont il les dirait; ainsi, lorsque pour la forme, elle feignait de lui demander son avis, il ne sufisait pas qu'il répondît promptement & favorablement, il falait encore qu'il y joignît une certaine grâce; c'était quasi l'impossible : cependant, parce qu'il y manquait, DÉLIÉE fesait un charivaris épouvantable; elle avait des vapeurs, des mouvemens convulsifs; elle singeait l'égarement, se donait de petits coups, & frapait de toutes ses forces sur

NICAISE desespéré. *Agnès-Pudentine* se tuait de dire à son Fils, Que tout cela marquait de l'amour & l'extrême sensibilité de la jeune Épouse : elle l'en persuada ; mais en-même-temps il prit une si drôle d'idée de la tendresse conjugale, qu'entendant un-jour vanter l'atachement d'une Femme pour son Mari, il s'écria pitieusement, *Ah! que je le plains!* Il n'avait pas tort ; car dans un de ses accès, DÉLIÉE voulut se séparer de son Mari : elle courut chés maman *Cocus,* à laquelle elle conta ses douleurs : la Maman garda son sérieus, tant qu'elle put ; mais enfin elle éclata de rire, & peu s'en falut que DÉLIÉE ne l'imitât.

— Mondieu! ma Fille, tu te gênes come si nous avions ici des témoins! Ne saurais-tu me parler tout naturellement? ôte ton masque, & laisse-toi voir.

— Mais, maman...

— N'en sais-je pas aussi long que toi?... Je t'aprouve, au-reste, & les Maris sont des animaux, qu'il faut toujours mener en laîsse, si l'on ne veut pas qu'ils s'échapent : voi le *Bertrand* de notre bone Amie Ma[me] *Fourète?* c'est un beau Singe, qu'elle aime beaucoup ; mais parce qu'il ressemble un-peu aux Homes, elle ne veut pas qu'il quite sa chaîne.

Cete noble comparaison fit sourire DÉLIÉE.

Les Dames conclurent à tenir toujours PLACIDE-NICAISE sous la férule ; à règler son travail, son repos & ses plaisirs. Mais ce qui dut le consoler, c'est qu'il n'était pas le seul : certaine Conseillère qu'il conaissait, tous les matins en s'éveillant, disait : *Faites lever Monsieur.* Un instant après : *Qu'on lui mète sa robe, & que mes chevaux le conduisent au Palais.* En sortant : *Monsieur se souviéndra d'opiner sur telle afaire qui m'est recomandée, come je la décidai hièr*).

Je ne veux pas quiter cet article sans assurer les Dames, que je suis bién loin de prêcher le manque aux égards que nous leur avons acordés; ces égards eux-mêmes sont une marque de la supériorité du premier-sexe : j'aprouve que l'on considère les Femmes, qu'on leur procure des délâssemens honêtes; je blâme qu'on les adule, qu'on les encense avec autant de ridicule que de bassesse, qu'un Home se fasse une afaire de les amuser, un honeur de ramper devant elles; un pareil honeur est au-dessous de *Bertrand,* qu n'amuse les autres que pour lui-même. Fesons cesser les propos que l'on tiént de nous parmi les Étrangers :

— Les Maris Parisiéns, disait un Allemand nomé le Baron de *Lawfelt,* sont presque tous des benêts; ils se laissent mener par leurs Femmes, qui les traitent en oisons bridés : en Allemagne, nous savons mètre à-la-raison un Sexe aussi présomptueus qu'il est faible.

V. VOICI des Vers de la Tragédie du *Tremblement-de-terre-de-Lisbone,* pour servir de pièce de compa-raison. Un Amant, & son Confident ouvrent la scène : le Confident s'apèle DUPONT; l'Amant est un COMTE, fils d'un RODRIGUÈS Seigneur Portugais; l'Amante, une THÉODORA, fille de D. PEDRO, Grand-Corrégidor de Portugal; elle a pour Confidente une THÉRÈSE, & pour Amoureus haï, certain D. LAVAROS, neveu de l'Inquisiteur : de Lisbone, la scène saute à Constantinople, où ROXANE, fille du MUFTI, deviént sur-le-champ amoureuse du COMTE. La Pièce se termine par le Tremblement-de-terre, ouvert par un Garson-PÈRUQUIER.

DUPONT.

Prince, quelle douleur, quel trouble épouvantable
Répand sur votre mine un air insuportable?

LE COMTE.

Puisque de mon chagrin tu veux savoir la peine,
Aprens qu'elle viént d'u — ne adorable Climène,
Dont mon cœur & mes sens se sont tout enchantés,
Ét l'on n'a jamais vu u — ne si belle Beauté :
Car si de sa taille — tu voyais la peinture,
Ma-foi! tu la prendrais pour une mignature :
Enfin, si de sa grâce & de son esprit parfaits
Tu sentais come moi tous les charmans atraits,
Je t'assure, Dupont, qu'un œil si languissant,
Quand je la fixe un-peu, tressaillit tous mes sens.
Son front & ses cheveux qui sont si bién plantés,
Aux ieux des Conaisseurs seront toujours vantés, &c.

THÉRÈSE à *Théodora.*

Où l'avéz-vous conu? (le Comte).

THÉODORA.

Au combat du Taureau...

THÉRÈSE.

Mais coment ce feu a-t-il pris dans votre cœur
Sans que j'aie aperçu cete subite ardeur?

THÉODORA.

Chère Thérèse, hélas! je vais te confesser
Une chose qu'à moi j'aurais voulu cacher.

Je t'avouerai qu'étant à ce cruel Combat,
Le Comte m'aparut plein d'un brillant éclat;
Un Destin favorable en cet heureus moment
Ayant placé ma loge auprès de cet Amant,
Dans l'ardeur du combat un Taureau furieus
Par la rage animé vint s'ofrir à mes ieux;
Après avoir rompu la forte barrïère,
S'élança dans ma loge & me prit par derrière;
Ét j'étais sur-le-point d'en être écalventrée,
Si d'un tel animal on ne m'eût dépêtrée;
Mais le Comte à l'instant, hardi come un Héros,
Sauta dedans ma loge au travers des barreaux,
Ét saisissant ce Bœuf avec un grand courage,
Le terrassa & me délivra de sa rage.
Tu dois t'imaginer qu'une telle frayeur
Me saisit si fort que j'évanouis sur l'heure.
Pendant que je fus dans l'évanouissement,
Mon cher Père me fit emporter à l'instant.
Quand je fus de retour d'une si forte crise,
Ét pensant en moi-même à l'heureuse entreprise
Que mon Libérateur avait avec ardeur
Entreprise & gagnée avec un tel honeur,
Je n'ai pu, depuis ce fortuné moment
Banir de mon esprit ce Héros triomfant.

Le Comte dit tendrement à sa *Maitresse.*

Ma langue & ma bouche est la cheminée ardente
Par où s'en va le feu qui toujours me tourmente.
La Nature en naissant m'a doné de la naissance;
Le Ciel m'a fait présent du don de complaisance;
Tout mon desir & ma plus grande ambition
N'est que de partager avec vous ce bon don.

Passons au dénoûment.

Un PÉRUQUIER *frisant* DUPONT, *qui lui dit :*

Diable! finisséz donc? en parlant de nouvelle,
Vous m'avéz par ma foi, brûlé toute l'oreille;
Le fichu mal-adroit! qu'avéz-vous à trembler?
Avéz-vous donc trop bu? car vous aléz tomber.

Le PÈRUQUIER.

Excuséz-moi, Monsieur, je ne sais pas pourquoi
Je tremble; assurément & tout tremble sous moi;
Je ne sais pas non-plus si c'est une visïon;
Je crois voir remuer la chambre & la maison.

Toute la Famille de *Rodriguès,* excepté *Dupont,* se réfugie dans un vaisseau, qu'un coup de-vent lance au milieu des terres : DUPONT y court, &

Le vaisseau n'y était plus; mais un très grand goufre,
Qui poussait une odeur toute pleine de soufre,
L'avait mis tout au fond de ce malheureus trou;
J'y serais descendu si j'avais su par où.
Dans le même moment que Thérèse j'apèle,
Moi qui desirerais m'en aler avec elle,
Le trou s'est rebouché, & je ne l'ai plus vû :
Thérèse, où êtes-vous? je ne vous verrai plus;
Mon amour & mon cœur! pour-le-coup je me meure;
Que n'ai-je donc aussi péri à la même heure!
Que ne puis-je fouiller au fin fond de ce trou,
Pour dumoins pouvoir m'y enterrer avec vous?
Mais je ressens encore un nouveau tremblement!...
Je crains qu'en m'arêtant ici plus longtemps,
Je n'y périsse aussi; je m'en-vais, si je peux,
Tâcher de me sauver, m'éloignant de ce lieu.
En quelqu'endroit que j'aille, à piéd ou en carosse,
Je me souviéndrai du — premier jour de ma noce.

VI. LES trois exemples raportés, *page 104* jusqu'à *113,* sont réellement arivés ; mais je n'en garantis pas toutes les circonstances, dans lesquelles on varie un-peu.

VII. *Page 129,* où je parle des *conservatoires* des peintures des Grands-maîtres. En Italie, tous les excélens tableaux qui décorent les Églises, sont enfermés dans une armoire, ou recouverts de rideaux de toile fortement enduite, & peinte à l'extérieur, qui s'enlèvent par ressorts. Un Conaisseur (peut-être était-il de Beaune) qui voyageait à ce titre, & qui savait que dans la première Chapelle en entrant à gauche dans l'Église du Saint-Sépulcre de Milan, était le tableau de la *Madona della Scodella,* ou du Saint *Josef du Corrège,* n'eut pas plutôt aperçu la couverture, qu'il s'écria dans un pittoresque entousiasme : *Voila, voila le coloris du divin Corrège!* On le laissa dans son illusion, faire le détail de toutes les beautés qu'il remarquait dans cete misérable peinture ; quand il eut tout dit, on découvrit le véritable tableau : mais le chapitre des louanges était épuisé ; il ne lui resta que la confusion de s'être trompé si grossièrement.

A-propos de peinture, je me rapèle une autre anecdote d'un bon Peintre, mauvais Poète dramatique ; c'était un Espagnol : un jour que l'on représentait pour la première fois une de ses Pièces sur le Théâtre de Madrid, les Spectateurs ennuyés, s'écrièrent : *Aulieu de versifier ses Comédies, qu'il nous les peigne! Benè trovato!* Ah quels tableaux fourniraient aujourd'hui les Tragédies SOTENTOUTES de nos jolis Auteurs! je crois, en-vérité, qu'elles ne sont faites que pour être peintes!

VIII. EN lisant les Tragédies des Anciéns, je les admire malgré moi! quelle morale naturellement amenée! ce n'est pas, come chés nos Esprités, des maximes brillantes, dans la téorie; ce sont des maximes *usuelles,* propres à règler la conduite journalière. J'invite les Femmes Sotes à lire, à méditer la belle maxime que j'ai raportée *page 138.*

IX. *Page 132.* M.[r] *De-Montespan* fit mille folies, lorsque sa Femme fut déclarée Maitresse du Roi : il prit le deuil, &c, &c; le tout, j'imagine, par les conseils du Bisayeul de mon Héros.

X. *Même page.* L'ON pourait faire des réflexions très-filosofiques sur les suites *nécessaires* du vice, relativement aux Loix de la Société où l'on vit. Je vais hasarder ici les miènes.

Une vérité, que les Sots & les Esprités avouent également, c'est qu'il existe une mesure égale de bién & de mal pour tous les Homes; l'équilibre légitime où se maintiént le Sage, les tempère l'un par l'autre * : mais le Voluptueus, qui ne voulant goûter que le bién, se livre à ses panchans, sans jamais les refréner, amoncelle à-proportion le mal sur sa tête; &

(*) Tel est le principe de macérations effrayantes des *Fakirs* Indiéns : *Nous formons,* disent-ils, *une mèr de volupté pour l'autre vie.* Principe vrai, dont ils abusent.

lorsque la digue viént à se briser un jour, le mal amoncelé submerge l'âme, & l'environe d'une mèr de douleur : ce revers est aussi nécessaire, qu'il l'est que l'eau s'écoule dans l'endroit le plus bas, & que la flâme, plus légère que tous les autres corps, s'élève dans l'atmosfère.
— Mais, dira-t-on, l'on voit des Méchans prospères jusqu'à la fin? si DÉLIÉE fût morte avant la découverte de ses intrigues, n'aurait-elle pas été constament heureuse?
Cet argument (que je n'avoue pas) fut précisément ce qui conduisit les Anciéns à reconaître une autre vie, capable d'éfrayer les Méchans, & d'encourager les Bons; ou du-moins, afin de consoler l'Oprimé, de l'empêcher de porter le poignard au sein de l'Opresseur... Mais bién des gens me diront que c'est ici le *pont-aux-ânes*. Éh-bién, consultons la nature, c'est-à-dire, notre expérience & celle des autres; nous trouverons que le Coupable est doublement puni, pour un plaisir simple; il l'est par le *sens-intime*, qui malgré lui rétablit l'équilibre à-tout-moment : ce Tyran qui fait massacrer, est agité de terreurs secrètes qui s'élèvent come une noire vapeur du fond de méchanceté qui lui suggère ses crimes : ce Voluptueus, qui ne se refuse aucun des objets qui l'ont tenté, ne jouit pas come vous & moi, chèr Lecteur, lorsque nous pressons dans nos bras un Objet aimé, l'Objet vertueus, tendre & fidèle, d'un atachement durable : cet Opresseur, qui foule le Pauvre, tyrannise le Faible, & l'épuise, entend quelquefois le cri public, qui demande sa tête; sa rage en augmente, mais la rage n'est pas un plaisir : voila quelle est la

première espèce de punition. Celles de la seconde, qui ne suivent pas toujours le crime, mais qui le suivent le plus souvent, ce sont les peines portées par les loix, & celles qui viènent du fisic, come les maladies, les épuisemens, &c. Ainsi la Nature est justifiée par elle-même à l'égard des prétendus *Heureus, & l'æquipondium* du bién & du mal est toujours conservé. Ce Seigneur aimé de ses Vassaux, auxquels il sacrifie le *petit-petit-petit* plaisir de chasser plus à son aise, est-il moins heureus que cet autre, Tiran altiér, qui foule aux piéds l'espoir des Laboureurs, qui fait condanner à l'oprobre un Braconier, &c? l'un se satisfait, l'autre se prive; celui-là chèrche à goûter, & se fatigue pour courir après le plaisir qui le fuit; celui-ci l'atend, il en est doucement assailli; la satisfaction de se voir aimé est si délicieuse, que tout le bién qu'on fait à ses Semblables peut à-peine la payer. J'aurais encore mille choses à dire là-dessus; mais cete Note n'est déja que trop longue.

XI. QUELQU'UN, en lisant la Note qui termine cete *Seconde Partie,* me disait, Que si le respect pour les Femmes n'est pas fondé parmi nous, come chés les anciéns Romains, sur la nature, l'état & les mœurs, il n'en était que plus réel; puisque de nos jours, dès qu'un joli Minois montre quelques vertus-pratiques, nos Esprités passent aisément sur le vice de conduite & d'état; tous les jours ils célèbrent à-l'envi d'aimables Laïs, sans* réfléchir à deux choses, la

* Témoins de jolis Vers à Mlle ARN*, sur sa tendresse pour ses Enfans; & ceux à Mlle GU** sur ses Aumônes : à-la-vérité, ces

première, Que si la *Danseuse*, la *Chanteuse*, n'avaient pas ruiné peut-être vingt Seigneurs, ils auraient pu soulager les pauvres de leurs domaines, qui ne seraient pas venus mourir de faim à Paris : la seconde, que la plupart des Amans que ces Filles rendent *heureus*, le sont en violant leurs devoirs envers leurs familles & toute la société, dont ils brisent ainsi les liéns : Quand un Poète filosofe a fait le 72ᵉ & le 73ᵉ vers de son Epître à Mˡˡᵉ G**, il aurait dû se souvenir qu'il était citoyén & filosofe.

FIN des Notes de la Seconde Partie.

Epîtres ont un bon côté ; puisqu'elles peuvent exciter dans le cœur des Filles de cete classe, l'envie de se conduire de même, & faire sortir un petit bién d'un grand mal ; ce qui vaut mieux que rién du-tout.

Nota. Prem. Partie, page 21, ligne 8. Tonn Bridge, *lisèz* Edmond Bright, mort à l'âge de 29 ans.

ENVOI
DE CET OUVRAGE à ces *MESSIEURS*.

VOILA, Chèrs & nombreus CONFRÈRES, tout ce que j'avais à dire au sujet de notre Corifée, M.r PLACIDE-NICAISE SOTENTOUT. Je ne doute pas que je n'aie oublié beaucoup de ses Sotises, & bién des Tours de sa dignissime Épouse, madame VICTOIRE-DÉLIÉE DU-COEURVOLANT; mais vous y suplérez, d'après votre propre conduite, & celle de mesdames vos Femmes.

Une chose que je ne dois pas omètre, c'est qu'il est une Ville en France, sœur condigne de la ville de Beaune, & du-moins aussi recomandable par la sotise de ses Habitans, que les Cités célèbres de l'Antiquité dont j'ai fait mention : c'est Toulouse. Je viéns d'aprendre que M.r SOTENTOUT, mon Héros, y fut honorablement couroné, lors de la Représentation d'une Tragédie de sa façon : à la fin de la Pièce, la Gent Toulousaine évoqua l'Auteur à cris redoublés; il vint à pas mesurés, pour flairer mieux l'encens qu'on lui prodiguait. Il se baissait pour faire son troisième & dernier salamalek, lorsque l'Actrice principale, qui s'avançait en tapinois, tira de sous sa cote une courone de feuilles d'artichaud (come la feuille non-piquante la plus aprochante du chardon) & la lui posa sur la tête; mais si maladroitement, que la Courone trop large tomba sur la bouche du Complimenté, retenue qu'elle fut par ses oreilles, & le brida come un Baudet : sans se déconcerter, le Bridé se débrida, pour brider l'Actrice; mais celle-ci prompte à la riposte, rebrida l'Auteur, qui s'en-ala bridé, au grand contentement de toute l'Assistance. Cet évènement est digne d'être transmis à la Postérité; c'est un nouveau chardon ajouté à ceux de mon Héros.

Il m'est revenu, Chèrs & nombreus CONFRÈRES, *que certains Esprités qui ont vu les feuilles imprimées du* MÈNAGE PARISIÉN, *ont trouvé-mauvais que je vous l'eusse dédié. Je crois en-vérité qu'ils sont fous! Ignorent-ils donc, 1, qu'il n'y a rién dans le monde de si nécessaire que la Sotise pour être heureus, puisqu'elle borne les vues, les idées, & qu'elle est mère de l'illusion, qui l'est elle-même du bonheur! 2, Que les Esprités ne sont propres qu'à certaines choses distinguées, & les Sots à celles d'un usage ordinaire & général; que les premiers sont faits pour gouverner, les seconds pour l'être : éh! que deviéndrait l'État si tout le monde voulait & pouvait gouverner? ce que deviéndrait une ruche toute composée des inutiles galans de la Mère-abeille; les Sots sont les Mulets de la Société, ses aprovisioneurs. Que les Voltaire, les Rousseau, les Bufon, tous nos Académistes nous amusent par leurs drôleries; mais après que les Rustres-sots, Artisans, Marins, Courtauds-de-boutique, auront fourni le nécessaire, l'utile, le superflu. En-éfet, si tous ces Gens-là poétisaient come Voltaire, s'ils prosaient come Rousseau, s'ils tragédisaient, s'ils comédisaient, s'ils opéra-*

disaient, s'ils ariettaient come nos fameus Esprités; s'ils romanisaient, s'ils historiaient, s'ils moralisaient, s'ils anecdotaient, s'ils espritaient, s'ils dictionairisaient, s'ils almanaquaient, s'ils épigrammataient, épîtrisaient, contaient, chansonisaient; s'ils musiquaient, s'ils peinturaient; voudraient-ils s'amuser à des travaux bas, avilis, pénibles & grossiers? Donc la Sotise est absolument nécessaire, aulieu que l'Esprit n'est que de luxe : donc nous somes la portion la plus importante de l'État : donc j'ai raison de dédier mon Livre aux SOTS, *& de me ranger dans la classe de ceux qui le sont le plus, par leurs Productions & par leurs Femmes. Agréèz donc mon envoi, Chèrs & nombreus* CONFRÈRES; *l'homage de ce Livre vous était dû.*

FIN.

A ROUEN, chés LEBOUCHER,
Et se trouve à PARIS,
Chés DE-HANSY, jeune, *libraire, rue* Saint-jaque.

RESTIF et LE MENAGE PARISIEN.

Le Ménage Parisien constitue le premier acte, encore anodin, de cette longue vengeance écrite que Restif nourrira avec *La Femme Infidèle, Ingénue Saxancour,* et *Monsieur Nicolas,* entre autres. La victime avouée en étant cette Agnès Lebègue, épousée à Auxerre le 22 avril 1760 (1).

Or, bien qu'il semble que le couple se soit rapidement défait, on s'étonne qu'un tel ressentiment mette vingt-cinq, trente ans à s'exprimer, et si violemment. Il est probable que dans ce cas, comme dans celui d'*Ingénue Saxancour,* l'expérience personnelle, sans doute plus limitée, n'a servi que de moteur à la création romanesque, et d'aiguillon à la réflexion du moraliste. « C'est en 1772 que je composai ensuite *Le Ménage Parisien,* espèce de roman-farce, dont le plan excellent m'avait ri ; mais lors de l'exécution, elle se trouva au-dessus de mes forces, et la plus riante de mes *conceptions* me fournit un ouvrage très médiocre. M. *de Crébillon* fils en fut le censeur, et

1. Voir préface.

ne parut pas en faire grand cas. Il le mit cependant un peu au-dessus du *Pied de Fanchette,* dont il avait été également l'approbateur. (Il se trompait fort! *Le Pied de Fanchette* est aujourd'hui bien au-dessus du *Ménage!* et à la troisième édition). C'est dans le *Ménage Parisien* qu'est la Note qui fut l'origine de ma liaison avec le docteur *de Préval.* [1] (...) Ha! sans-doute cette production aurait été excellente, si mon âme n'avait pas été abreuvée de douleur par la perte de Louise et Thérèse! Néanmoins les deux Ouvrages eurent quelque succès : (...) le *Ménage* manque depuis longtemps; je me propose de l'abandonner, tout corrigé, à quiconque en voudra faire une édition.
(Monsieur Nicolas, Septième époque).
Il revient sur ce livre dans *Mes Ouvrages :*

« J'y ai mis des Notes encore plus bizarres que l'Ouvrage, où je composais une Académie de tous les Sectateurs de la Sottise, Académie dite de *Qui-perd-gagne :* les sujets les moins méritants y étaient les premiers. On sent combien ce tableau satirique devait piquer. (...) M. de Crébillon fils était censeur de cet Ouvrage, et s'y parapha lui-même; car il y était critiqué, comme membre de l'Institut *Qui-perd-gagne,* où il méritait assez bien une place, par quelques-

(1) Restif vante fréquemment dans ses livres son ami le docteur Guilbert de Préval, qui traitait les maladies vénériennes. Un chapitre de *L'Espion anglais* (dont l'auteur est Pidansat de Mairobert, avec lequel Restif fut lié) est consacré aux démêlés du docteur avec ses confrères et la Justice. Occasion, ici, de noter l'importance de la vérole dans les ouvrages du XVIIIe. Pour Restif, Sade et Laclos, entre autres, elle est à la fois la Fatalité grecque et la croix-de-ma-mère du roman noir et des mélodrames.

uns de ses futiles romans. Le commis Desmarolles, toujours à l'affût de mes productions (...) la fit arbitrairement suspendre; car j'étais en règle. (...) Ce qu'il y eut de singulier, c'est qu'on repermit l'Ouvrage sans cartons. Agnès Lebègue prétend que je lui dus cette faveur, qu'elle obtint (dit-elle) par l'abbé de *Saint-Léger,* ami de toute la police. Quoi qu'il en soit, j'étais alors à Sacy, occupé à vendre à mon frère le reste de mon patrimoine... *Le Ménage Parisien* n'est pas sans mérite; il y a des étincelles de génie. M. de Crébillon, dont je n'étais pas encore l'ami, m'en dit un peu de bien. (...) Il me dit que j'avais d'excellentes idées, une imagination romantique, etc. Mon cœur n'eut aucune part à cette composition; pas un personnage intéressant; pas un trait qui aille à l'âme : ce qui vient de ce que j'avais sous les yeux une catin, modèle de mon héroïne. »

Notons que Restif se trompe sur le sort qu'il fit à Crébillon dans ses notes (où les noms sont tout simplement retournés). Son censeur ne figure pas dans l'*Académie Sotentoute,* mais au contraire comme *antagoniste* des sots, dans la liste des littérateurs qui précède.

BIBLIOGRAPHIE.

Quelques rectifications de détails mises à part, avec quelques interprétations sur lesquelles on peut ergoter à l'infini, l'ouvrage fondamental reste :

— J. Rives Childs. *Restif de la Bretonne.* (Témoignages et jugements. Bibliographie). Aux dépens de l'auteur. Librairie Briffaut. Paris. 1949.

Je n'ai à ce jour retrouvé que deux éditions ignorées de lui :

1. Rétif de la Bretonne : *Le Paysan et la Paysanne pervertis.* (Cette édition est identique à l'édition Gründ, répertoriée p. 301, n° 5, mais a comme éditeur Les Editions Nilsson, Paris, sans date, et contient douze hors-texte en couleurs de P. Dmitrow. Environ 1935).
2. Restif de la Bretonne : *Les Contemporaines. (Mœurs légères du XVIIIe siècle).* (Petit volume — 8 × 11,5 cm — de 248 pages. Editions Nilsson. Paris sans date. 1932 sans doute).

Rives Childs indique comme *traductions* des plaquettes de 56 pages donnant en fait le texte français de *L'An 2000* (mais imprimées à Strasbourg, alors allemande). Celles que je possède diffèrent des siennes par une couverture surajoutée (1). Les unes (correspondant au n° 1 p. 322) :

(1) J'en ai déposé un exemplaire à la *Bibliothèque Nationale,* et un autre à la *Bibliothèque de l'Arsenal,* qui n'en possédaient pas.

Restif de la Bretonne : *L'AN 2000*. Strasbourg. J. H. Ed. Heitz (Heitz et Mündel)

Les autres (nº 2) :

Restif de la Bretonne. *L'AN 2000*. (Editeur identique avec adresses à :) Paris, Bologna, New York, Stockholm.

Enfin G. Rouger (voir plus loin) joint à juste titre aux œuvres de Restif *Le plus fort des pamphlets,* paru sous le pseudonyme de Noilliac en 1789. (Voir aussi P. Kessel plus loin).

La bibliographie résumée qui suit ne vise donc qu'à aider à poursuivre le travail de Rives Childs arrêté en 1949 (1).

I. Editions françaises.

Sara (préface de M. Blanchot), Stock, 1949.

Les Contemporaines (extraits, préface de H. Fabureau), Club Français du Livre, 1951.

Les Faiblesses d'une jolie femme, Edmond Vairel, 1951, illustré.

Œuvres érotiques (Le Pornographe, L'Anti-Justine, Dom Bougre), Arcanes, 1953 (2).

L'Enfance de M. Nicolas (extraits de « Monsieur Nicolas », texte établi et présenté par G. Rouger), Club des Libraires de France, illustré, 1955.

Monsieur Nicolas, 4 volumes, Mazo, 1956-7, illustré.

Monsieur Nicolas (première réédition complète), 6 volumes, J. J. Pauvert, 1959, illustré.

Monsieur Nicolas, 6 volumes, Cercle du Livre précieux, 1959.

(1) P. Testud (voir plus loin) indique *Le Pied de Fanchette,* I.P.C. 1946, et *Les Pervertis* (extraits du Paysan et de la Paysanne), Les Editions Libertines. 1949.

(2) On s'accorde à considérer l'attribution à Restif de *Dom Bougre aux Etats Généraux* comme une absurdité.

La Paysanne pervertie (préface d'A. Maurois), Cercle du Livre précieux, 1959.

L'Anti-Justine (commentaires et notes de G. R.), deux volumes, Cercle du Livre précieux, 1960, illustré (3).

Les Nuits de Paris (extraits, présenté par M. Chadourne et M. Thiébaut, notes de H. André-Bernard), Hachette, 1960.

Les Nuits de Paris (extraits, présenté et annoté par H. Bachelin), Livre-club du Libraire, 1960, illustré.

Ingénue Saxancour (extrait, Présenté par G. Lély), J. J. Pauvert, 1960 (rééditions postérieures).

La Vie de mon père (établi et présenté par G. Rouger), J. Haumont, 1961, illustré.

Les Contemporaines (extraits), édition en fac-similé des originales, 3 volumes, Les Yeux ouverts, 1961, illustré.

La Vie de mon père (présenté par J. Desmeuzes), Club des Amis du Livre progressiste, 1962, illustré.

La Vie de mon père suivi de *La Femme du laboureur* (présenté par E. Mireaux, notes de H. André-Bernard), Hachette, 1963.

Les Nuits de Paris (extraits, édition de P. Boussel), 10/18, U.G.E., 1963.

Sara (présenté par M. Béalu), N.O.E., 1963.

Les plus belles pages (anthologie, préface de F. Marceau), (édition modernisée du livre répertorié par Rives Childs, p. 346, nº 1), Mercure de France, 1964.

Les Faiblesses d'une jolie femme suivi de *La Belle bourgeoise et la jolie servante,* S.E.D.I.E.P, 1966.

Le plus fort des pamphlets, Edhis, 1967.

L'Anti-Justine (préface de G. Albert-Roulhac), Charles Bertrand, 1969, illustré.

L'Anti-Justine (présenté et annoté par G. R. (3)), L'Or du Temps, 1969.

(3) G(ilbert) R(ouger)?

Les Nuits de Paris (extraits, préface de F. de Clermont-Tonnerre, notes de P. V. Berthier (5)), Les Amis de l'Histoire, 1969.

La Vie de mon père suivi de *Mes apprentissages* (préface de F. de Clermont-Tonnerre, notes de S. M. Pellistrandi) (5), Les Amis de l'Histoire, 1969.

La Vie de mon père (édition de Gilbert Rouger), Garnier, 1970, illustré.

Sara, C.I.D., 1970 (5).

La Paysanne pervertie (préface de B. Didier), Garnier-Flammarion, 1976.

Le Pied de Fanchette (réédition en fac-similé de l'édition Quantin de 1881), Editions d'Aujourd'hui, 1976.

La Découverte australe (préface de J. Lacarrière), France-Adel, 1977, illustré.

Le Pornographe (préface de B. Didier), Régine Desforges, 1977.

Les Nuits révolutionnaires, (préface de J. Dutourd, notes de B. Didier). Livre de poche, 1978.

Les Nuits de Paris (réédition en fac-simile de l'édition Aux Trois Compagnons de 1947). Editions d'Aujourd'hui, 1978.

II. Editions étrangères. Traductions.

Pleasures and follies of a good-natured libertine (adapté de *l'Anti-Justine* par P. Casavini), Paris, Olympia Press, 1956 (Autre édition, 1966) (6).

Il Meglio (anthologie, traduit, présenté, annoté par G. Spagnoletti), Milan, Longanesi, 1960.

Monsieur Nicolas Abenteuer im Lande des Liebe (traduit par H. von Lewandowski), 3 volumes, Hambourg, Gala Verlag, 1961-62.

El Descubrimiento austral (traduit par E. Pereira Salas), Santiago du Chili, 1962.

(5) Cité par P. Testud.

Les Nuits de Paris (traduit par L. Asher et E. Fertig), New York, Random House, 1965 (6).

Monsieur Nicolas (édition de R. Baldick), Londres, Barrie and Rockliff, 1966.

Novelle erotiche (traduit par V. Magnani), Turin, M.E.B., 1969.

Monsieur Nicolas (traduit par G. Spagnoletti et T. Cavalca), Milan, Longanesi, 1971.

Utopias in the Enlightenment. Le Thesmographe, Reproduction en fac-simile de l'édition de 1789, U.S.A., Clearwater Pub., 1974.

Œuvres (réédition en fac-simile de l'anthologie d'H. Bachelin, parue en 1930-32 aux Editions du Trianon), Genève, 9 volumes, Slatkine, 1971.

Anti-Justine (traduction de P. Schalk), Munich, Wilhelm Heyne Verlag, 1975.

Schuh Geschichten (extraits traduits par P. Schalk), Munich, Wilhelm Heyne Verlag, 1976.

Le Paysan perverti (édition de F. Jost), Lausanne, 2 volumes, L'Age d'Homme, 1977, illustré.

III. Extraits figurant dans des anthologies ou recueils généraux.

« Le Ci-devant qui épouse une Sans-culotte », *Contes divers de trois siècles,* Boston, Houghton Mifflin, 1950 (6).

« Louise et Thérèse », *Les 20 meilleures nouvelles françaises,* Paris, Seghers, 1956.

« Louise et Thérèse », *Les œuvres libres,* avril 1958. Paris,

Extraits de « Monsieur Nicolas », « Le Paysan et la Paysanne pervertis » dans :

L'Art d'aimer au siècle des libertins et des folles marquises,

(6) Cités par Charles A. Porter.

Paris, Agence parisienne de distribution, 1961., (Il doit s'agir de la réédition d'un ouvrage d'époque 1900 que je n'ai pu identifier).

« Le 14 juillet 1789 », Paris, *Les œuvres libres,* juillet 1961.

Extraits de « L'Ecole des pères » et « Les Françaises », *Le Roman jusqu'à la Révolution,* tome II : anthologie (H. Coulet), Paris, Armand Colin, 1961.

« La Morte-vivante », *Récits fantastiques et contes nocturnes* (anthologie d'H. Juin), Paris, Livre-club du libraire, 1965.

« Débuts parisiens, Le devant des portes, Le décolleur d'affiches », *A la recherche de Paris,* New York, Oxford University Press, 1966 (6).

« Le plus fort des pamphlets », *Les gauchistes de 89* (P. Kessel), 10/18, U.G.E., 1969.

« Rosette Wailant ou le modèle, Mme Chénier et Mlle Aubusson », *369* (Anthologie de H. Juin), Paris, Editions et Publication Premières, 1970.

« Charrette de filles publiques », *La femme,* Paris, Univers des Lettres, Bordas, 1974.

« Le rompu, Le feu de la Saint Jean, Le gîte, La chiffonnière, L'os, l'eau, les cendres, La femme vivante disséquée », *Contes populaires et légendes de Paris* (anthologie de C. Seignolle), Paris, Presses de la Renaissance, 1975.

XVIIIe et dernière lettre de « La Paysanne pervertie », extrait de « La Vie de mon père », *Le Dix-huitième en 10/18,* Paris, U.G.E., 1976.

IV. Manuels scolaires.

Longtemps à peu près ignoré de ces ouvrages (le célèbre *Lagarde & Michard* lui consacre exactement trois lignes : XVIIIe, p. 404) Restif depuis quelque temps y trouve une meilleure place

Extrait de « La Vie de mon père », *Français, classe de 5e* (J. Fournier, M. Bastide), Bordas, 1958.

Extrait de « Monsieur Nicolas », *Vers et prose, classe de 4e* (G. Rouger, R. France, A. Hubac, P. Leduc), Fernand Nathan, 1965.

Extrait des « Nuits de Paris », *Le Français par les textes, classe de 3e* (J. Beaugrand, M. Courault), Hachette, 1966.

Extrait de « La Vie de mon père », *Recueil de textes littéraires français du XVIIIe siècle,* (A. Chassang, Ch. Senninger), Hachette, 1966.

Extrait de « Les Contemporaines », *Vers et prose, classe de 3e* (G. Rouger, M. Legras, P. Leduc), Fernand Nathan, 1966.

Extraits de « Monsieur Nicolas » et « Les Nuits de Paris », *Lire et s'exprimer, classe de 4e* (M. Mozet, Ph. Sellier, P. Gaillard, P. Brunel), Fernand Nathan, 1971.

V. L'audio-visuel.

Radio :

Emission de la série « Mémoires » : *Monsieur Nicolas.* De Catherine Bourdet et Henri Soubeyran, hebdomadaire du 30-10-70 au 12-3-71 (*France Culture,* lundi, 20 h, (Excellente adaptation de « Monsieur Nicolas »).

Télévision :

Sara, dramatique; scénario, adaptation, dialogues et réalisation de M. Bluwal (avec Danièle Lebrun, François Périer, Luce Garcia-Ville), 1 h 45, diffusée le 21-5-75 sur A 2.

Histoire des gens, Rétif de la Bretonne, émission de Pierre Dumayet, avec E. Le Roy Ladurie. 50′, diffusée le 12-7-76 sur TF1.

Théâtre :

Les Nuits de Paris, adaptation de J.C. Carrière, mise en scène de J. L. Barrault, compagnie Renaud-Barrault, théâtre d'Orsay, saison hiver 1975-76.

VI. Le personnage Restif.

Après Nerval et Dumas, la figure de Restif a inspiré :

F. Fleuret, *Histoire de la bienheureuse Raton,* Gallimard, 1926, (Le chapitre XIII est centré sur un Restif très stéréotypé).

R. Peyrefitte, *Le Spectateur nocturne,* théâtre, Flammarion, 1960, (Restif, Mercier, Fontanes, Agnès, Sara « à Paris le 2 février 1806 »).

P. Gordeaux (texte), J. Pecnard (dessin), *Restif de la Bretonne,* bande dessinée de la série *Les amours célèbres,* France-Soir, 1960-61 (pour l'essentiel, une mise en images de « Monsieur Nicolas »).

VII. Etudes critiques.

Pour connaître Restif et son œuvre, trois ouvrages de base (outre Rives Childs) :

Ch. A. Porter, *Restif's novels (An autobiography in search of an author),* New Haven and London, Yale University Press, 1967.

G. Rouger, *La Vie de mon père,* Appareil critique et notices de première importance, Garnier, 1970.

P. Testud, *Rétif de la Bretonne et la création littéraire,* thèse, Bibliothèque de la Sorbonne, 1975, (on trouvera dans Porter et Testud un panorama complet des articles, études, jugements concernant Restif, jusqu'en 1966 — Porter — et 1975 — Testud). J'y ajouterai :

M. Ragon, *Histoire de la littérature ouvrière,* Paris, Les éditions Sociales, 1953, (Restif n'y est qu'un modeste jalon).

H. Coulet, *Le Roman jusqu'à la Révolution,* tome 1, (Paris, Armand Colin, 1961 p. 489 à 496, excellente étude sur Restif).

Cahiers Renaud-Barrault n° 90, Paris, Gallimard, 1975 (à propos de leur spectacle, des textes de J. L. Barrault, J. Cl. Carrière, E. Le Roy Ladurie, G. Picon, A. Malraux).

Manuel d'Histoire Littéraire de la France, Paris, Editions Sociales, 1975, (tome III, G. Bruit : Le roman moral, Restif de la Bretonne. Une étude surtout consacrée à « L'école des pères »).

P. Nagy : *Libertinage et Révolution,* Paris, Gallimard, 1975, (p. 111-116, sur *Le Paysan perverti*).

B. Didier, *Littérature française, Le XVIIIe siècle,* tome III, Grenoble, Arthaud, 1976, (chapitre III, Une grande notice d'encyclopédie, bibliographie).

Sorcières, Paris, revue, n° 3, 1976, article de Blanche : Les catins des Lumières, (Restif et la prostitution).

Alexandrian, *Les Libérateurs de l'amour,* Paris, Ed. du Seuil, 1977, (Chronologie commentée de quelques ouvrages).

Il faudrait y joindre les articles parus çà et là, lors de la création des *Nuits de Paris* (Compagnie Renaud-Barrault). Par exemple :

Le Monde (14-12-75).

Les Echos (16-12-75).

Le Point (22-12-75).

L'Express (22-12-75).

Ou après la parution de *La Découverte australe* (France Adel) :

Le Monde (4-2-77).

L'Express (7-2-77).
Le Nouvel Observateur (12-3-77).
La Quinzaine littéraire (16-2-77).

VIII. Restif et la science-fiction.

Sur cet aspect méconnu de Restif, voir :

J. Sadoul, *Histoire de la Science-Fiction moderne,* Edition augmentée, deux volumes, Paris, J'ai lu, 1975.

et surtout les très nombreuses notices le concernant dans la monumentale :

Encyclopédie de l'utopie, des voyages extraordinaires et de la science-fiction (de Pierre Versins, Lausanne, l'Age d'Homme, 1972).

Enfin sur les liens de trois écrivains avec Restif, voir :

G. Bollème, *Dictionnaire d'un polygraphe, textes de L. S. Mercier,* 10/18, U.G.E. 1978. (Avec une longue et riche préface dans laquelle les rapports entre Restif et Mercier sont précisément analysés. Voir aussi page 360.)
H. Miller, *Big Sur* (traduction, Buchet Chastel, 1959).
J. Lacarrière, *Chemin faisant* (Fayard, N[lle] Edit, 1977).

Nota : Quatre ouvrages, que des recherches n'ont pu confirmer, seraient à ajouter à cette bibliographie (II).

Les Nuits de Paris, Kapellen éd. (Belgique), 1967, (cité par F. Jost).
L'Amour à Quarante-cinq ans, Européen-Press éd., (?).
Ingénue Saxancour, Editions du Bélier, Montréal, 1967.
L'Anti-Justine, Editions Quintal, Montréal, 1969.

TABLE

Préface 9
Note sur la présente édition 25
LE MÈNAGE PARISIÉN 29
Restif et Le Ménage Parisien 365
Bibliographie 369

Achevé d'imprimer le 1er septembre 1978
sur les presses de l'Imprimerie Bussière
à Saint-Amand (Cher)